HISTOIRE ET ÉDUCATION À LA CITOYENNETÉ

présences

Une histoire thématique du Québec

Manuel de l'élève
2ᵉ année du 2ᵉ cycle du secondaire

Volume 2

Collection dirigée par
Alain Dalongeville

Charles-Antoine Bachand

Stéphanie Demers

Gaëtan Jean

Patrick Poirier

LES ÉDITIONS
CEC
Une compagnie de Quebecor Media

9001, boul. Louis-H.-La Fontaine, Anjou (Québec) Canada H1J 2C5
Téléphone : 514-351-6010 • Télécopieur : 514-351-3534

Direction de l'édition
Louise Roy

Direction de la production
Danielle Latendresse

Direction de la coordination
Rodolphe Courcy

Charge de projet
Maryse Coziol-Lavoie
Johanne Chasle

Révision scientifique
Paul-André Linteau, Université du Québec à Montréal

Révision linguistique
Suzanne Delisle

Correction d'épreuves
Jacinthe Caron

Recherche
(Iconographie et droits des textes)
Monique Rosevear

Cartographie
Philippe Audette
Éric Mottet

Conception et réalisation graphique
LE GROUPE flexidée
COMMUNICATEUR GRAPHIQUE

Actualité des documents
Les statistiques et les documents portant sur des événements ou des phénomènes d'actualité présentés dans cet ouvrage sont les plus récents disponibles au moment de sa parution. Lorsqu'on leur demande d'interroger le présent, les enseignants, les enseignantes et les élèves doivent tenir compte des changements survenus depuis la date indiquée dans la source des documents.

Dans cet ouvrage, la féminisation des titres de fonctions et des textes est conforme aux règles d'écriture proposées par l'Office de la langue française dans le guide *Au féminin*, produit par Les Publications du Québec, 1991.

Gouvernement du Québec – Programme de crédit d'impôt pour l'édition de livres Gestion SODEC

Les Éditions CEC inc. remercient le gouvernement du Québec de l'aide financière accordée à l'édition de cet ouvrage par l'entremise du Programme de crédit d'impôt pour l'édition de livres, administré par la SODEC.

Présences 2 – Une histoire thématique du Québec,
volume 2, manuel de l'élève
© 2008, Les Éditions CEC inc.
9001, boul. Louis-H.-La Fontaine
Anjou (Québec) H1J 2C5

Dépôt légal : 2008
Bibliothèque et Archives nationales du Québec
Bibliothèque et Archives Canada

ISBN 978-2-7617-2588-0
Imprimé au Canada
1 2 3 4 5   12 11 10 09 08

Table des matières

THÈME 3 CULTURE ET MOUVEMENTS DE PENSÉE · 20

Présent

Savoirs

Culture et mouvements de pensée

Synthèse

Ailleurs

Comparaison et retour au présent ———————————— 80

Consolider l'exercice de sa citoyenneté

Table des matières

Volume 1

Pour bien comprendre votre manuel
■ Techniques
THÈME 1 – POPULATION ET PEUPLEMENT
THÈME 2 – ÉCONOMIE ET DÉVELOPPEMENT
Mini-atlas
Ouvrages de référence
Index des repères culturels
Chronologie
Glossaire
Sources iconographiques

Pour bien comprendre votre manuel

ÉTAPE 1 – PRÉPARATION

 COMPÉTENCE 1

Interroger les réalités sociales dans une perspective historique.

Interrogation du présent

Ouverture du thème

La double page d'ouverture du chapitre présente des textes et des images qui vous permettront d'anticiper le contenu du thème à l'étude en vous interrogeant sur la réalité sociale étudiée.

┌ **Réalité sociale**
  Thème à l'étude

┌ **Angle d'entrée**
  Point de vue selon lequel le thème doit être étudié

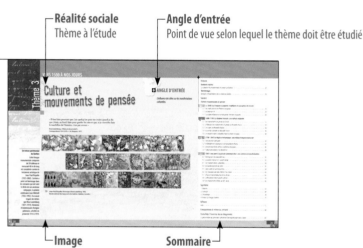

└ **Image**
  Image qui évoque un aspect du thème

Sommaire ┘
Évolution du thème au fil des périodes de l'histoire du Québec

Présent

Les deux doubles pages aux bordures rouges présentent des éléments du présent de la réalité sociale qui vous permettront de l'interroger dans une perspective historique.

┌ Dans cette double page, vous lirez des témoignages qui apportent un éclairage particulier aux repères présentés dans la double page précédente.

┌ Les activités proposées dans cette section permettent la mise en œuvre de la compétence 1.

└ Dans cette double page, vous trouverez des documents qui dressent le portrait actuel de la réalité sociale à l'étude.

ÉTAPE 2 – RÉALISATION

🔹 **COMPÉTENCE 1**

Interroger les réalités sociales dans une perspective historique.

🔹 **COMPÉTENCE 2**

Interpréter les réalités sociales à l'aide de la méthode historique.

🔹 **COMPÉTENCE 3**

Consolider l'exercice de sa citoyenneté.

Construction des savoirs et développement des compétences

Savoirs

Dans la section *Savoirs*, vous prendrez connaissance de textes et de documents écrits ou iconographiques vous permettant de construire des savoirs liés à la réalité sociale à l'étude et de développer vos compétences.

Les pages de la section *Savoirs* sont organisées à l'aide de couleurs et de pictogrammes qui symbolisent chaque période historique.

La fleur de lys du drapeau québécois et la couleur verte symbolisent *La période contemporaine* (1867 à nos jours).

La tortue, très présente dans la mythologie amérindienne, et la couleur jaune symbolisent la période historique *Les Premiers occupants* (v. -30 000 - v. 1500).

Le castor, emblème commercial de cette époque, et la couleur bleu royal représentative de la France symbolisent la période historique *Le Régime français* (1608-1760).

Le lion emblématique de la Grande-Bretagne et la couleur rouge symbolisent la période historique *Le Régime britannique* (1760-1867).

LES ACTIVITÉS DE LA SECTION *SAVOIRS*

Enquête

Classez dans un tableau les renseignements de cette double page sur les environnements et modes de vie des Premiers occupants.

Les enquêtes proposées dans chaque double page de la section *Savoirs* vous permettront :

- de prendre connaissance du texte et des documents présentés dans la double page ;
- d'interpréter la réalité sociale à l'aide de la méthode historique (compétence 2).

🔹 **COMPÉTENCE 2**
Interpréter le passé.

1. Nommez des caractéristiques représentatives de l'art des Premiers occupants.

2. Indiquez divers usages auxquels servent les objets conçus par les Premiers occupants.

🔹 **COMPÉTENCE 3**
Exercer sa citoyenneté.

3. Quelles sont aujourd'hui les manifestations culturelles des Autochtones ? Sont-elles intégrées à celles de la population québécoise en général ?

🔹 **CONCEPT**
Art

4. Quels liens y a-t-il entre l'art et la religion chez les Premiers occupants ?

🔹 **COMPÉTENCE 1**
Interroger le présent.

5. Après avoir étudié la période des Premiers occupants, votre hypothèse sur l'influence des idées sur les manifestations culturelles au Québec au début du XXIᵉ siècle est-elle toujours valide ? Au besoin, reformulez-la ou complétez-la.

Dans chaque double page de la section *Savoirs,* des activités vous permettront :

- d'interpréter la réalité sociale (compétence 2) ;
- de consolider l'exercice de votre citoyenneté (compétence 3) ;
- de construire les concepts privilégiés dans le thème ;
- de valider les réponses au questionnement et les hypothèses formulées dans les pages de la section *Présent* (compétence 1).

ÉTAPE 3 – INTÉGRATION ET ÉVALUATION

 COMPÉTENCE 2

Interpréter les réalités sociales à l'aide de la méthode historique.

COMPÉTENCE 3

Consolider l'exercice de sa citoyenneté.

Synthèse et réinvestissement des savoirs

Synthèse

Dans cette section, vous trouverez quatre rubriques vous permettant d'élaborer votre propre synthèse des savoirs construits à l'étape 2, *RÉALISATION*.

Synthèse | Culture et mouvements de pensée

1. RÉSUMÉ

Dans cette rubrique, vous trouverez un résumé des savoirs liés au thème, regroupés selon les périodes historiques.

2. CONCEPTS

Dans cette rubrique, vous trouverez des réseaux explicitant les liens entre le concept principal et les concepts particuliers liés au thème.

3. CHRONOLOGIE

Dans cette rubrique, vous trouverez deux ensembles d'événements importants, l'un portant sur l'évolution du thème (colonne de gauche), l'autre sur l'évolution politique pendant la même période (colonne de droite). Les dates sont reproduites sur des rectangles dont la couleur correspond à la période historique concernée.

4. RETOUR SUR L'ANGLE D'ENTRÉE

Dans cette rubrique, vous réaliserez une activité vous permettant de vérifier si vous avez développé les compétences nécessaires pour expliciter l'angle d'entrée sous lequel le thème doit être étudié.

Ailleurs

Dans cette section, vous pourrez réinvestir les compétences développées dans la section *Savoirs* et relativiser votre interprétation en comparant l'évolution du thème étudié dans différentes réalités sociales.

Vous y trouverez des textes explicatifs et des documents écrits et iconographiques vous permettant de comparer une autre réalité sociale avec celle du Québec.

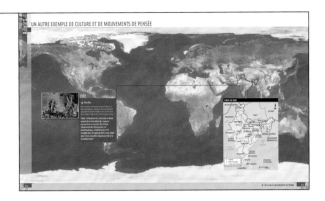

Comparaison et retour au présent

Cette section vous permettra de faire le point sur les concepts clés liés au thème étudié et sur la comparaison avec une autre réalité sociale.

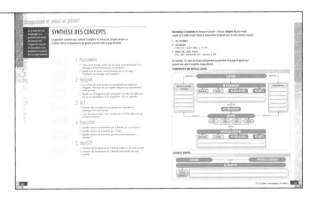

Consolider l'exercice de sa citoyenneté

Dans cette section, vous ferez le point sur le développement de la compétence 3, *Consolider l'exercice de sa citoyenneté*, et sur le concept central du thème étudié à l'aide d'une activité *Enquête*.

POUR VOUS AIDER DANS VOTRE ÉTUDE

Techniques

Dans cette section, vous trouverez des
techniques liées à la méthode historique qui
vous permettront de bien interpréter les
divers types de documents et d'en réaliser
à votre tour pour rendre compte de votre
apprentissage et de vos compétences.

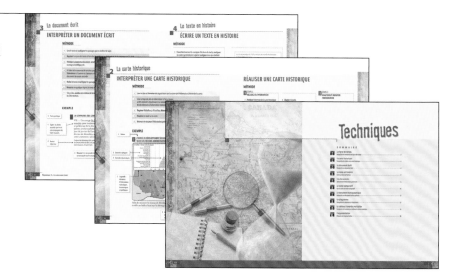

Mini-atlas

Dans cette section, vous trouverez des
cartes du monde, du Canada et surtout
du Québec qui vous aideront à mieux
développer vos compétences et à mieux
comprendre les savoirs présentés dans
le manuel.

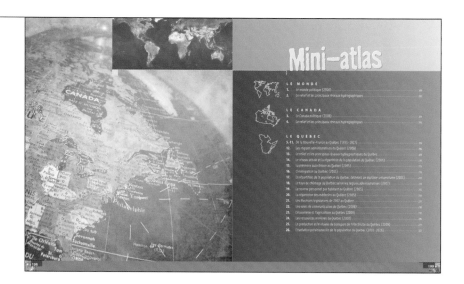

Des couleurs et des pictogrammes

COMPÉTENCE 1 **Interroger le présent.**	Activités ou contenus liés à des éléments du *Programme de formation de l'école québécoise*.			Renvoi à une technique présentée au début de votre manuel lorsque celle-ci peut vous aider à réaliser une activité.
	La tortue, très présente dans la mythologie amérindienne, et la couleur jaune symbolisent la période historique *Les Premiers occupants* (v. -30 000 - v. 1500).		**RC**	Lieu, personnage, œuvre littéraire, artéfact ou phénomène qui a été déclaré *repère culturel* par le *Programme de formation de l'école québécoise*.
	Le castor, emblème commercial de cette époque, et la couleur bleu royal représentative de la France symbolisent la période historique *Le Régime français* (1608-1760).		« À cette époque, les engagés étaient ... »	**Mots** définis dans la rubrique LEXIQUE d'une double page et dans le glossaire présenté à la fin du manuel.
	Le lion emblématique de la Grande-Bretagne et la couleur rouge symbolisent la période historique *Le Régime britannique* (1760-1867).		**G**	Renvoi au glossaire présenté à la fin du manuel.
	La fleur de lys du drapeau québécois et la couleur verte symbolisent *La période contemporaine* (1867 à nos jours).			

Des compétences

Les différentes sections de votre manuel ont été conçues de manière à faciliter votre démarche d'apprentissage en vue du développement de vos compétences en histoire et éducation à la citoyenneté.

COMPÉTENCES
1. Interroger les réalités sociales dans une perspective historique.
Composantes

- Explorer les réalités sociales à la lumière du passé.
- Considérer les réalités sociales sous l'angle de la durée.
- Envisager les réalités sociales dans leur complexité.
- Porter un regard critique sur sa démarche.

2. Interpréter les réalités sociales à l'aide de la méthode historique.
Composantes

- Établir les faits des réalités sociales.
- Expliquer les réalités sociales.
- Relativiser son interprétation des réalités sociales.
- Porter un regard critique sur sa démarche.

3. Consolider l'exercice de sa citoyenneté.
Composantes

- Rechercher les fondements de son identité sociale.
- Établir les bases de la participation à la vie collective.
- Débattre d'enjeux de société.
- Comprendre l'utilité d'institutions publiques.
- Établir l'apport de réalités sociales à la vie économique.
- Porter un regard critique sur sa démarche.

SCALE OF MILES
EXPLANATIONS
RailRoads
CommonRoads
Canals
Townships Buckland
County Towns
Villages &c
CANADA
N. BRUNSWICK
SAGUENAY
Great L. Ha Ha
L. Quaquagamack
Iron Mines L.
Matawin L.
Lake Kempt
Portage
Iroquois Falls
La Tuque
Gr. Wayagamack L.
Little Wayagamack L.
L. of the Graves
Macht Rapids
L. Jaques Cartier
Murray Bay
Mount Murray
VICINITY OF MONTREAL
MEGANTIC
Ireland
Nelson
Gosford
Jolly
Leeds
Broughton
Dorset
Winslow
Lingwick
Dudswell
Stoke
Bolton
Brome
Stanstead
Barnston
Potton
Upper Umsaskis L.
Umbazooksus Lakes

Techniques

SOMMAIRE

INTERPRÉTER UNE LIGNE DU TEMPS

MÉTHODE

1 | **Lire** le titre pour savoir avec quelle intention la ligne du temps a été élaborée.

2 | **Déterminer** la durée représentée par la ligne du temps à l'aide de la première et de la dernière date. La date la plus récente moins la date la plus ancienne égale la durée de la ligne du temps.

3 | **Déterminer** la durée représentée par un segment en divisant la durée totale par le nombre de segments.

4 | **Déterminer** si les éléments d'information représentent des faits, des événements ou des réalités sociales.

5 | S'il y a lieu, **déterminer** des moments de continuité ou de rupture, ainsi que des similitudes et des différences entre les phénomènes historiques (faits, événements, réalités sociales) représentés.

EXEMPLE

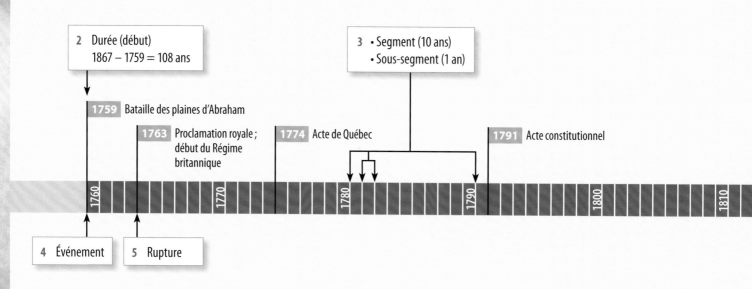

1 Thème

LES CONSTITUTIONS DU RÉGIME BRITANNIQUE

2 Durée (début)
1867 − 1759 = 108 ans

3 • Segment (10 ans)
• Sous-segment (1 an)

1759 Bataille des plaines d'Abraham

1763 Proclamation royale ; début du Régime britannique

1774 Acte de Québec

1791 Acte constitutionnel

1760 1770 1780 1790 1800 1810

4 Événement

5 Rupture

CONSTRUIRE UNE LIGNE DU TEMPS

MÉTHODE

1 | ÉTAPE 1
RECUEILLIR L'INFORMATION

1 | **Préciser** l'intention avec laquelle on veut élaborer une ligne du temps et **formuler** un titre provisoire.

> **Intention :** situer les principales guerres du début du XXᵉ siècle et indiquer leur durée.
> **Titre provisoire :** Les principales guerres du début du XXᵉ siècle

2 | À partir d'une source d'information (texte, document ou chronologie), **déterminer** avec précision les faits, les événements ou les réalités sociales qu'on veut représenter.

3 | **Repérer** les dates et les **associer** aux faits, aux événements ou aux réalités sociales.

> **1914 - 1918 :** Première Guerre mondiale
> **1939 - 1945 :** Seconde Guerre mondiale

2 | ÉTAPE 2
CONSTRUIRE LA LIGNE DU TEMPS

4 | **Tracer** un axe horizontal à l'aide d'un crayon ou d'un logiciel de dessin.

5 | **Concevoir** l'échelle chronologique en déterminant combien de temps l'axe doit couvrir. Appliquer la formule suivante : **date la plus récente – date la plus ancienne = durée.**

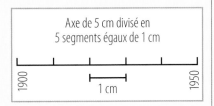

> 1950 − 1900 = 50 ans
> 1900   1950

6 | **Diviser** l'axe en segments égaux à l'aide de points ou de traits verticaux.

> Axe de 5 cm divisé en 5 segments égaux de 1 cm
> 1900   1 cm   1950

7 | **Déterminer** une unité de durée pour chaque segment.

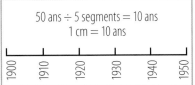

> 50 ans ÷ 5 segments = 10 ans
> 1 cm = 10 ans
> 1900   1910   1920   1930   1940   1950

3 | ÉTAPE 3
ANALYSER ET REPORTER L'INFORMATION

8 | **Choisir** les dates qui correspondent aux faits, aux événements ou aux réalités sociales qu'on veut représenter sur la ligne du temps et **reporter** les dates et l'information sur la ligne du temps.

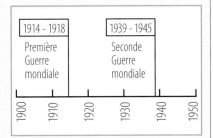

> 1914 - 1918   1939 - 1945
> Première Guerre mondiale   Seconde Guerre mondiale
> 1900   1910   1920   1930   1940   1950

9 | **Vérifier** le titre de la ligne du temps et, s'il y a lieu, le modifier. Le titre doit révéler le sujet principal de la ligne du temps, son contenu et son intention.

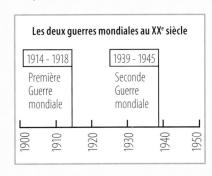

> **Les deux guerres mondiales au XXᵉ siècle**
> 1914 - 1918   1939 - 1945
> Première Guerre mondiale   Seconde Guerre mondiale
> 1900   1910   1920   1930   1940   1950

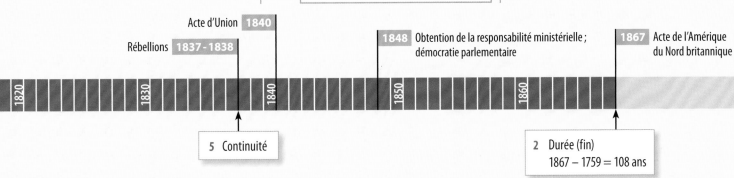

Acte d'Union **1840**
Rébellions **1837 - 1838**
1848 Obtention de la responsabilité ministérielle ; démocratie parlementaire
1867 Acte de l'Amérique du Nord britannique

1820   1830   1840   1850   1860

5 Continuité

2 Durée (fin)
1867 − 1759 = 108 ans

INTERPRÉTER UNE CARTE HISTORIQUE

MÉTHODE

1 **Lire** le titre et **formuler** des hypothèses sur la nature de l'information (thème de la carte).

2 **Lire** la légende afin de déterminer si l'on y trouve :
 a) des données dynamiques ou statiques ;
 b) des éléments d'information statistiques, sociaux, économiques, culturels ou politiques.

3 **Repérer** l'échelle et, s'il y a lieu, **déterminer** les dimensions du territoire couvert sur la carte.

4 **Repérer** le nord sur la carte.

5 **Relever** et **résumer** l'information présentée sur la carte.

EXEMPLE

1 Thème

4 Rose des vents

1 **L'INDICE DE DÉVELOPPEMENT ÉCONOMIQUE SELON LES RÉGIONS ADMINISTRATIVES EN 2004**

2 Données statiques

2 Données dynamiques

2 **Légende :** éléments d'information statistiques, économiques et politiques.

3 Échelle

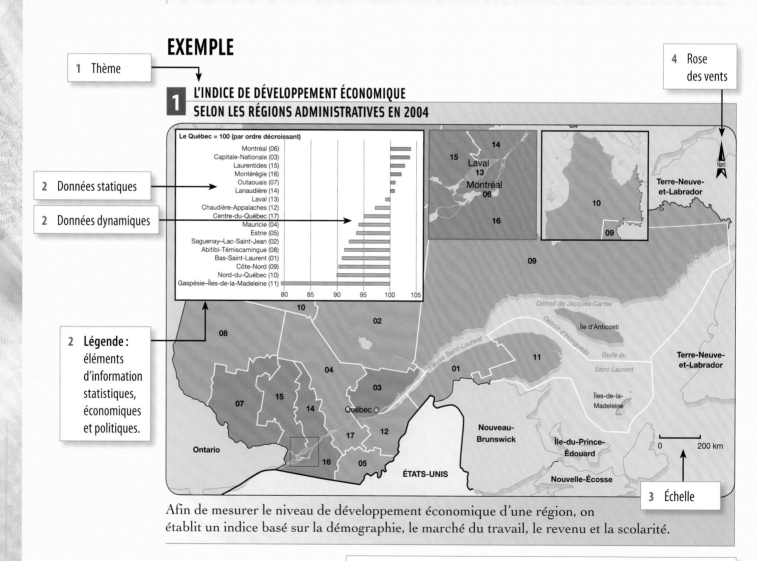

Afin de mesurer le niveau de développement économique d'une région, on établit un indice basé sur la démographie, le marché du travail, le revenu et la scolarité.

5 **Résumé :** La carte présente la situation économique des régions administratives du Québec en 2004. La région de Montréal est en croissance alors que la majorité des autres régions du Québec sont en décroissance.

RÉALISER UNE CARTE HISTORIQUE

MÉTHODE

1 ÉTAPE 1
RECUEILLIR L'INFORMATION

1 **Préciser** l'intention de la carte historique et **formuler** un titre provisoire.

> **Intention :** présenter les principaux lieux d'établissement des Loyalistes au Québec.
> **Titre provisoire :** L'établissement des Loyalistes au Québec au XVIIIe siècle

2 À l'aide d'une source d'information (encyclopédie, atlas, document historique, etc.), **déterminer** quel phénomène historique (fait, événement ou réalité sociale) l'on veut illustrer. S'il y a lieu, déterminer son évolution dans le temps et dans l'espace.

> Sur une carte de la vallée du Saint-Laurent, situer les principaux lieux d'établissement des Loyalistes à la fin du XVIIIe siècle.

2 ÉTAPE 2
RÉALISER LA CARTE HISTORIQUE

3 **Tracer** un fond de carte à la main ou à l'aide d'un logiciel de dessin, ou **utiliser** un fond de carte déjà existant.

4 **Établir** l'échelle.

a) Pour établir l'échelle, **prendre** deux points de référence, par exemple deux villes dont on connaît la distance qui les sépare.
Ex. : Montréal – Québec : 250 km.

b) **Situer** ces points sur la carte et **mesurer** la distance en centimètres.
Ex. : 250 km = 0,5 cm.

c) S'il y a lieu, **tracer** les frontières et les repères géographiques comme les rivières, les montagnes et les villes. **Ajouter** une rose des vents pour indiquer le nord.

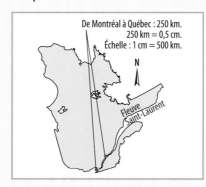

De Montréal à Québec : 250 km.
250 km = 0,5 cm.
Échelle : 1 cm = 500 km.

5 **Créer** une légende.

a) **Utiliser** des couleurs différentes et des symboles pour représenter les divers éléments de la carte.

b) **Indiquer** les éléments d'information dans la légende, leur couleur respective et, s'il y a lieu, les symboles et ce qu'ils représentent.

> • Villes principales
> ■ Premiers établissements loyalistes

3 ÉTAPE 3
ANALYSER ET REPORTER L'INFORMATION

6 **Reporter** sur la carte l'information retenue à l'étape 1.

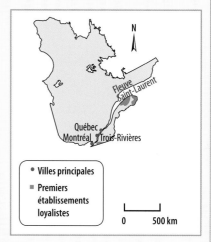

> • Villes principales
> ■ Premiers établissements loyalistes
>
> 0   500 km

7 **Vérifier** le titre de la carte historique et, s'il y a lieu, le modifier. Le titre doit révéler le sujet principal de la carte et son intention.

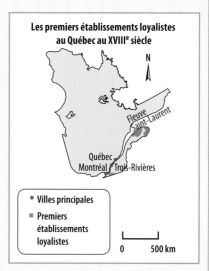

Les premiers établissements loyalistes au Québec au XVIIIe siècle

> • Villes principales
> ■ Premiers établissements loyalistes
>
> 0   500 km

Le document écrit

INTERPRÉTER UN DOCUMENT ÉCRIT

MÉTHODE

1 **Lire** le texte et **souligner** les passages qui en révèlent le sujet.

2 **Repérer** la source du texte et faire des hypothèses sur l'objectivité de la personne qui l'a écrit.

3 **Préciser** la nature du document : article de journal, lettre, traité, texte juridique, roman, archive, ouvrage scientifique, etc.

4 À l'aide de la source ou de certains passages du texte, **préciser** le moment où le texte a été écrit. **Déterminer** si l'auteur ou l'auteure a été témoin des événements (source première) ou s'il s'agit d'un document de source seconde.

5 **Relire** le texte et **surligner** les passages qui révèlent le point de vue de l'auteur ou de l'auteure sur le sujet.

6 **Résumer** en quelques lignes le texte et l'intention de l'auteur ou de l'auteure.

7 S'il y a lieu, **mettre en relation** le texte écrit avec d'autres documents visuels ou écrits et **comparer** les informations.

EXEMPLE

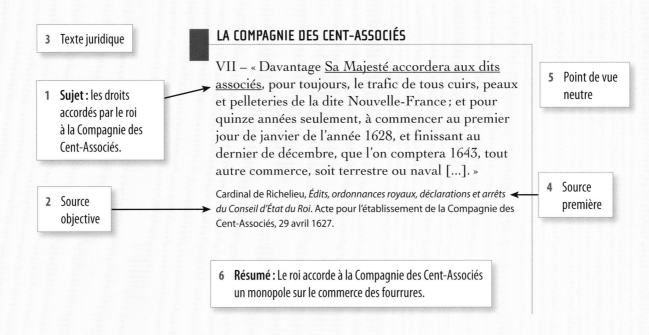

3 Texte juridique

1 **Sujet :** les droits accordés par le roi à la Compagnie des Cent-Associés.

2 Source objective

LA COMPAGNIE DES CENT-ASSOCIÉS

VII – « Davantage <u>Sa Majesté accordera aux dits associés</u>, pour toujours, le trafic de tous cuirs, peaux et pelleteries de la dite Nouvelle-France ; et pour quinze années seulement, à commencer au premier jour de janvier de l'année 1628, et finissant au dernier de décembre, que l'on comptera 1643, tout autre commerce, soit terrestre ou naval [...]. »

Cardinal de Richelieu, *Édits, ordonnances royaux, déclarations et arrêts du Conseil d'État du Roi.* Acte pour l'établissement de la Compagnie des Cent-Associés, 29 avril 1627.

5 Point de vue neutre

4 Source première

6 **Résumé :** Le roi accorde à la Compagnie des Cent-Associés un monopole sur le commerce des fourrures.

ÉCRIRE UN TEXTE EN HISTOIRE

MÉTHODE

1 **Lire** attentivement la consigne d'écriture du texte, **souligner** les mots qui révèlent le sujet et **surligner** ceux qui révèlent l'intention du texte à écrire.

> L'État québécois subit des transformations à partir des années 1930. Dans un court texte d'environ 300 mots, expliquez l'impact de la crise économique de 1930 sur le rôle de l'État québécois.
>
> Sujet   Intention

2 **Selon** l'intention du texte (décrire, expliquer ou convaincre), **formuler** une question à laquelle le texte devra répondre.

> Pourquoi la crise économique de 1930 a-t-elle entraîné des transformations du rôle de l'État québécois ?

3 **Écrire** une phrase d'introduction dans laquelle on présente le sujet et l'intention du texte.

> Dans le texte suivant, je tenterai d'expliquer pourquoi ←— Intention
> la crise de 1930 a eu des conséquences sur le rôle ←— Sujet
> de l'État québécois.

4 **Selon** l'intention du texte, **consulter** les documents proposés ou trouvés et **relever** les passages qui pourraient constituer des caractéristiques, des raisons, des causes, des faits, des arguments ou d'autres éléments d'information liés au phénomène historique (fait, événement, réalité sociale) qu'on doit décrire ou expliquer, ou au point de vue qu'on doit défendre.

Déterminer quels éléments seront retenus pour répondre à la question posée.

Formuler chaque élément de la manière suivante :
Une affirmation ⇨ *parce que (causes)* **ou**
Un élément ⇨ *brève description* **ou**
Une opinion ⇨ *un argument*

> La crise économique de 1930 a entraîné des transformations dans le rôle de l'État parce que :
> * l'État a dû intervenir pour aider les chômeurs et trouver des solutions aux problèmes économiques et sociaux causés par la crise ;
> * les mentalités ont commencé à changer dans la société et le rôle de l'État est devenu plus important ;
> * les institutions traditionnelles comme l'Église ne pouvaient plus jouer leur rôle efficacement dans la société.

5 **Écrire** la suite de l'introduction en présentant le nombre d'éléments qui seront traités dans le texte.

> Dans le texte suivant, je tenterai d'expliquer pourquoi la crise économique de 1930 a joué un rôle important dans la transformation de l'État québécois. Voici trois raisons qui expliquent ce phénomène.

6 **Écrire** la suite du texte en utilisant les éléments précisés au numéro 4. **Formuler** des phrases complètes en utilisant, selon l'intention du texte, des marqueurs de relation propres à la description (*de plus, puis, aussi, d'abord-ensuite-enfin,* etc.), à l'explication (*du fait que, comme, puisque, parce que,* etc.) ou à l'argumentation (*parce que, étant donné que, la preuve étant que,* etc.). **Formuler** un titre.

> ### L'impact de la crise économique de 1930 sur le rôle de l'État québécois
>
> Dans le texte suivant, je tenterai d'expliquer pourquoi la crise économique de 1930 a joué un rôle important dans la transformation de l'État québécois. Voici trois raisons qui expliquent ce phénomène.
>
> Premièrement, la crise a poussé l'État à intervenir pour aider les chômeurs et trouver des solutions aux problèmes économiques et sociaux qui en ont découlé.
>
> Deuxièmement...

7 **Lire** les critères qui serviront à évaluer le texte et vérifier s'ils ont tous été respectés. **Apporter** les corrections nécessaires.

> * L'élève a respecté le sujet du texte.
> * L'élève a donné au moins trois raisons qui expliquent le phénomène.
> * Les raisons invoquées sont fondées historiquement.

SÉLECTIONNER L'INFORMATION PERTINENTE

MÉTHODE

Devant un ensemble de documents :

1 **Préciser** les motifs (sujet et intention) de la recherche d'information en relisant les consignes ou en considérant le sujet du travail de recherche.

2 **Valider** les sources, c'est-à-dire vérifier leur fiabilité.

3 **Faire** une première lecture des documents et **sélectionner** ceux qui sont pertinents.

4 **Lire** chaque document attentivement et **surligner** ou **encercler** les passages qui contiennent des éléments d'information utiles.

5 **Sélectionner** et **classer** l'information selon les aspects du sujet à traiter :
- **interpréter** les données ;
- **reformuler** les extraits afin d'éviter le plagiat ;
- **recopier** fidèlement les extraits qu'on veut citer sans oublier de noter la source.

6 **Rédiger** le texte et **formuler** un titre.

EXEMPLE

1 **Préciser** le sujet et l'intention de la recherche.

Intention   Sujet

Rendez compte dans un court texte des caractéristiques de la population du Québec au début du XXIe siècle en considérant les documents suivants.

2 **3** et **4** **Valider** les sources, **lire** les documents et **relever** l'information utile.

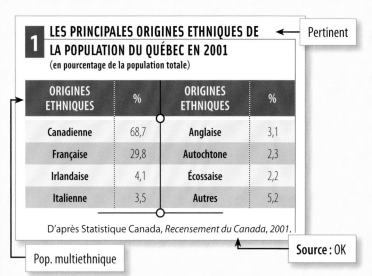

1 **LES PRINCIPALES ORIGINES ETHNIQUES DE LA POPULATION DU QUÉBEC EN 2001**
(en pourcentage de la population totale) ◄ Pertinent

ORIGINES ETHNIQUES	%	ORIGINES ETHNIQUES	%
Canadienne	68,7	Anglaise	3,1
Française	29,8	Autochtone	2,3
Irlandaise	4,1	Écossaise	2,2
Italienne	3,5	Autres	5,2

D'après Statistique Canada, *Recensement du Canada, 2001*.

Pop. multiethnique

Source : OK

2 **LA POPULATION DU QUÉBEC ET DU CANADA** ◄ Pertinent

En 2001, la population totale du Canada s'élevait à 30 007 094 habitants alors qu'elle n'était que de 2 436 297 en 1851. Au Québec, en 2001, on dénombrait 7 237 479 habitants, soit 4 801 182 de plus qu'en 1851.

D'après Statistique Canada, *Recensement du Canada, 2001*.

Source : OK

Pop. QC 2001 : 7 237 479.

3 **DES RÉGIONS RESSOURCES** ◄ Non pertinent

« [Dans les années 1970 et 1980], les régions ressources restent des régions fortement contrastées où les bas revenus côtoient les revenus les plus élevés. Ensuite, le secteur industriel lui-même reste peu important dans l'ensemble de la main-d'œuvre pour certaines régions, Nord-Ouest et Est du Québec en particulier. Une partie non négligeable de la population vit à travers des activités de petite production primaire [...]. Enfin, le coût de la vie dans ces régions est plus élevé qu'à Montréal. »

Serge Côté et Benoît Lévesque, *Interventions économiques*, nᵒ 8, printemps 1982.

Source : OK

4 | LA RÉPARTITION DE LA POPULATION EN 2006 ← Pertinent

RÉGIONS ADMINISTRATIVES	POPULATION	RÉGIONS ADMINISTRATIVES	POPULATION
Bas-Saint-Laurent (01)	200 630	Nord-du-Québec (10)	38 575
Saguenay–Lac-Saint-Jean (02)	278 279	Gaspésie–Îles-de-la-Madeleine (11)	96 924
Capitale-Nationale (03)	638 917	Chaudière-Appalaches (12)	383 376
Mauricie (04)	255 268	Laval (13)	343 005
Estrie (05)	285 613	Lanaudière (14)	388 495
Montréal (06)	1 812 723	Laurentides (15)	461 366
Outaouais (07)	315 546	Montérégie (16)	1 276 397
Abitibi-Témiscamingue (08)	146 097	Centre-du-Québec (17)	218 502
Côte-Nord (09)	97 766	LE QUÉBEC	7 237 479

Nord-du-Québec (10) 38 575 → Régions les moins peuplées

Montérégie (16) 1 276 397 → Régions les plus peuplées

D'après Statistique Canada, *Recensement du Canada, 2001.* → Source : OK

5 | L'ÂGE DE LA POPULATION ← Pertinent

« La situation démographique québécoise inquiète de nombreux observateurs et observatrices. Contrairement à d'autres pays industrialisés, le Québec subit des changements importants qui pourraient compromettre son développement.

En effet, longtemps marqué par une forte natalité, le Québec voit sa croissance démographique ralentir depuis la Révolution tranquille. [...] Dans les années 1980, le taux de natalité du Québec est l'un des plus faibles au monde. » → Faible taux de natalité

Alain Dalongeville (dir.) *et al.*, *Présences*, vol. 2, Éditions CEC, 2007. → Source : OK

« Les générations nombreuses nées du milieu des années 1940 jusqu'à la fin des années 1960 abordent actuellement le dernier tiers de leur vie et s'éteindront au cours des cinq prochaines décennies. Par conséquent, le nombre de décès va augmenter graduellement jusqu'à doubler pendant que celui des naissances va au mieux stagner sinon diminuer. » → Population vieillissante

Martin Ouellet, « La population du Québec atteindra un sommet de 8,1 millions en 2031 », *La Presse*, 3 février 2004. → Source : OK

---

5 | Sélectionner et classer l'information.

Les caractéristiques de la population québécoise

Origines	Doc. 1 68,7 % canadienne ; 2,3 % autochtone (Indiens de l'Amérique du Nord) ; 29 % autres origines (française, anglaise, etc.). (Statistique Canada, *Recensement du Canada, 2001*.)
Population	Doc. 2 Pop. : 7 237 479 en 2001. (Statistique Canada, *Recensement du Canada, 2001*.)
Répartition	Doc. 4 Montréal et Montérégie : 3 089 120 / 7 237 479 x 100 = 42,7 % de la population totale. Régions très peu peuplées : Gaspésie–Îles-de-la-Madeleine (96 924), Côte-Nord (97 766), Nord-du-Québec (38 575). (Statistique Canada, *Recensement du Canada, 2001*.)
Natalité et vieillissement	Doc. 5 Faible croissance démographique – nombre des naissances qui stagne, population vieillissante. (Sources diverses.)

6 | Rédiger le texte et formuler un titre.

La population du Québec au début du XXIe siècle

En 2001, la population du Québec était de 7 237 479 habitants. De ce nombre, 68,7 % se disaient d'origine canadienne, 2,3 %, d'origine autochtone et 29 %, d'autres origines, formant ainsi une population multiethnique. Les régions administratives de Montréal et de la Montérégie accueillaient 42,7 % de la population totale du Québec alors que celles de la Gaspésie–Îles-de-la-Madeleine, du Nord-du-Québec et de la Côte-Nord comptaient chacune moins de 100 000 personnes. Le faible taux de natalité et le vieillissement de la population entraînent une faible croissance démographique au Québec.

LIRE UN TEXTE COMPARATIF

MÉTHODE

1 | **Lire** le texte et **souligner** le ou les passages qui révèlent le sujet de comparaison.

2 | **Souligner** d'un double trait les termes comparatifs.

3 | **Surligner** de couleurs différentes les mots ou les groupes de mots qui indiquent les aspects de la comparaison (concepts, personnages, lieux, événements, etc.) et **préciser** s'il s'agit de ressemblances ou de différences.

4 | **Résumer** le texte en faisant ressortir les ressemblances et les différences.

EXEMPLE

1 | Sujet de la comparaison

L'INDUSTRIALISATION AU QUÉBEC

« L'industrialisation provoque au Québec les transformations sociales classiques bien connues : urbanisation, baisse du taux de natalité, hausse du niveau de vie, etc. Mais ces phénomènes présentent quand même une couleur locale. Ainsi, l'urbanisation du Québec s'est effectuée à un rythme exceptionnellement rapide : les ruraux, qui formaient 60 % de la population en 1901, ne sont plus que 36,6 % en 1941. »

Jean Hamelin et Jean Provencher, *Brève histoire du Québec*, Boréal, 1987.

2 | Terme comparatif

3 | **Aspects de la comparaison**

    Ressemblances

    Différences

4 | **Résumé :** L'industrialisation au Québec a provoqué les mêmes transformations qu'ailleurs dans le monde, mais l'urbanisation y a été exceptionnellement rapide.

ÉCRIRE UN TEXTE COMPARATIF

MÉTHODE

1 | **Lire** attentivement la consigne d'écriture du texte, **souligner** les mots qui révèlent le sujet de comparaison et **surligner** ceux qui révèlent l'intention du texte à écrire.

> Intention   Sujet de comparaison
>
> Comparez le rôle des institutions politiques selon l'Acte de Québec de 1774 et selon l'Acte constitutionnel de 1791.

2 | **Préciser** les aspects sur lesquels portera la comparaison.

- Le rôle du gouverneur
- Le rôle des autres institutions

3 | **Écrire** une phrase d'introduction dans laquelle on présente :

- le sujet et l'intention du texte ;
- les éléments qui seront comparés ;
- les aspects de la comparaison.

> Intention   Sujet de comparaison
>
> La comparaison du rôle des institutions politiques dans la colonie selon l'Acte de Québec de 1774 et selon l'Acte constitutionnel de 1791 nous permet de mieux comprendre leur transformation.

4 | **Consulter** la documentation proposée et **relever** les passages qui donnent de l'information sur les différents aspects de la comparaison retenus.

Déterminer quels renseignements seront retenus pour comparer.

Regrouper les renseignements dans un tableau permettant d'établir les différences et les ressemblances selon les aspects de la comparaison.

Aspects de la comparaison	Ressemblances	Différences
Rôle du gouverneur	Détient un droit de *veto*. Nomme les membres des Conseils.	
Rôle des institutions	Les Conseils sont nommés par le gouverneur. Ils jouent le même rôle politique.	En 1791, une nouvelle institution apparaît, l'Assemblée législative. Elle propose et adopte des lois.

5 | **Écrire** la suite du texte en utilisant les éléments précisés au numéro 4. **Utiliser** des termes comparatifs. **Formuler** un titre.

> **Le rôle des institutions politiques dans la colonie en 1774 et en 1791**
>
> La comparaison du rôle des institutions politiques dans la colonie selon l'Acte de Québec de 1774 et selon l'Acte constitutionnel de 1791 nous permet de mieux comprendre leur transformation. Le rôle politique du gouverneur et celui des Conseils demeurent les mêmes en 1774 et en 1791. Le gouverneur, aidé par deux Conseils dont il nomme les membres, détient le pouvoir suprême. Toutefois, en 1791, une nouvelle institution est établie : l'Assemblée législative, qui propose et adopte des lois.

6 | **Lire** les critères qui serviront à évaluer le texte et vérifier s'ils ont tous été respectés. **Apporter** les corrections nécessaires.

- L'élève a respecté le sujet de la comparaison.
- L'élève a précisé les aspects de la comparaison.
- L'élève a sélectionné l'information pertinente.
- L'élève a utilisé des termes comparatifs.

Le document iconographique

INTERPRÉTER UN DOCUMENT ICONOGRAPHIQUE

MÉTHODE

1 **Lire** le titre pour **trouver** le thème du document iconographique.

2 **Déterminer** la nature du document, c'est-à-dire le type d'image et le procédé utilisé.

3 **Repérer** le nom de l'auteur ou de l'auteure du document et sa fonction. **Repérer** la date de la création du document ou s'il n'y a pas de date, d'autres indices visuels qui permettent de préciser l'époque représentée.

4 **Repérer** la source du document et **préciser** s'il s'agit d'une image de la réalité ou d'une reconstitution.

5 **Déterminer** le sujet principal du document, les lieux, les personnages et l'événement ou le phénomène historique représenté.

6 **Établir** des liens entre les éléments du document, les personnages, les lieux, les événements, les circonstances et l'époque, et **résumer** l'information contenue dans le document.

7 **Trouver** d'autres documents écrits ou iconographiques afin de compléter l'information ou de la comparer.

6 **Résumé :** Ce tableau propose une représentation subjective des relations entre les jésuites et les Autochtones. Elle met en scène des missionnaires stoïques et pieux persécutés par des Autochtones, présentés comme des bourreaux qui brûlent les églises et torturent les missionnaires.

5 **Sujet :** Les mauvais traitements subis par les pères jésuites en Nouvelle-France.

1 Thème

MORT HÉROÏQUE DE QUELQUES PÈRES DE LA COMPAGNIE DE JÉSUS DANS LA NOUVELLE-FRANCE

2 Lithographie

3 Artiste

(Étienne David, lithographie, 1868. Bibliothèque et Archives Canada.)

3 Date

4 Source

INTERPRÉTER UN DIAGRAMME

MÉTHODE

1 **Lire** le titre pour connaître le thème du diagramme.

2 S'il y a lieu, **lire** la légende afin de **déterminer** le type d'information présentée dans le diagramme.

3 **Déterminer** le type de diagramme pour connaître le mode de représentation des données.

4 S'il y a lieu, **repérer** l'échelle pour **déterminer** l'ordre de grandeur des données.

5 **Repérer** la source à partir de laquelle les données ont été recueillies.

6 S'il y a lieu, **préciser** la nature de l'information qui figure sur chacun des axes.

7 **Résumer** l'information principale transmise par le diagramme.

EXEMPLES

1. LE DIAGRAMME À BANDES (description)

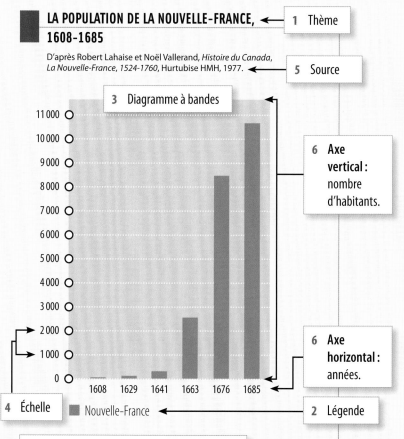

LA POPULATION DE LA NOUVELLE-FRANCE, 1608-1685 ← **1** Thème

D'après Robert Lahaise et Noël Vallerand, *Histoire du Canada, La Nouvelle-France, 1524-1760*, Hurtubise HMH, 1977. ← **5** Source

3 Diagramme à bandes

6 **Axe vertical :** nombre d'habitants.

6 **Axe horizontal :** années.

4 Échelle

2 Légende — Nouvelle-France

7 **Résumé :** À partir de 1663, la population de la Nouvelle-France s'accroît rapidement.

2. LE DIAGRAMME À LIGNE BRISÉE (évolution)

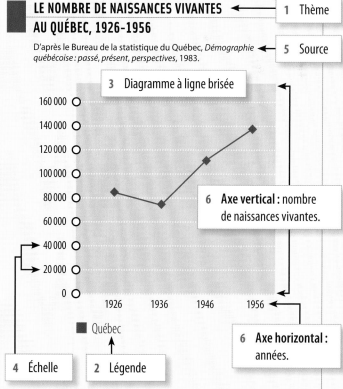

LE NOMBRE DE NAISSANCES VIVANTES AU QUÉBEC, 1926-1956 ← **1** Thème

D'après le Bureau de la statistique du Québec, *Démographie québécoise : passé, présent, perspectives*, 1983. ← **5** Source

3 Diagramme à ligne brisée

6 **Axe vertical :** nombre de naissances vivantes.

6 **Axe horizontal :** années.

4 Échelle

2 Légende — Québec

7 **Résumé :** Au Québec, le nombre de naissances vivantes a diminué entre 1926 et 1936, mais a connu une forte hausse entre 1936 et 1956.

CONSTRUIRE UN DIAGRAMME

MÉTHODE

1 ÉTAPE 1
RECUEILLIR L'INFORMATION

1 **Préciser** le thème du diagramme et son intention. **Formuler** un titre provisoire.

> **Thème :** la répartition de la population du Québec selon la langue d'usage.
> **Intention :** décrire **ou** présenter l'évolution **ou** la proportion des langues d'usage de la population québécoise de 1971 à 1981.
> **Titre provisoire :** La répartition de la population du Québec selon la langue d'usage

2 À partir d'une source d'information (texte, document, tableau, statistiques, sondage, etc.), **choisir** les données nécessaires pour construire un diagramme.

> D'après Statistique Canada, en 1971, 80,8 % de la population du Québec parlait le français, 14,7 % parlait l'anglais et 4,5 % parlait une autre langue. En 1981, 82,5 % de la population parlait le français, 12,7 %, l'anglais et 4,8 %, une autre langue.

3 **Construire** un tableau à entrées multiples pour organiser les données.

Année	Français	Anglais	Autres
1971	80,8 %	14,7 %	4,5 %
1981	82,5 %	12,7 %	4,8 %

2 ÉTAPE 2
REPORTER L'INFORMATION ET CONSTRUIRE LE DIAGRAMME

4 **Choisir** le type de diagramme (à bandes, à ligne brisée ou circulaire) qui correspond à l'intention poursuivie. Pour décrire les langues d'usage de la population québécoise de 1971 à 1981, **choisir** un diagramme à bandes ; pour en présenter l'évolution, un diagramme à ligne brisée ; pour en présenter les proportions, un diagramme circulaire.

5 À partir du tableau à entrées multiples, **tracer** le diagramme à la main en utilisant une feuille quadrillée ou à l'aide d'un logiciel tableur.

3. LE DIAGRAMME CIRCULAIRE (proportions)

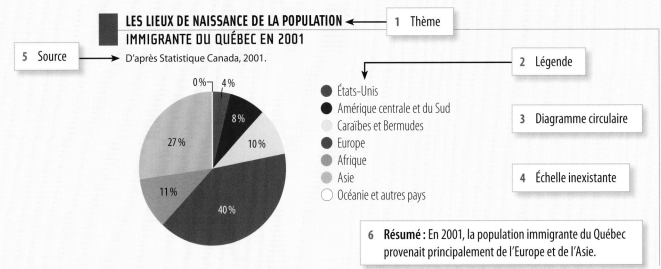

LES LIEUX DE NAISSANCE DE LA POPULATION IMMIGRANTE DU QUÉBEC EN 2001 ← 1 Thème

5 Source → D'après Statistique Canada, 2001.

2 Légende

- États-Unis
- Amérique centrale et du Sud
- Caraïbes et Bermudes
- Europe
- Afrique
- Asie
- Océanie et autres pays

3 Diagramme circulaire

4 Échelle inexistante

6 **Résumé :** En 2001, la population immigrante du Québec provenait principalement de l'Europe et de l'Asie.

Diagramme à bandes et diagramme à ligne brisée

a) Tracer un axe vertical et un axe horizontal et **préciser** leur unité.

b) Déterminer un pas de graduation pour les données de l'axe vertical à l'aide de l'opération suivante : **le plus grand effectif divisé par le nombre de graduations désirées = le pas de graduation.** On peut arrondir le nombre final.

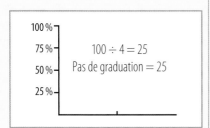

$$100 \div 4 = 25$$
Pas de graduation = 25

c) Établir l'échelle de répartition des données sur l'axe horizontal.

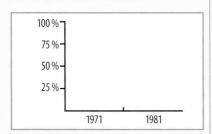

d) Diagramme à bandes

Selon les données de l'axe horizontal, **déterminer** le nombre de bandes, leur largeur (échelle) et leur hauteur (axe vertical) et **tracer** les bandes.

Donner un titre définitif au diagramme qui en révèle le thème et l'intention. S'il y a lieu, **créer** une légende.

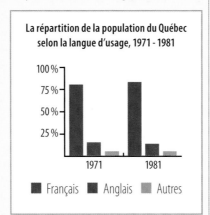

La répartition de la population du Québec selon la langue d'usage, 1971 - 1981

■ Français ■ Anglais ■ Autres

OU

d) Diagramme à ligne brisée

Relier par des lignes les intersections correspondant aux données de l'axe vertical et de l'axe horizontal.

Donner un titre définitif au diagramme qui en révèle le thème et l'intention. Si le diagramme contient plusieurs lignes, **créer** une légende.

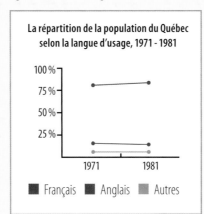

La répartition de la population du Québec selon la langue d'usage, 1971 - 1981

■ Français ■ Anglais ■ Autres

Diagramme circulaire

a) Tracer un cercle correspondant à 100 % de la valeur des données.

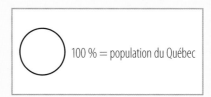

100 % = population du Québec

b) Tracer des secteurs correspondants selon la valeur de chaque donnée.

Indiquer les années.

Donner un titre définitif au diagramme.

Créer une légende.

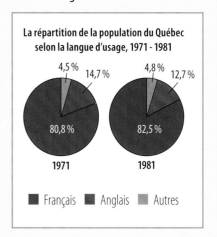

La répartition de la population du Québec selon la langue d'usage, 1971 - 1981

4,5 % 14,7 % 80,8 % 1971
4,8 % 12,7 % 82,5 % 1981

■ Français ■ Anglais ■ Autres

---

3 ÉTAPE 3
ANALYSER L'INFORMATION

6 | **Revoir** le diagramme pour s'assurer de sa lisibilité et de l'exactitude des données.

INTERPRÉTER UN TABLEAU À ENTRÉES MULTIPLES

MÉTHODE

1 **Lire** le titre pour découvrir le thème et l'intention du tableau.

2 **Repérer** la nature de l'information qui figure sur chacun des axes et **déterminer** quel type d'information est traitée dans ce tableau.

3 **Repérer** l'échelle pour déterminer l'ordre de grandeur des données. **Préciser** ce que représentent les unités de valeur du tableau. **Déterminer** l'ordre de grandeur des unités à l'aide du titre ou de l'échelle.

4 **Résumer** les données du tableau en les mettant en relation selon l'un ou l'autre des axes ou en croisant les axes.

2. LE TABLEAU D'ÉVOLUTION

1 Thème

L'ÉVOLUTION DE LA POPULATION DE LA VILLE DE QUÉBEC, 1901-1931

ANNÉE	QUÉBEC
1901	68 840
1931	130 594

D'après Statistique Canada, *Recensements du Canada*.

3 **Échelle :** 30 ans.

3 Une unité = un individu

2 **Axe horizontal :** information démographique.

2 **Axe vertical :** années.

4 **Résumé :** De 1901 à 1931, la population de la ville de Québec a presque doublé.

EXEMPLES

1. LE TABLEAU DE RÉPARTITION

1 Thème

LA RÉPARTITION DES INVESTISSEMENTS ÉTRANGERS AU CANADA EN 1931

ROYAUME-UNI	ÉTATS-UNIS	AUTRES PAYS
36 %	61 %	3 %

D'après M. C. Urquhart et K. A. H. Buckley, *Statistiques historiques du Canada*, Presses Universitaires de Cambridge, 1965.

2 **Axe horizontal :** information économique.

3 Une unité = une part de l'investissement total

4 **Résumé :** En 1930, la plus grande part de l'investissement étranger au Canada provenait des États-Unis.

3. LE TABLEAU DE COMPARAISON

1 Thème

LA POPULATION DES VILLES DE MONTRÉAL ET DE QUÉBEC EN 1901

ANNÉE	MONTRÉAL	QUÉBEC
1901	267 730	68 840

D'après Statistique Canada, *Recensements du Canada*.

2 **Axe horizontal :** information démographique.

3 Une unité = un individu

4 **Résumé :** En 1901, la population de la ville de Montréal était presque quatre fois plus élevée que celle de la ville de Québec.

CONSTRUIRE UN TABLEAU À ENTRÉES MULTIPLES

MÉTHODE

1 ÉTAPE 1
RECUEILLIR L'INFORMATION

1. **Préciser** l'intention dans laquelle on veut construire un tableau à entrées multiples et **formuler** un titre provisoire.

> **Intention :** montrer la répartition de la population du Québec selon la langue d'usage de 1971 à 1981.
> **Titre provisoire :** La répartition de la population du Québec selon la langue d'usage

2. **Préciser** la nature des informations qui seront présentées sur chacun des axes.

> **Axe vertical :** années.
> **Axe horizontal :** pourcentage de la population selon la langue parlée.

3. À partir d'une source d'information (texte, document, diagramme ou données statistiques), **trouver** des données précises pour compléter le tableau. **S'assurer** que les unités de valeur sont les mêmes.

> D'après Statistique Canada, en 1971, 80,8 % de la population du Québec parlait le français, 14,7 % parlait l'anglais et 4,5 % parlait une autre langue. En 1981, 82,5 % de la population parlait le français, 12,7 %, l'anglais et 4,8 %, une autre langue.

2 ÉTAPE 2
CONSTRUIRE LE TABLEAU À ENTRÉES MULTIPLES

4. **Tracer** et **nommer** chacun des axes. Chaque axe doit représenter un même type de données. Ces données peuvent être qualitatives (mots ou codes) ou quantitatives (nombres).

   Déterminer le nombre de colonnes et de rangées nécessaires.

> Quatre colonnes et deux rangées
>
> | Année | Français | Anglais | Autres |
> |-------|----------|---------|--------|
> | | | | |
> | | | | |
>
> Axe vertical
> Axe horizontal

5. **Établir** l'échelle de représentation des données de l'axe horizontal.

> Les données sont présentées en pourcentage. Chaque unité représente une part de la population totale du Québec.

6. **Établir** le rapport de proportion entre les données qui seront représentées sur l'axe vertical.

> Les années correspondent à deux dates précises du XXᵉ siècle.

3 ÉTAPE 3
REPORTER ET ANALYSER L'INFORMATION

7. **Inscrire** les segments et les données dans le tableau. **S'assurer** que le tableau est lisible.

8. **Donner** un titre définitif qui révèle le sujet principal du tableau. Le titre doit annoncer la nature des informations. Sous le tableau, indiquer la source des données.

> **La répartition de la population du Québec selon la langue d'usage, 1971-1981**
>
> | Année | Français | Anglais | Autres |
> |-------|----------|---------|--------|
> | 1971 | 80,8 % | 14,7 % | 4,5 % |
> | 1981 | 82,5 % | 12,7 % | 4,8 % |
>
> Statistique Canada, *Recensements du Canada*.

10 L'argumentation

PRÉPARER SON ARGUMENTATION

MÉTHODE

Quelle que soit la longueur du texte argumentatif à écrire ou de l'exposé oral à préparer,
la méthode suivante vous sera utile pour préparer votre argumentation.

1 ÉTAPE 1
RECUEILLIR L'INFORMATION

1 | **Lire** attentivement la consigne d'écriture et **souligner** les passages qui révèlent le sujet et la longueur du texte à écrire. **Surligner** le passage qui révèle l'intention du texte.

> Longueur
> Écrivez un texte d'environ 150 mots (15 lignes) pour faire connaître votre opinion sur les ← Intention
> accommodements raisonnables revendiqués ← Sujet
> par certaines minorités culturelles au Québec.

2 | **S'approprier** le sujet du texte à écrire en précisant quelques aspects.

> 1ER ASPECT : définition.
> 2E ASPECT : quantitatif.
> 3E ASPECT : qualitatif.
> 4E ASPECT : culturel.
> 5E ASPECT : Charte des droits et libertés.

3 | **Préciser** les différentes opinions possibles et **prendre position** sur le sujet.

> 1RE OPINION : en faveur des accommodements.
> 2E OPINION : contre les accommodements.
> 3E OPINION : en faveur de certains accommodements, mais contre d'autres.
> **Ma position :** en faveur de certains accommodements, mais contre d'autres.

4 | **Se documenter** en vue de l'écriture du texte. **Faire** une recherche d'information ou **prendre connaissance** des documents fournis. **Valider** les sources, c'est-à-dire vérifier leur fiabilité.

2 ÉTAPE 2
SÉLECTIONNER ET CLASSER L'INFORMATION

5 | **Lire** chaque document attentivement et **surligner** ou **encercler** les passages qui contiennent des éléments d'information utiles.

6 | **Sélectionner** l'information pertinente. **Classer** cette information selon les aspects choisis à l'aide d'un tableau ou de fiches documentaires. (*Voir le tableau « Méthode »,* **5** *Les documents*.)

Les accommodements raisonnables	
1ER ASPECT : définition.	Terme juridique qui désigne diverses mesures visant à éviter que les individus issus d'une minorité soient victimes de discrimination.
2E ASPECT : quantitatif.	En 2006, au Québec, la part de la population immigrée était de 11,5 %. (Statistique Canada, *Recensement du Canada, 2006*.)
3E ASPECT : qualitatif.	Aspect non retenu pour le travail.
4E ASPECT : culturel.	• Les Premières Nations ont leur propre culture. • Les nouveaux arrivants, d'origines diverses, ont leur propre culture qui se manifeste de plusieurs façons, par exemple dans la pratique religieuse.
5E ASPECT : Charte des droits et libertés.	Article 3 de la Charte des droits et libertés de la personne du Québec : « Toute personne est titulaire des libertés fondamentales telles la liberté de conscience, la liberté de religion, la liberté d'opinion, la liberté d'expression, la liberté de réunion pacifique et la liberté d'association. » (Publications du Québec sur Internet.)

ÉLABORER UNE DÉMARCHE ARGUMENTATIVE ET RÉDIGER LE TEXTE

7 | **Élaborer** une démarche argumentative.

a) Faire un plan provisoire.

INTRODUCTION Annoncer le sujet du texte.	INTRODUCTION Les accommodements raisonnables (religion)

DÉVELOPPEMENT
• De quoi est-il question ?
• Importance du sujet
• Opinion sur le sujet
  – arguments
	DÉVELOPPEMENT
	• Définition
	• Statistiques
	• Pour et contre
	  – argument : Charte

CONCLUSION Opinion justifiée	CONCLUSION Pour et contre / parce que…

b) Formuler une opinion.

> Je suis en faveur des accommodements raisonnables qui respectent toutes les personnes, peu importe leurs origines.

c) Choisir ses arguments et les **formuler**.

> • **1er argument :** La Charte des droits et libertés de la personne du Québec accorde la liberté de religion (article 3).
> • **2e argument :** Toutes les personnes sont égales et tout accommodement raisonnable doit être réciproque.

d) Écrire une conclusion.

> Les accommodements raisonnables valent pour tous les Québécois et Québécoises, quelles que soient leurs origines. Chacun doit s'efforcer de comprendre et de respecter la culture de l'autre.

8 | **Rédiger** le texte et **formuler** un titre.

> ### Les accommodements raisonnables au Québec
>
> Dans mon texte, je tenterai de vous faire part de mon opinion sur les accommodements raisonnables, notamment en ce qui a trait à la pratique religieuse.
>
> On définit les accommodements raisonnables comme des mesures visant à éviter que les minorités soient victimes de discrimination.
>
> Au Québec, en 2007, les accommodements raisonnables ont suscité de vives discussions. Les demandes formulées par certaines minorités culturelles expliqueraient ce débat.
>
> Personnellement, je suis en faveur des accommodements raisonnables en ce qui a trait à la pratique religieuse. D'ailleurs, l'article 3 de la Charte des droits et libertés de la personne du Québec stipule que « Toute personne est titulaire [. . .] de la liberté de religion ». L'expression « toute personne » désigne les nouveaux arrivants (qui, selon Statistique Canada, représentaient 11,5 % de la population en 2006) aussi bien que les Premières Nations et les Québécois et Québécoises d'ascendance française ou anglaise.
>
> Je crois donc que chacun doit pouvoir pratiquer sa religion au Québec, mais dans le respect de la religion de l'autre. Les libertés des uns ne devraient pas brimer celles des autres.

9 | **Relire** le texte pour vérifier si tous les critères d'évaluation ont été respectés. **Apporter** les corrections nécessaires.

> • L'élève a respecté le sujet du texte.
> • L'élève a pris position.
> • L'élève a énoncé clairement ses arguments pour défendre son point de vue.
> • L'élève a conclu par la réaffirmation de son opinion.

Thème 3

Culture et mouvements de pensée

« Il faut bien pourtant que j'aie quelqu'un pour me croire quand je dis que j'étais, au fond, faite pour garder les oies et que, si je virevolte dans le tourbillon de l'histoire, c'est par erreur. »

Rosa Luxemburg, « J'étais, je suis, je serai ! »,
Correspondance 1914-1919, n° 34, Maspero, 1977.

Un trésor patrimonial du Québec

Cette fresque monumentale composée de 30 tableaux et mesurant 40 m de long est considérée comme le testament artistique de Jean-Paul Riopelle (1923-2002). L'artiste a peint cet hommage dans les semaines qui ont suivi le décès de son ancienne compagne, la peintre américaine Joan Mitchell (1925-1992). Il se serait inspiré des lettres que Rosa Luxemburg (1871-1919), féministe révolutionnaire d'origine polonaise, a écrites en prison de 1914 à 1919.

RC▶ (Jean-Paul Riopelle, *Hommage à Rosa Luxemburg*, 1992.
Musée national des beaux-arts du Québec, Québec, Canada.)

ANGLE D'ENTRÉE

L'influence des idées sur les manifestations culturelles.

Les documents présentés dans cette double page vous permettront d'alimenter votre questionnement sur la culture et les mouvements de pensée au Québec au début du XXIe siècle.

LA CULTURE ET LES MOUVEMENTS DE PENSÉE AU QUÉBEC

« À quoi ressemble la culture québécoise aujourd'hui ? Comment la culture se communique-t-elle ? Comment la culture du Québec a-t-elle évolué au fil du temps ? Quelles ont été ses sources d'influence ? Quelles sont les richesses patrimoniales du Québec ? »

Gouvernement du Québec, ministère de l'Éducation, du Loisir et du Sport, *Programme de formation de l'école québécoise – Histoire et éducation à la citoyenneté*, 2007.

LEXIQUE

Baby-boom – Forte hausse du taux de natalité dans la population d'un pays. Au Québec, le terme *baby-boomers* désigne la génération née entre 1945 et 1965, période durant laquelle le taux de natalité est très élevé.

1 LES TRADITIONS DU CARNAVAL D'HIVER DE QUÉBEC

« Le port du rouge, la ceinture fléchée, les épreuves physiques, l'Effigie de Bonhomme ou encore le petit caribou sont autant de traditions qui remontent parfois aux origines du Carnaval de Québec, parfois même avant celui-ci... La ceinture fléchée, inspirée de la culture amérindienne, est demeurée présente dans la société québécoise grâce au Carnaval de Québec. Au XIXe siècle, cette ceinture servait à serrer les manteaux à la taille, afin d'empêcher le froid de s'y engouffrer. Elle soutenait aussi les reins au moment de l'effort. Elle était à la fois un élément utilitaire et une ornementation, prisée tant par le bourgeois que l'habitant. La ceinture et la tuque rouge, liées directement au folklore québécois, sont connues aujourd'hui comme les éléments de la tenue vestimentaire de Bonhomme. »

Site officiel du Carnaval de Québec, 2008.

2 LA CRÉATION DU MACQ EN 1961

« La Loi sur le ministère des Affaires culturelles confère au ministre le mandat de "favoriser l'épanouissement et le rayonnement de l'identité et du dynamisme culturels du Québec dans le domaine des arts, des lettres et du patrimoine". [...] Dans sa présentation du projet de loi, le 2 mars 1961, le premier ministre Jean Lesage déclarait notamment : "Le gouvernement ne crée pas la culture et le gouvernement ne la dirige pas non plus... il cherche tout simplement à créer le climat qui facilite l'épanouissement des arts." »

Gilles Potvin, « Ministère des Affaires culturelles du Québec », *L'Encyclopédie canadienne*, Fondation Historica du Canada, 2008.

3 L'IDENTITÉ ET LA CULTURE

« Le Québec moderne dispose d'un héritage canadien-français qu'il choisira de préserver ou non : le désir d'indépendance et la primauté de sa langue française. L'identité québécoise en jeu aujourd'hui dépasse toutefois les contours de ses premières origines. Le Québec des années 1950, 1960 s'est réinventé de fond en comble. Il s'est doté d'une littérature, d'un cinéma, d'une politique et d'une économie qui lui sont propres. Les figures mythiques abondent : Ferron, Victor-Lévy Beaulieu, Brault, René Lévesque, pour ne nommer que ceux-là. L'identité québécoise telle que nous la concevons est une notion jeune dans l'Histoire du Québec. Il nous appartient donc plus qu'à quiconque – nous, les enfants des *baby-boomers* et les gens issus de l'immigration récente ou passée – d'en prendre conscience, de s'approprier cette identité et de la mettre en action. »

Philippe Jean Poirier, Simon Beaudry et Pascal Beauchesne, « Être, agir : deux nécessités pour le Québec », revue électronique *L'Action nationale*, 19 décembre 2006.

4 UNE PORTE-PAROLE DE LA CULTURE INNUE

Rita Mestokosho
(1966 -)

Poète née dans la communauté d'Ekuanitshit (Mingan), elle s'inspire des récits des aînés qui lui ont été transmis par sa grand-mère pour brosser le portrait de la vie innue et évoquer son grand attachement à la terre.
Elle fait de longues études, voyage beaucoup et est la première femme innue à publier un recueil de poésie.

Les aurores boréales

« À la saison froide et silencieuse
les aurores boréales s'allument
comme par enchantement
une lumière qui vient d'ailleurs

je caresse du regard
la beauté du monde
et la fleur de l'espoir
une chanson aux mille couleurs

par la majesté de cette beauté
j'honore Tshishe Manitu
celui qui vole parmi nous
sous le visage d'un enfant

[…] »

 Rita Mestokosho, *Eshi Uapataman Nukum* (Comment je perçois la vie grand-mère). *Recueil de poèmes montagnais*, Territoire innu, 1995.

5 L'INFLUENCE D'UNE NOUVELLE CULTURE ÉTATSUNIENNE

« Le hip hop est bien plus que cette musique rythmée qu'écoutent des jeunes habillés de vêtements quatre fois trop grands pour eux. Pour Mela Sarkar, professeure au Département d'éducation de l'Université McGill, il s'agit d'une nouvelle culture multiethnique et multilingue qui annonce le Québec de demain. […]

Même si ce ne sont pas tous les Québécois de moins de 30 ans qui se passionnent pour cette musique, Mela Sarkar croit que ces rimes qui battent la mesure en français ou en créole ont déjà transformé le Québec. Pour elle, les jeunes s'identifient davantage à un Québec multiethnique et multilingue, ils ont un œil sur l'international, tout en restant très Québécois. Puisque les artistes hip hop restent traditionnellement très attachés à leur environnement immédiat. Un peu comme Michel Tremblay ou Robert Charlebois… »

Anick Perreault-Labelle, « Loi 101, hip hop et culture », *Découvrir*, vol. 27, n° 5, novembre-décembre 2006.

⚜ COMPÉTENCE 1
Interroger le présent.

1. Citez quelques manifestations de la vie culturelle au Québec. Que révèlent ces exemples sur l'identité culturelle québécoise ?

2. 🔳 (*doc.* 🔲) Interprétez ce document iconographique. Quel milieu l'artiste représente-t-il dans cette estampe ?

3. Formulez une hypothèse qui expliquerait comment les idées influencent les manifestations culturelles au Québec au début du XXIᵉ siècle.

6 UNE VISION DE LA VIE AU QUÉBEC

Jean-Paul Lemieux
(1904-1990)

Jean-Paul Lemieux est un peintre québécois d'importance. Ses œuvres, exposées partout dans le monde, représentent la réalité socioculturelle du Québec.

« Je n'ai pas de théories et comme n'importe quel peintre je ne suis jamais satisfait. Ce qui m'intéresse, c'est de peindre la solitude de l'homme et le passage inexorable du temps. J'essaie d'exprimer ce silence où nous évoluons tous. » (Jean-Paul Lemieux)

(Jean-Paul Lemieux, *Scène de chasse de la série « La Petite Poule d'eau »*, 1971. Musée McCord d'histoire canadienne, Montréal, Canada.)

QUELQUES INTERPRÉTATIONS DE LA CULTURE AU QUÉBEC

La culture d'une société est influencée par le rapport que cette société entretient avec son environnement, par les idées qui y circulent ainsi que par les productions artistiques qui la caractérisent. Cette culture fait partie intégrante de l'identité des membres de cette société.

1 **LA CULTURE D'APRÈS UN ÉLÈVE DE 4ᴱ SECONDAIRE**

« Le Québec est une société multiculturelle parce qu'on y retrouve beaucoup de gens qui ont quitté leur pays pour venir y vivre. Il y a donc, au Québec, différentes cultures. La représentation d'une culture québécoise est différente d'une personne à l'autre. Pour la plupart des gens, la culture, c'est la musique ou la mode, mais pour moi, la culture, c'est l'ensemble des aspects d'une société. La culture québécoise est donc constituée de tous les aspects culturels des gens qui y habitent en harmonie. »

Samer Georges, école secondaire Félix-Leclerc, Pointe-Claire, 2008.

2 **L'IDENTITÉ ET LA CULTURE SELON UN MATANAIS**

« [Je] n'ai pas de difficulté à m'identifier comme "Québécois" et comme "Québécois de souche". J'ai toujours habité le territoire du Québec et mes ancêtres, venus de France, ont pris racine dans l'île de Félix Leclerc. Je ne me suis jamais cru supérieur à une autre race. J'ai toujours pensé que l'immigrant devait s'assimiler à la communauté qui l'accueille et non tenter, par tous les moyens, de faire l'inverse. Maintenant, un sondage vient révéler qu'il y a une différence entre ceux qui font partie de la souche et de l'arbre québécois, entre les "Québécois pure laine" et les communautés qu'on appelle "ethniques". Et qui plus est, les branches prennent maintenant tellement d'ampleur que le tronc en est venu à perdre toute son importance, et qu'il faut que celui-ci s'adapte constamment à cet état de fait, état sur lequel il n'a plus aucun contrôle. »

Nestor Turcotte, « Aux Québécois de souche », *La Presse*, Opinion, 16 janvier 2007.

3 **L'IDENTITÉ D'APRÈS UN TRAVAILLEUR COMMUNAUTAIRE**

« La crise identitaire est une crise "patentée". Elle fait l'affaire de certains qui l'entretiennent et la nourrissent de peurs, d'ignorance, de désinformation et de préjugés. Mais le Québec n'est pas cela. Combien d'exemples faut-il donner pour en faire la démonstration ? Parlons seulement de notre système d'éducation, qui transmet à nos enfants des valeurs d'ouverture et de respect des différences.

Les enfants de la loi 101 ont aussi les yeux bridés […] ou la peau brune, ils parlent souvent une autre langue à la maison, mais ils parlent aussi le français comme vous et moi, et ils possèdent les mêmes références culturelles. Oui, le Québec a changé, et ce sont justement ces plus nobles changements qu'il faut saisir et enseigner. Ce sont eux qui sont porteurs d'un Québec meilleur et d'une société plus généreuse. »

Pierre Céré, « Les eaux troubles de l'intolérance », *La Presse*, Opinion, 29 décembre 2007.

LA CULTURE D'APRÈS UNE MONTRÉALAISE

« La culture, c'est tout ce qui est acquis et transmis de génération en génération par l'éducation.

Ma culture, c'est ce que j'enseigne à mes enfants tous les jours. Mes valeurs profondes, les règles de politesse, les recettes de ma famille, mon langage coloré et mes expressions favorites. C'est le patrimoine que j'ai reçu de mes parents et qui sera transmis aux prochaines générations.

La culture québécoise s'est transformée au cours du temps. La religion catholique occupe aujourd'hui moins de place dans la société. Toutefois, d'autres religions ont fait leur apparition. Ce qui fait que nos enfants côtoient des enfants de diverses religions à l'école.

Pour moi, une personne cultivée est ouverte sur le monde et riche en connaissances, intéressée par sa culture, mais aussi par celle des autres. Plus j'approfondis ma culture et mieux je me porte. »

France Lebel, Montréal, 2008.

COMPÉTENCE 1
Interroger le présent.

1. Lisez les témoignages présentés dans cette double page et relevez les diverses références à la culture.

2. Résumez le point de vue de chacune des personnes.

3. L'hypothèse que vous avez formulée précédemment vous semble-t-elle encore valide ? Au besoin, reformulez-la ou complétez-la.

5 LA RELIGION ET LA NATION QUÉBÉCOISE SELON UNE PERSONNE DE CHISASIBI

Chisasibi est un village cri du Nord-du-Québec.

« La nation est essentiellement dynamique et les nations naissent et meurent, comme chacune et chacun de nous, d'ailleurs. La nation québécoise n'a pas toujours été et elle est bien jeune au concert des nations. Qu'elle se définisse encore n'est qu'un signe de santé et de vigueur. Et qu'elle se soit débarrassée de la chape catholique pour s'ouvrir au monde sans pour autant perdre ce qui la caractérise fondamentalement, comme collectivité francophone en Amérique du Nord, me semble plutôt rassurant. »

Yv Bonnier Viger, « Éthique et culture religieuse », *Le Devoir,* Opinion, 25 avril 2008.

6 CULTURE RÉGIONALE OU CULTURE NATIONALE ?

« Depuis hier, nous entendons dans tous les médias l'énorme succès du spectacle de Pierre Lapointe, auteur-compositeur-interprète de Gatineau, et de l'Orchestre métropolitain du Grand Montréal, dirigé par Yannick Nézet-Séguin lors du spectacle de clôture des FrancoFolies de Montréal. Les critiques disent de ce spectacle que nous avons peut-être assisté à la plus grande œuvre pop classique québécoise [...].

Je tiens à souligner la fierté que j'éprouve devant tant de reconnaissance pour "un p'tit gars de l'Outaouais". Dès ses tout débuts, en 2000, la Fondation pour les arts, les lettres et la culture en Outaouais avait reconnu le talent de Pierre Lapointe et l'avait soutenu financièrement pour qu'il puisse aller en Europe faire entendre ses premières compositions. Des organismes de développement de la région de l'Outaouais l'ont soutenu dans ce voyage, et c'est avec raison qu'ils l'ont fait. [...] Les artistes sont de bons ambassadeurs de notre belle région et leur succès rejaillit aussi sur nous. Nous avons, encore une fois, de quoi être fiers ! »

Joanne Mineault, « Chapeau, Lapointe ! Chapeau, l'Outaouais ! », *Le Devoir*, Opinion, 9 août 2007.

L'auteur-compositeur-interprète Pierre Lapointe en 2007.

Enquête

Classez dans un tableau les renseignements de cette double page sur les environnements et modes de vie des Premiers occupants.

◻ LEXIQUE

Algonquiens, Inuits, Iroquoiens – Termes génériques qui désignent des peuples amérindiens de même famille linguistique.

v. 1500

1. LES PREMIERS OCCUPANTS :
TRADITIONS ET CONCEPTION DU MONDE

v. 1500

1.1 LES MODES DE VIE DES PREMIERS OCCUPANTS

Au début du XVIe siècle, dans le nord-est du continent américain, les Premiers occupants forment des groupes culturels et linguistiques distincts (*doc.* **3**) dont les modes de vie sont étroitement liés à l'environnement.

UN ENVIRONNEMENT DÉTERMINANT

Les **Algonquiens**, les **Iroquoiens** et les **Inuits** ont des caractéristiques culturelles spécifiques qui s'expriment dans l'organisation sociale, la conception de l'habitat, les moyens de subsistance (*doc.* **1**) et la fabrication d'objets et de vêtements adaptés aux milieux naturels dans lesquels ils vivent.

LES NOMADES : LES ALGONQUIENS ET LES INUITS

Les Algonquiens et les Inuits vivent surtout dans les régions boisées de l'actuel nord du Québec et dans l'Arctique. Leur organisation sociale en bandes et en petits groupes facilite leur mode de vie nomade. Les nations algonquiennes utilisent l'écorce des arbres et la fourrure des animaux pour fabriquer des objets et des outils tels des canots, des récipients et des vêtements. Les Inuits utilisent des os d'animaux et des pierres pour fabriquer des objets utiles, par exemple des couteaux et des pointes de harpon. Dans les régions arctiques, ils vivent dans des igloos faits de blocs de neige. Les Inuits font brûler des mottes de tourbe pour se chauffer, et la graisse de baleine sert de combustible pour leurs lampes.

LES SÉDENTAIRES : LES IROQUOIENS

Les Iroquoiens sont établis au sud et à l'est du lac Ontario dans un environnement propice à l'agriculture. Ils pratiquent leurs activités en suivant le cycle de vie des animaux et le cycle des saisons (*doc.* **2**). Leurs habitations sont regroupées en villages parfois fortifiés.

Les nations iroquoiennes ont une organisation sociale et politique structurée. Avant l'arrivée des Européens, elles étaient réunies en fédération. Les femmes occupent une place plus importante dans les sociétés sédentaires que dans les sociétés nomades. Elles ont des pouvoirs politiques et des responsabilités religieuses. Elles sont les gardiennes des objets sacrés qui servent aux différents rites religieux, et elles nomment et contrôlent les chefs de clans.

1 LES MODES DE SUBSISTANCE DES AUTOCHTONES VERS 1500

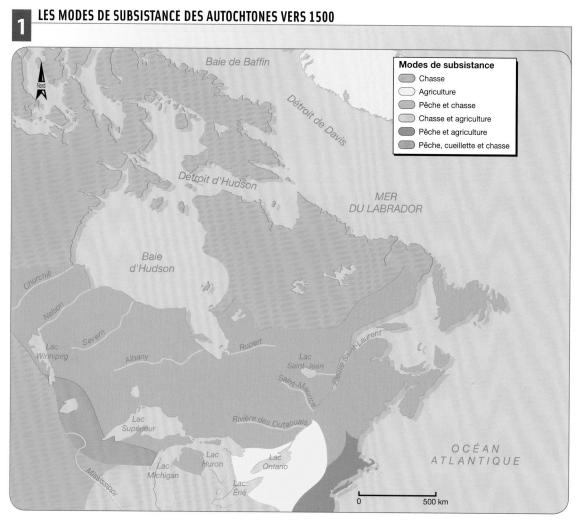

Modes de subsistance
- Chasse
- Agriculture
- Pêche et chasse
- Chasse et agriculture
- Pêche et agriculture
- Pêche, cueillette et chasse

Baie de Baffin
Détroit de Davis
Détroit d'Hudson
MER DU LABRADOR
Baie d'Hudson
Churchill
Nelson
Severn
Lac Winnipeg
Albany
Rupert
Lac Saint-Jean
Saint-Maurice
Fleuve Saint-Laurent
Lac Supérieur
Rivière des Outaouais
Mississipi
Lac Michigan
Lac Huron
Lac Ontario
Lac Érié
OCÉAN ATLANTIQUE
Nord

0   500 km

COMPÉTENCE 2
Interpréter le passé.

1. Quelles caractéristiques différencient le mode de vie algonquien du mode de vie iroquoien ?

2. 🔲 (doc. **1**) À l'aide de la carte, associez les différents modes de vie des Premiers occupants à leur environnement.

COMPÉTENCE 3
Exercer sa citoyenneté.

3. Les Autochtones d'aujourd'hui sont-ils plutôt sédentaires ou plutôt nomades ? Quels sont les effets de leur mode de vie actuel sur leur culture ?

CONCEPT
Culture

4. Expliquez comment l'environnement et le territoire des Premiers occupants influent sur leur mode de vie.

2 LES ACTIVITÉS DES IROQUOIENS SELON LES SAISONS

ACTIVITÉS	J F M A M J J A S O N D	DIVISION DU TRAVAIL PRINCIPAL	SECONDAIRE
Pêche		H	F
Chasse		H	F
Commerce		H	
Guerre		H	
Collecte du bois de chauffage		F	
Préparation des champs		F	H
Semailles		F	
Entretien des champs		F	E
Récolte		F	
Collecte des fruits sauvages		F	E
Vie sociale		HF	HF

█ Hurons █ Iroquoiens du Saint-Laurent   ▪▪▪▪▪▪ Période secondaire pour l'activité
── Période principale pour l'activité   H : Hommes F : Femmes E : Enfants

D'après John A. Dickinson et Brian Young, *Brève histoire socioéconomique du Québec*, trad. H. Filion, Septentrion, 1992.

3 QUELQUES MOTS DANS LES LANGUES DES PREMIÈRES NATIONS

FRANÇAIS	HURON-WENDAT (Iroquoien)	INNU OU MONTAGNAIS (Algonquien)	INUKTITUT (Inuit)
Soleil	Yaundeeshaw	Pishum	Siqiniq
Homme	Aingahon	Nâpeu	Angun
Femme	Utehke	Ishkueu	Arnaq
Un	Skat	Peiku	Atausiq
Deux	Tindee	Malruk	Nishu
Trois	Shenk	Pingasut	Nishtu
Quatre	Andauk	Sisamat	Neu
Cinq	Weeish	Tallimat	Patetat
Eau	Saundustee	Imiq	Nipi

1.2 LE CERCLE DE VIE

Les Premiers occupants ont une vision du monde et de l'Univers qui unit les différents peuples de l'Amérique du Nord jusqu'à l'arrivée des Européens. Cette représentation du monde est une caractéristique importante de la culture des Premiers occupants.

LA REPRÉSENTATION DU MONDE : LE CERCLE DE VIE

Pour les Autochtones, toutes les créations de la nature et de l'être humain forment un grand Cercle de vie (*doc.* 3). La Terre est considérée comme la mère nourricière. Le Soleil, souvent appelé « Grand Esprit », est la source de la lumière et le symbole du pouvoir suprême. Il gouverne l'Univers. Chaque point cardinal correspond à un esprit et à une force de la nature : le nord est associé à la sagesse, le sud à la confiance, l'ouest à l'introspection et à la méditation, l'est à la naissance, à la lumière et à la paix.

Les Premiers occupants manifestent du respect envers tous les éléments de la nature qui assurent leur survie. Lorsqu'ils prennent la vie d'un animal ou d'une plante de la Terre Mère, ils rendent hommage à son esprit et remercient la Terre de ses bienfaits.

LA SPIRITUALITÉ

Les peuples amérindiens considèrent que tout ce qui existe dans l'Univers possède un esprit : les êtres humains, les animaux, les plantes, tout ce qui provient de la nature et tout ce qui est fabriqué par l'être humain. Le chaman (*doc.* 1), guérisseur du corps et de l'esprit, agit comme intermédiaire entre le monde des humains et celui des esprits. Il interprète les rêves qui sont sources de connaissances et qui peuvent donner des indications sur la chasse à venir, les déplacements de la bande et les décisions politiques (par exemple, déclarer la guerre ou déterminer le lieu d'un nouveau village). Le chaman occupe une place importante dans les sociétés autochtones : il est le gardien de la tradition, des rites et des mythes religieux.

LES RITUELS

La chasse, la pêche et l'agriculture sont des activités sacrées qui doivent être pratiquées avec le plus grand respect, car elles procurent la nourriture aux Premiers occupants, assurant ainsi leur survie. Des offrandes sont faites aux esprits pour que la chasse, la pêche et les récoltes soient bonnes.

Il existe aussi des rites pour la guérison du corps et de l'esprit (*doc.* 2). Chez les Iroquoiens, des initiés appartenant à la Société des faux-visages portent des masques de bois sculpté qui représentent des êtres mythologiques. Les faux-visages auraient des pouvoirs sur le vent, sur les mauvais sorts et sur diverses maladies. Les initiés sont toujours des hommes, et les femmes sont les gardiennes des masques.

Enquête

4 Vous êtes un historien ou une historienne autochtone. Vous devez expliquer votre religion à des collègues étrangers. Rédigez un court article qui sera publié dans une revue d'histoire.

☐ LEXIQUE

Matacher – Mot d'origine algonquienne signifiant « orner ».

1 LE CHAMAN IROQUOIS

(Jacques Grasset de Saint-Sauveur, vers 1796-1804. Bibliothèque et Archives Canada.)

La « tente tremblante » est un rituel important chez certains groupes autochtones. Le chaman entre dans une tente pendant la nuit et appelle les esprits pour qu'ils l'aident à guérir un ou une malade, à conjurer un mauvais sort ou à chasser les mauvais esprits.

2 L'ONONHAROIA

L'Ononharoia est une cérémonie de guérison amérindienne pour soigner la déprime de l'hiver.

« [Les Hurons-Wendats] célébraient chaque année une fête que l'on nommait le "renversement de la tête". Ceci durait trois ou quatre semaines. L'on confectionnait des masques avec de l'écorce ou du blé ; ils se "**matachaient**" le visage et se composaient des costumes bizarres. Ils couraient de cabane en cabane en criant et dansant, disant qu'ils avaient rêvé, et cherchaient qui pourrait à leur accoutrement et leur mot énigmatique découvrir l'objet de leur rêve. Celui qui devinait devait payer par un présent au songeur. »

Joseph-François Lafitau, *Les mœurs des sauvages amériquains, comparées aux mœurs des premiers temps,* Saugrain l'aîné, 1724.

COMPÉTENCE 2
Interpréter le passé.

1. Qui est responsable de la religion et des rites dans les sociétés autochtones ?

2. Énumérez quelques caractéristiques des croyances religieuses des Premiers occupants.

CONCEPT
Religion

3. Expliquez l'importance du cercle dans la représentation du monde des Premiers occupants.

3 LE CERCLE DE VIE

Ce grand cercle cérémonial, appelé mumirvik, est situé dans la région de Keewatin, dans le Nunavut. Les Premiers occupants de l'Arctique canadien y pratiquaient l'observance de coutumes et de rituels, par exemple pour rendre grâce de la mise à mort d'une baleine. Ce lieu est vénéré par les Inuits depuis d'innombrables générations.

L'auteur cite Black Elk (1863-1950), conseiller spirituel et médecin sioux du clan Oglala de la tribu Lakota.

(Musée canadien des civilisations, Gatineau, Canada.)

« Vous avez remarqué que l'Indien fait tout en suivant un cercle, et cela parce que les forces du monde procèdent toujours par cercles et que chaque chose tend vers la rondeur. […] Cette connaissance nous a été transmise du monde extérieur par notre religion. Les forces du monde agissent toujours en cercle. Le ciel est arrondi et j'ai entendu dire que la Terre est ronde comme une boule, et les étoiles aussi. Le vent, quand il souffle avec force, tourbillonne. Les oiseaux construisent leurs nids en rond, car ils pratiquent une religion identique à la nôtre. Le Soleil décrit un cercle au-dessus de nous. La Lune fait de même et les deux astres sont ronds. Même les saisons forment un grand cercle en se succédant dans un ordre immuable. La vie humaine est aussi un cercle menant de l'enfance à l'enfance, et il en est ainsi de tout ce qui est animé. Nos tipis étaient ronds comme des nids d'oiseaux et disposés en cercle, anneau de la nation, le nid des nids où, selon la volonté du Grand Esprit, nous élevions nos enfants. »

John Neihardt, *Black Elk Speaks,* William Morrow, 1932.

PREMIERS OCCUPANTS

v. 1500

1.3 LA CULTURE RELIGIEUSE ET ARTISTIQUE DES PREMIERS OCCUPANTS

Les manifestations culturelles des Premiers occupants visent à maintenir l'harmonie entre les éléments du Cercle de vie et à attirer la bienveillance des esprits protecteurs.

L'ART CHEZ LES PREMIERS OCCUPANTS

On divise généralement la production artistique autochtone en trois périodes : l'art préhistorique, l'art après le contact avec les Européens et l'art contemporain. Elle est influencée par leur mode de vie, leurs valeurs esthétiques et leur représentation du monde. Les objets et monuments ont souvent des fonctions religieuses et sacrées ou des fonctions pratiques (*doc.* **2** *et* **4**).

LES OBJETS SACRÉS

Des objets, comme les masques des faux-visages, le tambour (*doc.* **3**) et le calumet, sont utilisés lors de cérémonies ou de rituels religieux pour invoquer les esprits ou pour soigner les malades. Les chamans leur accordent des significations sacrées et leur utilisation est contrôlée par des règles strictes.

LES MYTHES

Chaque groupe culturel autochtone possède ses mythes, qui s'expriment à travers des récits fantastiques et ont pour but de transmettre les valeurs, les traditions et la représentation du monde. Ces mythes se classent en trois catégories : les mythes cosmogoniques qui décrivent l'origine de l'Univers et du cosmos, les mythes qui décrivent l'origine de la Terre, de la nature et des êtres humains et les mythes qui relatent les exploits de héros qui façonnent et transforment le monde et l'Univers (*doc.* **1**).

LA TRANSMISSION DE LA CULTURE

Comme les peuples autochtones ne connaissent pas l'écriture, la tradition orale est essentielle à la préservation de leur mémoire et à la transmission de leur culture. Les mythes sont contés à l'occasion de cérémonies ou de rituels religieux (*doc.* **5**). Le chaman et les aînés les enseignent aux initiés qui, à leur tour, les transmettront aux générations suivantes. Dans les sociétés iroquoiennes, les liens familiaux sont matrilinéaires, alors que chez les Algonquiens, les liens sont patrilinéaires.

Enquête

Vous êtes un historien ou une historienne de l'art. Vous devez concevoir une affiche pour présenter les principales manifestations culturelles et artistiques des Premiers occupants.

◼ LEXIQUE

Esthétique – Conception du beau dans la nature et dans l'art.

Matrilinéaire – Se dit d'une société qui reconnait une filiation (un lien de descendance) maternelle, donc par la mère.

Patrilinéaire – Se dit d'une société qui reconnait une filiation (un lien de descendance) paternelle, donc par le père.

Occupation du territoire par **v. 500** les Iroquoiens et les Algonquiens

Naissance de **XVIᵉ siècle** la société inuite

v. -30 000 Premières migrations

-10 000 Plus anciennes traces d'occupation humaine en Amérique

Premiers contacts **v. 1500** avec les Européens

-30 000 ... -29 500 ... -10 000 ... -9 500 ... -9 000 ... 1 ... 500 ... 1000 ... 1500

1 · LE MYTHE MICMAC (ALGONQUIEN) DE GLOOSCAP

« Glooscap est un héros mythique, le transformateur des Amérindiens des forêts de l'Est. D'une taille immense et doté de très grands pouvoirs, il serait le créateur d'éléments naturels tels que la vallée de l'Annapolis. Ce faisant, il devait souvent affronter son diabolique frère jumeau qui voulait y mettre des rivières sinueuses et des montagnes infranchissables. Il s'est étendu sur la Nouvelle-Écosse pour y dormir, se servant de l'Île-du-Prince-Édouard comme oreiller. Les Autochtones appellent d'ailleurs cette province Abegweit, qui signifie "bercée par les vagues". »

Carole H. Carpenter, « Glooscap », *L'Encyclopédie canadienne*, Fondation Historica du Canada, 2008.

2 · UN POT EN CÉRAMIQUE IROQUOIEN

(Vers 1250. Musée canadien des civilisations, Gatineau, Canada.)

Les Iroquoiens ont développé l'art de la potterie. Ils utilisent les poteries pour conserver les récoltes et cuire les aliments. Les Algonquiens fabriquent des récipients de différentes formes en bois ou en écorce.

3 · UN TAMBOUR RITUEL

Tambour et baguette de la culture innue (montagnaise). (Musée canadien des civilisations, Gatineau, Canada.)

Plusieurs nations autochtones utilisent ces instruments de musique dans les rituels sacrés.

4 · UN *INUKSHUK* DANS LE GRAND NORD

Inukshuk est un terme inuktitut (la langue des Inuits, *voir le doc.* 3, *p. 27*) signifiant « faisant fonction d'un être humain ». Les Inuits dressent ces monuments à forme humaine qui leur servent de points de repère dans leurs déplacements ou lorsqu'ils chassent le caribou. L'*inukshuk* est fabriqué avec des pierres que l'on trouve dans la toundra arctique.

5 · LES CHANTS AMÉRINDIENS

« Tous les chants [amérindiens] ne sont pas religieux, mais il n'est guère de tâche, facile ou difficile, guère d'événement, important ou ordinaire qui n'ait une chanson correspondante. Dans presque tout mythe indien, le créateur chante les choses de la vie. Pour l'Indien [*sic*], la vérité, la tradition, l'histoire et la pensée sont préservées dans le rituel de la poésie et de chant. Les chants de l'homme rouge recueillent les enseignements de ses sages, les exploits de ses héros, les dires de ses prophètes, et le culte de son Dieu. »

Nathalie Curtis, *The Indians' Book*, Gramercy, 1907.

COMPÉTENCE 2
Interpréter le passé.

1. Nommez des caractéristiques représentatives de l'art des Premiers occupants.

2. Indiquez divers usages auxquels servent les objets conçus par les Premiers occupants.

COMPÉTENCE 3
Exercer sa citoyenneté.

3. Quelles sont aujourd'hui les manifestations culturelles des Autochtones ? Sont-elles intégrées à celles de la population québécoise en général ?

CONCEPT
Art

4. Quels liens y a-t-il entre l'art et la religion chez les Premiers occupants ?

COMPÉTENCE 1
Interroger le présent.

5. Après avoir étudié la période des Premiers occupants, votre hypothèse sur l'influence des idées sur les manifestations culturelles au Québec au début du XXIe siècle est-elle toujours valide ? Au besoin, reformulez-la ou complétez-la.

1608 - 1760

2. LE RÉGIME FRANÇAIS :
UNE CULTURE ORIGINALE

1608 - 1789

2.1 LES MOUVEMENTS DE PENSÉE EN FRANCE

Le XVIIe siècle, appelé le « Grand Siècle », marque l'apogée de l'**absolutisme** en France. La culture française exerce alors une grande influence en Europe dans les domaines de la littérature, des arts, des sciences et de la politique internationale.

LA MONARCHIE ABSOLUE

Le roi Louis XIV est le symbole même de l'absolutisme. Il exerce son pouvoir dans une monarchie de droit divin, selon laquelle le roi règne par la grâce et la volonté de Dieu (*doc.* 3) et ne peut donc pas être contesté. Ce modèle politique influe sur les autres monarchies européennes.

LE GALLICANISME

Depuis le Moyen Âge, des mouvements de pensée comme le gallicanisme remettent en question l'autorité du pape et la prépondérance de son pouvoir sur celui de l'État. Ses partisans revendiquent l'indépendance de l'Église de France (l'Église gallicane) à l'égard de la papauté, dont ils contestent le pouvoir temporel et les prétentions universelles (*doc.* 1).

L'ULTRAMONTANISME

Les protestants contestent le pouvoir et les excès de la papauté. Le concile de Trente (1545-1563) (*doc.* 2) donne naissance à l'**ultramontanisme**, un mouvement de pensée qui réaffirme l'autorité suprême du pape et la primauté de l'Église sur l'État. À la fin du XVIe siècle et au XVIIe, l'ultramontanisme prend de l'importance en France puisque les rois Henri IV et Louis XIII ainsi que certains ordres religieux, dont les **Jésuites**, adhèrent à cette doctrine.

LES DÉBATS IDÉOLOGIQUES

Au XVIIe siècle, Louis XIV, monarque de droit divin, affirme son opposition au pouvoir temporel du pape et théorise la doctrine gallicane. Au XVIIIe siècle, les Jésuites ultramontains, qui sont les principaux soutiens de la papauté, sont soupçonnés de vouloir dominer le monde. Ils sont expulsés de France par Louis XV. Le gallicanisme devient alors l'idéologie dominante en France. Après la Révolution de 1789, l'Assemblée nationale adopte la Constitution civile du clergé (1791). Les ecclésiastiques doivent prêter serment de fidélité à la Constitution et sont désormais rémunérés par l'État.

Enquête

À titre de rédacteur ou de rédactrice en histoire, vous devez construire un tableau dans lequel vous décrirez brièvement les différents mouvements de pensée en France aux XVIe et XVIIe siècles.

☐ LEXIQUE

Absolutisme – Mouvement de pensée selon lequel un roi ou une reine détient le pouvoir absolu.

Gallicanisme – Mouvement de pensée selon lequel le pouvoir temporel du roi prévaut sur le pouvoir spirituel du pape.

Jésuites – Membres de la Compagnie de Jésus fondée par Ignace de Loyola en 1540. Cet ordre enseignant commandait une obéissance stricte à l'Église catholique romaine.

Ultramontanisme – Mouvement de pensée selon lequel le pouvoir spirituel du pape prévaut sur le pouvoir temporel du roi.

1 UN HOMME D'ÉGLISE DÉFINIT LE CADRE DU GALLICANISME.

Jacques-Bénigne Bossuet (1627-1704)

(Hyacinthe Rigaud, *Jacques-Bénigne Bossuet, évêque de Meaux*, XVIIᵉ siècle. Musée du Louvre, Paris, France.)

Homme d'Église, écrivain et théologien, il est évêque de Meaux, en France, de 1681 à 1704. Il étudie chez les Jésuites, mais défend toute sa vie l'Église de France contre l'autorité du pape, qu'il considère comme excessive. Par contre, il s'oppose au protestantisme, doctrine qui ne reconnaît pas le pape.

« Les papes n'ont reçu de Dieu qu'un pouvoir spirituel. Les rois et les princes ne sont soumis dans les choses temporelles à aucune puissance ecclésiastique ; ils ne peuvent donc pas être déposés en vertu du pouvoir des chefs de l'Église et leurs sujets ne peuvent pas être déliés du serment de fidélité [au roi]. […]

L'usage de la puissance pontificale est réglé par les canons de l'Église, mais à côté d'eux, les principes et les coutumes de l'Église gallicane qui existent depuis toujours doivent demeurer en vigueur.

Dans les décisions sur les questions de foi, le pape a la part principale, mais sa décision n'est pas irréformable, à moins que n'intervienne le consentement de l'Église. »

Jacques-Bénigne Bossuet, *Déclaration du clergé gallican sur le pouvoir dans l'Église*, 1681-1682.

2 LE CONCILE DE TRENTE

(Anonyme, *Le concile de Trente [1545-1563]*, XVIᵉ siècle. Musée du Louvre, Paris, France.)

Convoqué en 1542 par le pape Paul III en réaction aux progrès du protestantisme, ce concile réaffirme les dogmes importants du catholicisme et l'autorité du pape. Lors de ce concile, on crée les séminaires, des établissements pour former les prêtres.

COMPÉTENCE 2
Interpréter le passé.

1. Expliquez les raisons pour lesquelles le pouvoir du roi ne peut être contesté.

2. Expliquez l'influence de l'absolutisme dans le gallicanisme de Louis XIV.

CONCEPT
Culture

3. Nommez deux institutions qui ont une influence sur la culture de la France aux XVIᵉ et XVIIᵉ siècles.

3 LOUIS XV DÉFINIT LA MONARCHIE ABSOLUE.

« C'est en ma personne seule que réside la puissance souveraine […]. C'est de moi seul que mes cours tiennent leur existence et leur autorité […], c'est à moi seul qu'appartient le pouvoir législatif sans dépendance et sans partage […]. L'ordre public tout entier émane de moi, et les droits et les intérêts de la Nation dont on ose faire un corps séparé du Monarque sont nécessairement unis avec les miens et ne reposent qu'en mes mains. »

Louis XV, Séance royale au Parlement de Paris, 3 mars 1766.

1608 - 1760

2.2 L'INFLUENCE DES MOUVEMENTS DE PENSÉE EN NOUVELLE-FRANCE

Au XVIᵉ siècle, la France fonde une colonie en Amérique et y instaure ses institutions sociales et politiques. Les mouvements de pensée tels que l'absolutisme◉, le gallicanisme◉ et l'ultramontanisme◉ qui circulent dans la métropole se répercutent dans la colonie.

L'INFLUENCE DE L'ABSOLUTISME

Les autorités coloniales ont une conception de l'État héritée de l'absolutisme français. La colonie est administrée comme une province française (*doc.* **3**). Son système judiciaire est régi par la Coutume de Paris (ensemble des lois françaises). Le gouverneur, qui représente le roi, exerce un pouvoir absolu dans la colonie.

LE RÔLE DES CONGRÉGATIONS RELIGIEUSES FRANÇAISES

Certaines institutions religieuses jouent un rôle important en Nouvelle-France. Ainsi, des congrégations masculines venues de France (les Jésuites◉, les Récollets et les Sulpiciens) ont pour mission d'évangéliser et d'éduquer les Autochtones. Des congrégations féminines (les Ursulines et les Hospitalières de Saint-Joseph) et des femmes laïques se consacrent aux soins des malades et à l'éducation des jeunes filles françaises et autochtones (*doc.* **2**).

L'ÉGLISE CONTRÔLE L'ÉDUCATION DANS LA COLONIE

Dès les débuts de la colonie, des religieuses sont chargées de l'enseignement primaire aux enfants des colons et à certains Autochtones (*doc.* **4**). La fondation du Séminaire de Québec en 1663 (*doc.* **1**) favorise le développement de l'Église coloniale, qui ne dépend plus de la métropole pour assurer sa subsistance. L'enseignement secondaire reprend le cours classique français de cinq ans. Le cours classique, qui sera ultérieurement porté à huit ans, sera enseigné au Québec jusque dans les années 1960.

L'INFLUENCE DES DÉBATS D'IDÉES EN NOUVELLE-FRANCE

Les autorités coloniales s'appuient sur les doctrines de l'Église gallicane pour affirmer leur pouvoir sur le clergé. En revanche, des membres du clergé et certaines congrégations religieuses revendiquent leur fidélité au Vatican et réclament une plus grande indépendance à l'égard de l'État et du gouverneur.

Quelques protestants français, tel Pierre Du Gua de Monts, contribuent à la colonisation de la Nouvelle-France. Leur présence est tolérée dans la colonie même si les catholiques s'y opposent. Les protestants n'ont cependant pas le droit de s'y établir.

Enquête

Vous accueillez Mᵍʳ François de Montmorency-Laval à son arrivée dans la colonie et vous devez lui rendre compte des principaux mouvements de pensée qui ont cours en Nouvelle-France. Que lui dites-vous ?

☐ **LEXIQUE**

Hospitalières de Saint-Joseph – Congrégation religieuse fondée en France en 1636. À partir de 1659, les sœurs hospitalières soignent les malades et les blessés en Nouvelle-France.

Laïque – Qui ne fait pas partie d'une congrégation religieuse ou qui ne relève pas du clergé.

Récollets – Ordre religieux missionnaire qui adhère aux thèses gallicanes.

Sulpiciens – Membres de la Compagnie des prêtres de Saint-Sulpice fondée en 1641 par Jean-Jacques Olier. Ils défendent le gallicanisme.

Ursulines – Congrégation religieuse enseignante fondée en Italie en 1535 par Angèle Merici. Les Ursulines arrivent en Nouvelle-France en 1639.

1 LE PREMIER ÉVÊQUE DE LA COLONIE

RC Mgr François de Montmorency-Laval
(1623-1708)
(Inconnu, d'après Claude Duflos, vers 1788.
Musée de la civilisation, collection du Séminaire de Québec, Québec, Canada.)

Dès son arrivée à Québec en 1659, François de Montmorency-Laval, missionnaire jésuite, s'oppose au gouverneur et rejette toute manifestation de gallicanisme. En 1663, il fonde le Séminaire de Québec, affilié à celui de Paris. On y forme les membres du clergé séculier et l'élite canadienne. Pour répondre aux besoins de main-d'œuvre, il crée une école des arts et métiers dans la région de Québec à Saint-Joachim en 1668. Des artisans et des ouvriers y apprennent les techniques et les arts pratiqués en France. En 1674, il devient le premier évêque de la colonie.

⚜ **COMPÉTENCE 2**
Interpréter le passé.

1. Donnez quelques exemples des idées qui circulent dans la colonie.

2. Expliquez le rôle des congrégations religieuses dans la colonie.

⚜ **CONCEPT**
Religion

3. Quelles sont les caractéristiques de la religion dans la colonie ?

2 UNE MISSIONNAIRE LAÏQUE

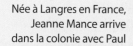

Jeanne Mance
(1606-1673)
(Sœur Alexandrine Paré, XIXe siècle. Collection des Hospitalières de Saint-Joseph de l'Hôtel-Dieu de Montréal, Montréal, Canada.)

Née à Langres en France, Jeanne Mance arrive dans la colonie avec Paul Chomedey de Maisonneuve en 1641. Elle participe à la fondation de Ville-Marie (Montréal) en 1642 pour l'évangélisation des Autochtones. En 1645, elle fonde le premier hôpital de la colonie, l'Hôtel-Dieu de Montréal, qu'elle administre jusqu'à sa mort. Jeanne Mance consacre sa vie à la religion, mais elle n'est membre d'aucune congrégation religieuse.

3 LOUIS XIV DONNE SES INSTRUCTIONS À L'INTENDANT JEAN TALON.

« Le roi considérant tous ses sujets du Canada depuis le premier jusqu'au dernier comme s'ils étaient presque ses propres enfants […] le dit sieur Talon s'étudiera uniquement à les soulager en toutes choses et à les exciter au commerce, qui seul peut attirer l'abondance dans le pays et rendre les familles accommodées. […] Il ne sera pas mal à propos qu'après s'être établi, il visite toutes les habitations […] pour en reconnaître le véritable état […] afin qu'en faisant le devoir d'un bon père de famille, il puisse leur faciliter les moyens de faire quelques profits et d'entreprendre de labourer les terres incultes […]. »

Mémoire du roi pour servir d'instruction à Jean Talon, mars 1665.

4 L'ARRIVÉE DE MARGUERITE BOURGEOYS EN NOUVELLE-FRANCE EN 1653

(Francis Back, XXe siècle. Musée Marguerite-Bourgeoys, Montréal, Canada.)

Première institutrice de la colonie, Marguerite Bourgeoys fonde une école où elle enseigne à lire et à écrire aux enfants des colons et aux Autochtones. L'enseignement vise à évangéliser les Autochtones et à former de bons chrétiens qui respectent l'autorité. La plupart des colons sont analphabètes.

1608 - 1760

2.3 LES COLONS EN NOUVELLE-FRANCE

Les colons qui s'installent en Nouvelle-France au XVIIe siècle viennent de diverses régions de France. Porteurs de leur patrimoine culturel, ils développent, au fil du temps, une culture originale adaptée à leur nouvel environnement.

L'ADAPTATION À L'ENVIRONNEMENT

Les colons vivent dans un environnement très différent de celui qui était le leur en France. Pour survivre, ils doivent s'acclimater à des conditions difficiles et défricher la terre où ils bâtiront leur maison. Ils adaptent des techniques traditionnelles à l'environnement et au climat de la colonie, et les appliquent en agriculture et en architecture (*doc.* **3**).

L'APPORT DES AUTOCHTONES

Les colons s'adaptent à leur nouveau milieu avec l'aide des Autochtones et adoptent des éléments de leur mode de vie : leurs moyens de transport (canot d'écorce, raquettes), des outils, leurs aliments (le maïs, le gibier, le sirop d'érable) et certaines pratiques culturelles (*doc.* **1**). De plus, les colons intègrent à leur vocabulaire des mots autochtones, tels que **ouaouaron**, **ouananiche** et **Kebec**, qui décrivent souvent mieux que les termes français les lieux et les phénomènes naturels propres à la colonie. Ces échanges ont également une influence sur les Autochtones, qui adoptent à leur tour des éléments de la culture des colons : leurs armes, leurs outils, des vêtements et certains traits culturels européens.

UNE CULTURE ORIGINALE

Après plusieurs années de colonisation, la manière de penser, les habitudes et le mode de vie des habitants ne sont plus ceux des Français de la métropole. Une nouvelle identité émerge dans la société coloniale. Les descendants des colons prennent le nom de « Canadiens » ou d'« Acadiens » pour se distinguer des Français.

Les Canadiens se montrent parfois indociles et manifestent un esprit d'indépendance à l'égard des autorités coloniales et religieuses (*doc.* **2**). Ils s'opposent souvent à l'autorité et contestent les ordonnances du gouverneur. Ils désobéissent notamment aux règles concernant la traite des fourrures et font de la contrebande. Si, en France, les paysans n'ont pas le droit de chasse, les Canadiens en revanche s'octroient ce droit dans la colonie. Ils contestent les corvées trop exigeantes et refusent parfois de payer au seigneur les rentes obligatoires. De plus, ils dérogent à l'occasion au dogme de l'Église et aux règles qu'elle édicte.

Enquête

Vous habitez dans la colonie de la Nouvelle-France au XVIIe siècle. Vous devez expliquer les principales caractéristiques de votre identité à un visiteur français.

☐ **LEXIQUE**

Kebec – Mot algonquin signifiant « là où le fleuve se rétrécit » et désignant l'actuelle ville de Québec.

Ouananiche – Mot innu (montagnais) signifiant « saumon d'eau douce ».

Ouaouaron – En langue mohawk, nom de la plus grosse grenouille d'Amérique du Nord.

1 LE COSTUME DE L'HABITANT

(Illustration tirée du livre *Travels Through Lower Canada and the United States of America in the Years 1806, 1807 and 1808*, par John Lambert, Londres, 1810.)

Pour se protéger du climat rigoureux, les habitants adoptent des vêtements des Premiers occupants tels que les mocassins, plus chauds que les sabots de bois portés par les paysans français. La tuque, le capot (manteau), la ceinture fléchée et les cheveux tressés sont des éléments typiques du costume des habitants canadiens.

2 LES REPROCHES D'UN ADMINISTRATEUR COLONIAL SUR LE MODE DE VIE DES JEUNES CANADIENS

« Il est bien fâcheux que la jeunesse canadienne, qui est vigoureuse, de grande fatigue, ne puisse rien goûter que ces sortes de voyages, où ils vivent dans les bois comme des sauvages, et sont de deux ou trois ans sans pratiquer aucun sacrement, vivent dans une oisiveté et souvent dans une misère extraordinaire. Quand une fois ils sont accoutumés à cette vie, ils ont peine à s'attacher à la culture des terres, et ils demeurent dans une extrême pauvreté [...]. Nous voyons au contraire que ceux qui se sont attachés à faire valoir les terres sont riches, ou tout au moins, vivent très commodément, ayant leurs champs et pêches autour de leurs maisons et un nombre considérable de bestiaux [...]. »

L'intendant Jean Bochart de Champigny, *Mémoire instructif sur le Canada*, 12 mai 1691.

3 UNE MAISON CANADIENNE TYPIQUE DU XVIIIᵉ SIÈCLE DANS LA RÉGION DE MONTRÉAL RC

Inspirée de l'architecture bretonne, la maison canadienne a été modifiée pour résister au rigoureux climat de la colonie. La pente du toit est plus accentuée et la fenestration est réduite pour mieux conserver la chaleur. Pour construire les maisons, on utilise les pierres que l'on trouve sur les terres concédées aux habitants.

Construite entre 1730 et 1735, la maison Armand est située en bordure de la rivière des Prairies sur l'île de Montréal.

⚜ COMPÉTENCE 2
Interpréter le passé.

1. Donnez des caractéristiques de la culture canadienne en Nouvelle-France.

2. Quels facteurs contribuent au développement d'un esprit d'indépendance chez les habitants canadiens ?

⚜ COMPÉTENCE 3
Exercer sa citoyenneté.

3. Expliquez comment les premiers colons développent une culture originale intégrant celle des Autochtones.

⚜ CONCEPT
Identité

4. Quels sont les principaux traits qui distinguent les Canadiens des Français ?

RÉGIME FRANÇAIS

1608 - 1760

2.4 LA SOCIÉTÉ COLONIALE EN NOUVELLE-FRANCE

S'inspirant du modèle français, la société coloniale des XVIe et XVIIe siècles est très hiérarchisée. Au sommet, on trouve une **élite** urbaine composée de l'**aristocratie**, de la bourgeoisie marchande et du haut clergé. La population rurale est constituée des habitants, des missionnaires et des coureurs des bois.

LES HABITANTS

Nés pour la plupart dans la colonie, les habitants vivent à la campagne. Pour assurer leur subsistance (*doc.* **2**) ils pratiquent l'élevage et cultivent des céréales et des légumes dont certains proviennent de France (poireaux, blé) et d'autres d'Amérique (maïs, haricots). Les habitants doivent suivre le cycle des saisons et s'adapter au climat. En hiver, comme les habitants ne peuvent travailler dans les champs, ils fabriquent leurs vêtements et leurs outils, chassent, font la traite des fourrures et deviennent parfois coureurs des bois.

LES COUREURS DES BOIS

Aux premiers temps de la Nouvelle-France, la traite des fourrures attire aventuriers et marchands. Les coureurs des bois doivent apprendre le mode de vie et la langue des peuples autochtones avec lesquels ils font la traite des fourrures (*doc.* **4**). Ils ne détiennent aucun permis de traite délivré par le roi de France. Ils pratiquent ce commerce de façon autonome et indépendante. Les coureurs des bois séjournent souvent en territoire autochtone et s'y établissent parfois en permanence. Leur union avec des femmes autochtones donne naissance à une société métissée.

LES MISSIONNAIRES

Les missionnaires parcourent les territoires de la colonie pour évangéliser et franciser les Autochtones (*doc.* **3**). Comme les coureurs des bois, ils doivent apprendre les modes de vie et les langues autochtones. Les religieux résident parmi les nations autochtones, fondent des missions et construisent des églises et des écoles. Tout comme les coureurs des bois, ils contribuent aux échanges culturels entre les Européens et les Premiers occupants.

L'ÉLITE

Une partie de l'élite coloniale est française. L'aristocratie, la bourgeoisie et le haut clergé s'installent à Montréal, à Québec et à Trois-Rivières, qui deviennent les centres économiques et politiques de la colonie. Le mode de vie de l'élite s'inspire de celui de l'aristocratie française (*doc.* **1**).

Les seigneurs et les marchands nés dans la colonie forment une élite canadienne qui se distingue de l'élite métropolitaine, car elle adopte des traits culturels spécifiquement canadiens tels que la façon de parler.

Enquête

Vous êtes un Européen ou une Européenne qui séjourne en Nouvelle-France. Vous devez illustrer la société coloniale par un moyen de votre choix.

☐ LEXIQUE

Aristocratie – Petit groupe héréditaire qui exerce le pouvoir politique.

Élite – Groupe d'individus qui exercent un pouvoir et une autorité sur la société.

1 | L'ÉLITE COLONIALE URBAINE SELON UN HISTORIEN

« Cette élite, qui occupe le sommet de la société coloniale, est bien en vue dans les villes où les familles qui en font partie représentent jusqu'à 40 % de la population. Un petit nombre de hauts fonctionnaires sont venus de France pour faire avancer leur carrière, en servant un mandat dans les colonies : instruits, bien nantis et en relations avec les milieux administratifs de Versailles, ils apportent du raffinement à la vie urbaine, surtout à Québec. Toutefois, la majeure partie de l'élite coloniale est tirée du Canada : au 18e siècle, la noblesse proprement canadienne est bien établie. »

Christophe Moore, *Histoire générale du Canada*, Boréal, 1990.

2 | LES HABITANTS CANADIENS SELON UN ADMINISTRATEUR FRANÇAIS

« Les simples habitans seroient scandalisés d'être appelés paysans. En effet, ils sont d'une meilleure étoffe, ont plus d'esprit, plus d'éducation que ceux de France. Cela vient de ce qu'ils ne payent aucun impôt, de ce qu'ils ont droit d'aller à la chasse, à la pêche, et de ce qu'ils vivent dans une espèce d'indépendance. […] Le Canadien est haut, glorieux, menteur, obligeant, affable, honnête, infatigable pour la chasse, les courses, les voyages qu'ils font dans les Pays d'en Haut, paresseux pour la culture des terres. »

Louis-Antoine de Bougainville, *Mémoire sur l'état de la Nouvelle-France à l'époque de la guerre de Sept Ans (1757)*, cité dans Pierre Margry, *Relations et mémoires inédits pour servir à l'histoire de la France dans les pays d'outre-mer*, Challamel l'aîné, 1867.

COMPÉTENCE 2
Interpréter le passé.

1. Qu'est-ce qui distingue l'élite des habitants de la Nouvelle-France ?

2. 🖪 (*doc.* 1 *et* 2) Relevez les traits culturels des Canadiens selon ces extraits.

CONCEPT
Identité

3. Quels sont les traits caractéristiques des différents groupes sociaux de la colonie française ?

3 | UNE MISSION DE CONVERSION

Au XVIIe siècle, un prêtre français baptise des Autochtones dans la colonie d'Annapolis Royal, aujourd'hui une ville de Nouvelle-Écosse. (Anonyme, XIXe siècle.)

Lors du baptême, les missionnaires donnent un nom et un prénom français aux Autochtones convertis.

4 | LES ÉCHANGES AVEC LES AUTOCHTONES

Un Autochtone échange des fourrures contre des armes dans un poste de traite frontalier. (C.W. Jeffreys, 1785. The Granger Collection, New York.)

1608 - 1760

2.5 LES MANIFESTATIONS CULTURELLES DANS LA COLONIE FRANÇAISE

D'abord influencée par les mouvements artistiques européens de cette époque, la Nouvelle-France développe peu à peu un art qui lui est propre.

Enquête

Le gouverneur vous demande de faire un rapport au roi de France sur la situation de l'art et de la culture en Nouvelle-France. Dressez la liste des principaux points que vous aborderez.

LA PEINTURE, LA SCULPTURE ET L'ARCHITECTURE

À la fin du XVIIe siècle, l'art dans la colonie française s'affranchit des influences extérieures. Une production artistique canadienne originale émerge alors. L'art s'inspire de plus en plus de la vie dans la colonie (doc. 4). Les sculpteurs et les peintres représentent des personnes illustres ainsi que des scènes et des personnages de la vie religieuse (doc. 1). Ces artistes dessinent les plans des églises et des résidences de l'élite coloniale qu'ils décorent ensuite de leurs œuvres. Ils s'inspirent du style et des techniques de la France, et les adaptent à la colonie.

LA LITTÉRATURE

Le roi ayant interdit les imprimeries dans la colonie, les livres sont imprimés en Europe ou dans les colonies britanniques d'Amérique du Nord. Dans les bibliothèques de l'élite coloniale, on trouve les grandes œuvres françaises et des œuvres locales d'importance comme l'*Histoire véritable et naturelle* (1664) de Pierre Boucher, dans laquelle on trouve pour la première fois le terme « Canadiens ». C'est aussi à cette époque que paraissent l'*Histoire et description générale de la Nouvelle-France* (1744) du père Pierre-François-Xavier de Charlevoix (doc. 2), ainsi que l'ouvrage du père jésuite Joseph-François Lafitau, *Mœurs des Sauvages américains comparées aux mœurs des premiers temps* (1724).

LA MUSIQUE ET LA POÉSIE

Dans les fêtes et les soirées données par l'élite coloniale, on joue de la musique française en utilisant des instruments tels le luth ou la viole. La musique sacrée est jouée dans les églises sur des orgues fabriqués en Europe. Les danses à la mode dans la métropole sont apprises dans la colonie. Les contes, les légendes, la poésie et les chansons françaises accompagnées par le violon agrémentent les soirées et les fêtes populaires (doc. 3). Les habitants adaptent les œuvres du folklore français en les teintant de caractéristiques typiquement canadiennes et en les mêlant avec des contes et des légendes autochtones.

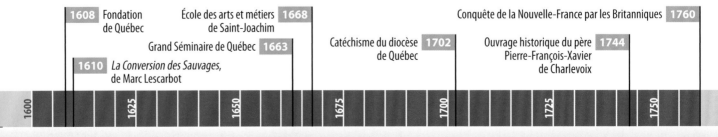

1608 Fondation de Québec

1668 École des arts et métiers de Saint-Joachim

1663 Grand Séminaire de Québec

1610 *La Conversion des Sauvages*, de Marc Lescarbot

1702 Catéchisme du diocèse de Québec

1760 Conquête de la Nouvelle-France par les Britanniques

1744 Ouvrage historique du père Pierre-François-Xavier de Charlevoix

1600 — 1625 — 1650 — 1675 — 1700 — 1725 — 1750

1 UNE SCÈNE RELIGIEUSE PEINTE DANS LA TRADITION EUROPÉENNE

(Claude François dit le frère Luc, *L'Assomption*, 1671. Chapelle du monastère des Augustines de l'Hôpital général de Québec, Québec, Canada.)

Peintre et architecte français membre de la congrégation des Récollets⊙, le frère Luc séjourne en Nouvelle-France en 1670-1671. Il dessine les plans de la chapelle des Récollets à Québec, aujourd'hui l'église la plus ancienne au Canada, et l'orne de ses œuvres. Son style inspire plusieurs artistes canadiens.

2 HISTOIRE ET DESCRIPTION GÉNÉRALE DE LA NOUVELLE-FRANCE

L'ouvrage du père Pierre-François-Xavier de Charlevoix (1682-1761) se divise en deux parties. La première relate l'histoire générale de tous les établissements français de l'Amérique du Nord de l'époque. La deuxième contient le journal de voyage de l'auteur, qui y insère des récits sur les mœurs des Amérindiens. Avec ses cartes topographiques, ses statistiques et ses descriptions des plantes les plus communes du pays, cet ouvrage reste pendant un siècle le meilleur document d'histoire de la colonie française.

3 LA LÉGENDE DE ROSE LATULIPPE

« Rose Latulippe est l'une des nombreuses jeunes filles ayant dansé avec le diable, selon les légendes canadiennes-françaises. Certaines auraient eu la vie sauve, d'autres auraient été enlevées pour ne plus jamais revenir. Selon l'histoire, Rose Latulippe néglige Gabriel, son fiancé, au profit d'un bel étranger aux mains griffues sous des gants de velours et dont le cheval souffle du feu. Mais au moment où le diable tente de passer son propre collier autour du cou de Rose pour se l'attacher, le curé de la paroisse fait irruption, place son étole sur les épaules de la jeune fille et met le diable en fuite. De telles histoires servaient de mise en garde contre la danse, particulièrement pendant le carême ou le dimanche. »

Nancy Schmitz, « Rose Latulippe », *L'Encyclopédie canadienne*, Fondation Historica du Canada, 2008.

4 UN PÈRE JÉSUITE ILLUSTRE LA VIE DE TOUS LES JOURS.

(Claude Chauchetière, illustration d'habitants canadiens tirée du manuscrit « Narration annuelle de la mission du Sault depuis sa fondation jusques à l'an 1686 », XVIIe siècle. Bibliothèque des archives départementales de la Gironde, Bordeaux, France.)

Missionnaire jésuite et peintre, Claude Chauchetière passe 32 ans au Canada. Il laisse un manuscrit illustré de sa main dans lequel il décrit ses activités à la mission iroquoise de Saint-François-Xavier au Sault-Saint-Louis (aujourd'hui Kanawake).

⚜ COMPÉTENCE 2
Interpréter le passé.

1. Quel est l'apport de la culture française dans les manifestations culturelles en Nouvelle-France ?

⚜ COMPÉTENCE 3
Exercer sa citoyenneté.

2. S'il y a lieu, nommez des éléments du patrimoine culturel de votre région qui datent de l'époque de la Nouvelle-France. Comment sont-ils conservés ? Font-ils partie de votre culture ?

⚜ CONCEPT
Art

3. Quelles sont les influences artistiques en Nouvelle-France ?

⚜ COMPÉTENCE 1
Interroger le présent.

4. Après avoir étudié le thème *Culture et mouvements de pensée* sous le Régime français, votre hypothèse sur l'influence des idées sur les manifestations culturelles au Québec au début du XXIe siècle est-elle toujours valide ? Au besoin, reformulez-la ou complétez-la.

RÉGIME FRANÇAIS

1760 - 1867

3. LE RÉGIME BRITANNIQUE :
UNE CULTURE FRANÇAISE MENACÉE

1760 - 1774

3.1 UNE NOUVELLE MÉTROPOLE

Au XVIIIe siècle, le changement de métropole transforme la culture dans la nouvelle colonie. La *Province of Quebec* devient officiellement **anglicane**. La survie de la culture canadienne-française est finalement assurée par la faible immigration britannique et le maintien des institutions civiles et religieuses françaises.

UNE CULTURE MENACÉE

Après la Conquête, une nouvelle élite⊙ remplace l'élite coloniale, dont une partie est retournée en France. Les Britanniques monopolisent les fonctions administratives dans la colonie, prennent le contrôle du commerce (*doc.* **3**) et imposent leur langue et leurs institutions culturelles et religieuses telles les églises et les écoles protestantes (*doc.* **1**).

La religion catholique est tolérée, mais le clergé perd ses droits et ses privilèges, dont celui de percevoir la dîme. Londres dissout certaines communautés religieuses, notamment les Récollets⊙ en 1764. Le clergé anglican est favorisé et reçoit une part des nouvelles terres subdivisées en cantons.

LES CANADIENS SONT EXCLUS DU POUVOIR

Les Canadiens perdent leurs institutions politiques et juridiques et sont exclus des sphères du pouvoir de la nouvelle colonie britannique. Ceux qui désirent occuper des postes administratifs doivent **abjurer** et prêter le serment du Test, qui nie l'autorité du pape et contrevient aux dogmes catholiques (*doc.* **2**). Les nouvelles autorités coloniales instaurent leurs institutions politiques et les lois anglaises, et le gouverneur détient tous les pouvoirs.

LA RÉSISTANCE DES CANADIENS FRANÇAIS

Les tentatives d'assimilation des premiers temps du Régime britannique se soldent par un échec et la Proclamation royale de 1763 s'avère inapplicable. Les francophones résistent aux nouvelles autorités coloniales et revendiquent la protection et la défense de leur culture (langue, religion et lois civiles françaises), de leurs valeurs et de leur mode de vie. Par l'Acte de Québec de 1774, les autorités coloniales accordent aux Canadiens français des droits politiques, la participation à l'administration de la colonie et le droit de pratiquer leur religion. En outre, elles reconnaissent leurs institutions civiles.

Enquête

Vous faites partie de l'aristocratie britannique. Vous devez présenter au roi un portrait de la situation politique dans la nouvelle colonie.

☐ LEXIQUE

Abjurer – Abandonner solennellement une religion ou une doctrine.

Anglican, anglicane – Qui appartient à l'anglicanisme, la religion officielle de l'Angleterre où le roi rompt avec la papauté et devient le chef de l'Église.

1 L'ANGLICISATION DES CANADIENS DANS UN ROMAN BRITANNIQUE

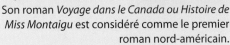

**Frances Brooke-Moore
(1724-1789)**
(Catherine Read, vers 1771.
Bibliothèque et Archives
Canada.)

Romancière, traductrice, journaliste, dramaturge et poète anglaise, elle habite Québec de 1763 à 1768.

RC Son roman *Voyage dans le Canada ou Histoire de Miss Montaigu* est considéré comme le premier roman nord-américain.

« Je voudrois qu'on établit ici des écoles gratuites pour enseigner l'anglois aux enfants. Il faudroit que les sujets d'un même souverain n'eussent que le même langage : c'est un lien d'affection et de fraternité, cela cimente les unions. Il ne seroit pas difficile d'exciter les Canadiens à parler notre langue, et à leur faire faire tout ce qui pourroit contribuer au plus grand bien de la colonie. Il faudroit, peu à peu, rendre l'anglois le langage de la cour du gouverneur. »

Frances Brooke, *Voyage dans le Canada ou Histoire de Miss Montaigu*, 1770.

2 UN SERMENT INACCEPTABLE POUR LES CATHOLIQUES

En 1763, le premier gouverneur anglais de la province, James Murray, introduit le serment du Test, obligatoire pour siéger au Conseil du gouvernement.

« Je jure que j'abhorre du fond de mon cœur et que je déteste et abjure, comme étant impie et pleine d'hérésie, cette doctrine et maxime affreuse que les princes, qui sont excommuniés ou privés de leur royaume ou territoires par le pape ou par aucune autorité du siège de Rome, peuvent être détrônés ou mis à mort par leurs sujets ou par d'autres personnes quelconques. Et je déclare que nul prince, personne, prélat, État ou potentat étranger a, ou doit avoir, aucune juridiction, pouvoir, supériorité, prééminence ou autorité ecclésiastique ou spirituelle dans ce royaume. »

COMPÉTENCE 2
Interpréter le passé.

1. Quels moyens sont préconisés pour assimiler les Canadiens français après la Conquête ?

2. Quelle est la réaction des Canadiens français ?

COMPÉTENCE 3
Exercer sa citoyenneté.

3. Comment la Conquête vient-elle briser l'homogénéité de la culture des habitants de la Nouvelle-France ?

CONCEPT
Culture

4. Quels aspects de la culture canadienne sont menacés après la Conquête ?

3 LA RUE SAINT-JACQUES À MONTRÉAL EN 1829

La rue Saint-Jacques est le centre financier et économique des colonies britanniques au XIXᵉ siècle.
(James Pattison Cockburn, 1829. Bibliothèque et Archives Canada.)

RC Officier britannique, James Pattison Cockburn (1779-1847) peint des scènes de la vie quotidienne au début du XIXᵉ siècle. Ses nombreuses aquarelles sont un témoignage important de la société et de l'architecture canadiennes de cette époque.

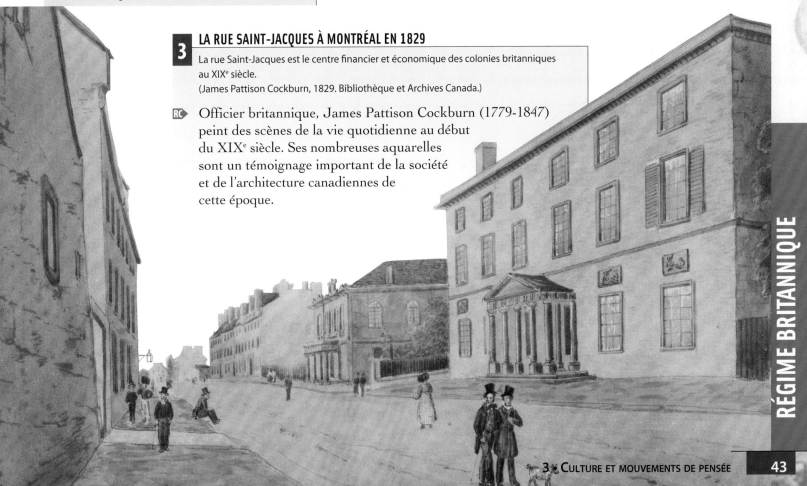

RÉGIME BRITANNIQUE

3.2 LE LIBÉRALISME ÉCONOMIQUE ET LE NATIONALISME LIBÉRAL

Les marchands britanniques venus s'installer dans la colonie apportent de nouvelles idées politiques qui côtoient les idées héritées du Régime français. La diffusion des idées libérales inspire le mouvement patriote dans le Bas-Canada au XIXe siècle.

Enquête

Vous devez réaliser un dépliant expliquant à de nouveaux arrivants britanniques la culture dans la colonie au XIXe siècle.

☐ LEXIQUE

Bourgeoisie professionnelle – Les membres des professions libérales, tels les avocats et les médecins, constituent la bourgeoisie professionnelle et occupent des positions privilégiées dans la société canadienne-française.

Libéralisme – Idée politique et philosophique qui prône la liberté de l'individu, les droits de la personne et l'autonomie de la nation à l'égard du pouvoir d'une métropole.

Nationalisme – Doctrine fondée sur le sentiment d'attachement à la nation et sur la promotion de l'intérêt national.

LE LIBÉRALISME NAISSANT

La bourgeoisie d'affaires britannique fonde les premières imprimeries et les premiers journaux, comme la *Gazette de Québec* en 1764, qui contribuent à la diffusion de nouvelles idées dans la colonie (*doc.* **2**). Le **libéralisme** apparu en Europe aux XVIIe et XVIIIe siècles transforme les institutions britanniques. Fondées sur les principes de liberté individuelle, de démocratie et de souveraineté du peuple, les idées libérales inspirent les Patriotes des Treize colonies anglaises et font peu à peu leur chemin dans la *Province of Quebec*. Elles reçoivent l'appui d'une partie de l'aristocratie⊙ canadienne et des habitants, principalement ceux de la grande région de Montréal, mais elles sont vivement condamnées par le clergé canadien-français.

LE NATIONALISME LIBÉRAL DES PATRIOTES

La **bourgeoisie professionnelle** canadienne-française prend de plus en plus d'importance au XIXe siècle. Elle fait la promotion d'un **nationalisme** politique canadien fondé sur les principes libéraux (*doc.* **1**). Le nationalisme libéral des Patriotes est l'idéologie la plus diffusée au Bas-Canada dans la première moitié du XIXe siècle. Les Patriotes revendiquent l'élection du Conseil législatif et l'indépendance du Bas-Canada, ce qui mènera au conflit avec les autorités coloniales, aux Rébellions de 1837 et 1838 et à la défaite des Patriotes. Des réformistes plus modérés, menés par Louis-Hippolyte La Fontaine, s'allient aux réformistes du Canada-Ouest (Haut-Canada) et continuent à revendiquer des transformations du régime politique après 1840.

UNE CULTURE BRITANNIQUE PLUS IMPORTANTE

L'immigration britannique et les Loyalistes contribuent au développement d'une communauté de culture britannique et anglophone. Une bourgeoisie d'affaires, surtout écossaise, et des immigrants irlandais s'installent à Montréal qui devient, au milieu du XIXe siècle, majoritairement anglophone. Des institutions financières et culturelles anglophones tels des banques, des bibliothèques, une université (*doc.* **4**) et des musées s'y développent.

L'anglais devient la langue des affaires et la langue du travail à Montréal et à Québec. Des éléments de la culture britannique sont intégrés à la culture canadienne-française et contribuent à sa transformation (*doc.* **3**). L'architecture s'inspire des artistes et des courants de la métropole. Ainsi, le style victorien (*doc.* **5**) devient populaire dans la colonie à la fin du XIXe siècle.

1 LE NATIONALISME LIBÉRAL DES PATRIOTES

« Notre mot d'ordre dans la campagne que nous ouvrons, nous le tirerons des cœurs de tous ceux pour qui l'amour du pays n'est pas un mot vide de sens ; de ceux qui dans la vie jettent les yeux au-delà de leur existence individuelle, qui ont un sentiment national [...] ; ce mot qui sera notre guide dans la carrière épineuse dans laquelle nous faisons le premier pas sera "nos institutions, notre langue et nos lois". Car c'est le sort du peuple canadien d'avoir non seulement à conserver la liberté civile, mais aussi à lutter pour son existence comme peuple. »

Étienne Parent, « La mission du Canadien », *Le Canadien*, 7 mai 1831.

2 LA DIFFUSION DES IDÉES LIBÉRALES DANS LA COLONIE

(Imprimerie de Fleury Mesplet, Philadelphie, 1774. Institut canadien de microreproductions historiques.)

En 1774, Fleury Mesplet publie une lettre incitant les Canadiens à se joindre à la révolution américaine. En 1778, il fonde le premier journal entièrement francophone, la *Gazette du commerce et littéraire*, le plus ancien journal encore publié au Québec, mais présentement entièrement anglophone.

3 UNE CRITIQUE DE L'INFLUENCE DE LA CULTURE BRITANNIQUE

« Non seulement les Canadiens commencent à apprendre la langue de la mère patrie, mais j'aperçois aussi qu'ils en prennent les manières. Nos habits, nos tables, nos maisons, etc. sont à l'anglaise, et rien ne plaît tant à nos jeunes demoiselles que lorsqu'on leur dit qu'elles ont l'air anglais. Plusieurs jeunes gens même sans savoir un mot d'anglais en contrefont l'accent et seraient au désespoir de parler français purement. »

Anonyme, « À la mode anglaise », *Le Courier de Québec ou héraut françois*, 2 novembre 1808.

4 L'UNIVERSITÉ MCGILL EN 1859

(Collège McGill, rue Sherbrooke, à Montréal, vers 1859. Musée McCord d'histoire canadienne, Montréal, Canada.)

Première université canadienne fondée en 1821, elle était surtout fréquentée par les enfants de la grande bourgeoisie d'affaires britannique. Elle jouit aujourd'hui d'une reconnaissance internationale.

5 L'HÔTEL OTTAWA À MONTRÉAL

(William Notman, XIXᵉ siècle. Musée McCord d'histoire canadienne, Montréal, Canada.)

Au milieu du XIXᵉ siècle, la bourgeoisie d'affaires anglophone transforme le quartier des affaires de Montréal. Les édifices de style victorien contribuent aujourd'hui au charme du quartier historique du Vieux-Montréal.

1840 - 1867

3.3 LA SURVIVANCE DE LA CULTURE CANADIENNE-FRANÇAISE

Après l'échec des Rébellions de 1837 et 1838 et l'Acte d'Union de 1840, un nationalisme◎ culturel axé sur la survivance de la nation canadienne-française se développe au Québec.

Enquête

3 On vous demande d'écrire un discours pour le maire de Montréal, qui sera lu à l'occasion de l'ouverture des festivités de la Saint-Jean-Baptiste.

◻ LEXIQUE

Saint-Jean-Baptiste – Le 8 mars 1834, Ludger Duvernay et quelques autres Montréalais d'élite fondent une société d'entraide et de secours, la Société Saint-Jean-Baptiste, active encore de nos jours. Cette société célèbre alors la nation canadienne-française le 24 juin en signe d'affranchissement de la métropole.

«UN PEUPLE SANS HISTOIRE ET SANS LITTÉRATURE»

En 1845, François-Xavier Garneau écrit l'*Histoire du Canada* en réponse à Lord Durham qui affirme, en 1839, que les Canadiens français sont un peuple sans histoire et sans littérature. Le premier historien national définit les traits culturels de la nation canadienne-française fondée sur son héritage français et catholique et sur la résistance acharnée des premiers colons. Le livre de François-Xavier Garneau, longtemps utilisé comme manuel d'histoire dans les écoles du Québec, contribue à la diffusion du nationalisme.

LA NAISSANCE D'UNE LITTÉRATURE NATIONALE

Au début du XIXᵉ siècle, l'élite◎ canadienne-française valorise la culture et l'art français. Plusieurs artistes imitent les auteurs et les artistes français. En 1860, un groupe d'auteurs, inspirés par François-Xavier Garneau et le poète Octave Crémazie, fondent l'École patriotique de Québec afin de promouvoir une culture nationale. Des auteurs tels l'abbé Casgrain (*doc.* **4**) et Philippe-Joseph Aubert de Gaspé produisent des œuvres (*doc.* **5**) qui exaltent les vertus héroïques des ancêtres, des habitants, des soldats, des missionnaires et des coureurs des bois et en font des héros nationaux.

LA PEINTURE ET LA SCULPTURE

Au cours de cette période, la peinture prend un essor important au Québec. De grands illustrateurs travaillent pour les journaux ou participent au développement de la publicité. Des artistes vont étudier en Europe avec les plus grands peintres français. On peint des portraits, des paysages, des scènes de la vie quotidienne (*doc.* **1**) et des événements historiques. L'art sacré est encore très populaire et sert à la décoration des nombreuses églises construites à cette époque (*doc.* **3**).

LA SURVIVANCE DE LA NATION

Ces artistes forgent une représentation de l'identité nationale canadienne-française qui dominera la culture jusqu'au milieu du XXᵉ siècle. Selon leur conception, la nation canadienne-française est fondée sur le patrimoine hérité de la Nouvelle-France : la langue française des premiers colons (*doc.* **2**), la religion catholique, les droits civils français et l'attachement à la terre et au monde rural. La survivance de cette culture serait menacée par la Conquête, par les projets d'assimilation des autorités et de l'élite britanniques et, plus tard, par l'urbanisation et l'industrialisation.

1 UNE SCÈNE DE LA VIE QUOTIDIENNE

(Cornelius Krieghoff, *Habitants canadiens-français jouant aux cartes*, 1848. Bibliothèque et Archives Canada.)

Cornelius Krieghoff est mondialement reconnu pour ses scènes de la vie quotidienne des Canadiens français. Né d'une mère hollandaise et d'un père allemand, il étudie la peinture en Hollande et en Allemagne. Il s'établit dans la colonie et épouse une Canadienne française en 1840.

COMPÉTENCE 2
Interpréter le passé.

1. Quelles sont les principales caractéristiques du nationalisme canadien-français au XIXᵉ siècle ?

2. Nommez des acteurs de l'émergence d'une littérature nationale canadienne-française et décrivez leur contribution.

CONCEPT
Patrimoine

3. La culture britannique est-elle un élément du patrimoine québécois ? Justifiez votre réponse.

2 SUR L'ORIGINE DU FRANÇAIS AU QUÉBEC

« Nous employons un bon nombre de mots qui, rejetés par l'Académie, nous sont venus toutefois de France ; ils appartiennent à quelque patois. […] Toutes ces expressions prouvent notre origine ; elles sont autant de certificats de nationalité. »

Oscar Dunn, *Glossaire franco-canadien*, In Libro Veritas, 1880.

4 LA LITTÉRATURE NATIONALE SELON HENRI-RAYMOND CASGRAIN

« La littérature canadienne est aujourd'hui sortie de l'enfance. Les progrès étonnants qu'elle a faits depuis 1860 assurent son avenir. […]

On sait maintenant faire un livre ; et surtout on sait être soi-même. Nos auteurs ont appris à voler de leurs propres ailes […]. Ils n'ont plus besoin d'avoir, comme jadis, un livre de littérature française sous les yeux pour décalquer quelque passage ou retracer une réminiscence avec plus ou moins d'habileté.

On s'est passionné pour notre histoire […]. On a observé notre peuple, ses mœurs, ses souvenirs ; on a admiré notre nature ; […] on en a tracé des tableaux qui resteront. »

L'abbé Henri-Raymond Casgrain, *Critique littéraire*, C. Darveau, 1872.

3 UN SCULPTEUR D'ŒUVRES SACRÉES

Louis Jobin **RC**
(1845-1928)
(Musée canadien des civilisations, Gatineau, Canada.)

Originaire de Saint-Raymond dans le comté de Portneuf, Louis Jobin étudie la sculpture et la peinture auprès d'un maître artisan québécois et la fabrication d'enseignes commerciales à New York. Il est l'un des sculpteurs les plus prolifiques de la fin du XIXᵉ siècle et du début du XXᵉ. Il se consacre presque exclusivement à l'art religieux. On lui doit, notamment, la statue de Notre-Dame du Saguenay à Cap Trinité et la décoration de la basilique de Sainte-Anne-de-Beaupré.

5 LA PRODUCTION LITTÉRAIRE EN CHIFFRES

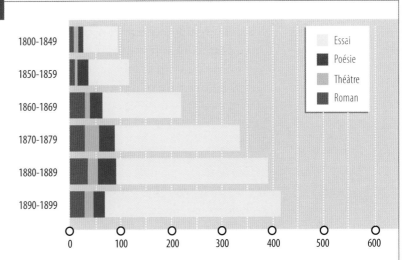

D'après R. Louis Gentilcore (dir.), *Atlas historique du Canada*, vol. II, *La transformation du territoire 1800-1891*, PUM, 1993.

3.4 L'ULTRAMONTANISME ET LE LIBÉRALISME

À la fin du XIXᵉ siècle, l'Église canadienne-française renie son allégeance à la France devenue républicaine et se tourne plutôt vers Rome. Un débat sur le rôle de l'Église et de l'État dans la société s'engage entre les libéraux⊚ et les ultramontains⊚.

LE NATIONALISME ET L'ULTRAMONTANISME

Les ultramontains canadiens-français adhèrent à un nationalisme⊚ fondé sur la religion catholique où la foi devient le ciment de la nation (*doc.* **1**). Selon eux, l'histoire démontre l'importance de la religion pour la sauvegarde de la culture et de la nation canadiennes-françaises. Le développement du nationalisme canadien-français sera donc fortement lié à la religion protectrice (*doc.* **2**). Déjà, en 1841, la Loi sur l'instruction publique confère aux clergés protestant et catholique le contrôle exclusif de l'éducation. L'éducation publique n'étant pas obligatoire à cette époque, les Canadiens français sont alors peu scolarisés (*doc.* **5**).

LES LIBÉRAUX RADICAUX

En 1844, de jeunes libéraux canadiens-français fondent l'Institut canadien de Montréal. Leurs idées inspirent la création d'un parti politique héritier du mouvement patriote : le Parti rouge. Les rouges⊚ sont des radicaux qui défendent la **laïcité** ainsi que la liberté de pensée et de religion (*doc.* **4**).

LE LIBÉRALISME ÉCONOMIQUE

La prospérité économique de la fin du XIXᵉ siècle favorise le développement de l'industrialisation et du chemin de fer. Cette période est dominée par l'idéologie du libéralisme⊚ économique défendue par la grande bourgeoisie d'affaires anglophone. Cette idéologie, qui valorise la liberté du commerce et des industries, est à l'origine de la fédération canadienne en 1867 et de l'industrialisation aux XIXᵉ et XXᵉ siècles. Ces nouvelles idées influent sur la société québécoise, qui doit s'adapter aux transformations sociales et politiques de l'industrialisation (*doc.* **3**).

Enquête

Classez dans un tableau les principaux mouvements de pensée occidentaux à la fin du XIXᵉ siècle.

☐ LEXIQUE

Laïcité – Système selon lequel il y a séparation de l'État et de l'Église. L'État est non confessionnel.

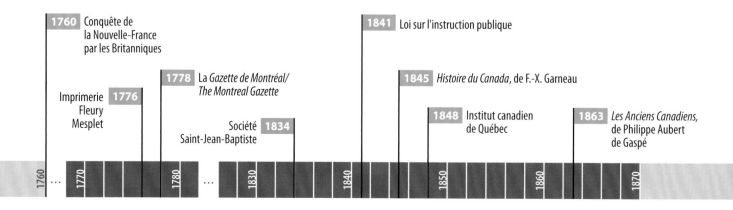

1760 Conquête de la Nouvelle-France par les Britanniques		**1841** Loi sur l'instruction publique
	1778 La *Gazette de Montréal/ The Montreal Gazette*	**1845** *Histoire du Canada*, de F.-X. Garneau
Imprimerie Fleury Mesplet **1776**		**1848** Institut canadien de Québec
Société Saint-Jean-Baptiste **1834**		**1863** *Les Anciens Canadiens*, de Philippe Aubert de Gaspé

1760 … 1770 1780 … 1830 1840 1850 1860 1870

1 MONTRÉAL, UNE DEUXIÈME ROME

La cathédrale Saint-Jacques-le-Majeur (aujourd'hui la cathédrale Marie-Reine-du-Monde) à Montréal, sur une carte postale de la première moitié du XXe siècle.

Les ultramontains voulaient faire de Montréal le centre du catholicisme en Amérique, une deuxième Rome. Entre 1870 et 1894, Mgr Ignace Bourget, second évêque de Montréal, fait construire, dans l'ouest de la ville de Montréal, cette cathédrale qui est une réplique plus modeste de la basilique Saint-Pierre de Rome.

2 LA LIBERTÉ RELIGIEUSE

« Les hommes que vous envoyez vous représenter dans la législature sont chargés de protéger et de défendre vos intérêts religieux, selon l'esprit de l'Église, autant que de promouvoir et sauvegarder vos intérêts temporels. […] Nous devons sans doute rendre grâce à Dieu, de la pleine et entière liberté que la constitution de notre pays accorde en droit au culte catholique de se régir et de se gouverner conformément aux règles de l'Église. C'est par un choix judicieux de vos législateurs que vous pourrez vous assurer la conservation et la jouissance de cette liberté la plus précieuse de toutes. »

Mgr Louis-François Fréchette, évêque des Trois-Rivières, « Lettre pastorale », cité dans « Programme catholique : les prochaines élections », *Journal des Trois-Rivières*, 20 avril 1871.

3 LE LIBÉRALISME ÉCONOMIQUE

« Si le groupe français du Canada veut conserver sa part légitime d'influence dans la chose publique, il ne doit pas se contenter de vivre dans la contemplation de ses gloires passées. […] Nous savons que parmi la population française le développement industriel est tout à fait insuffisant, puisqu'elle a perdu, par cette cause surtout, une moitié de son effectif, pour le moins. […] Les grandes voies de communication et la banque sont les auxiliaires du haut commerce et de la grande industrie. Ceux qui les possèdent et qui les gouvernent seront toujours les vrais puissants, la classe vraiment dirigeante. »

Errol Bouchette, *Emparons-nous de l'industrie !*, L'Imprimerie Générale, 1901.

4 LA LIBERTÉ DE PENSÉE

« À quoi serviraient en vérité toutes les conquêtes scientifiques de notre siècle si elles n'étaient accompagnées, à la fois de la conquête du plus précieux des biens, la liberté de penser et l'affranchissement de la raison ? Nous ne serions que d'ingénieux moteurs et des machines savantes. Nulle part sur notre front on ne discernerait l'empreinte divine ni, dans nos âmes, l'étincelle sacrée qui anime et fait fructifier les grandes œuvres, qui épure et ennoblit de plus en plus l'humanité ascendante. Tous les jougs intellectuels doivent désormais disparaître pour faire place à la direction raisonnée de l'intelligence. »

Arthur Buies, « Interdictions et censures », *Canada-Revue*, 11 février 1893.

COMPÉTENCE 2
Interpréter le passé.

1. Expliquez l'intérêt de l'Église dans la prise de contrôle de l'éducation.

2. À l'aide des documents de cette page, décrivez trois conceptions de la liberté au XIXe siècle.

COMPÉTENCE 3
Exercer sa citoyenneté.

3. S'il y a lieu, nommez des éléments du patrimoine culturel de votre région qui datent de l'époque britannique. Comment sont-ils conservés ? Font-ils partie de votre culture au même titre que les éléments du patrimoine légués par la Nouvelle-France ?

CONCEPT
Religion

4. Quel rôle la religion joue-t-elle dans la culture québécoise au XIXe siècle ?

COMPÉTENCE 1
Interroger le présent.

5. Après avoir étudié le thème *Culture et mouvements de pensée* sous le Régime britannique, votre hypothèse sur l'influence des idées sur les manifestations culturelles au Québec au début du XXIe siècle est-elle toujours valide ? Au besoin, reformulez-la ou complétez-la.

5 LA FRÉQUENTATION SCOLAIRE AU QUÉBEC ET EN ONTARIO
(en pourcentage de la population totale)

PROVINCE	1851	1881
Ontario	16,0	21,1
Québec	11,6	15,4

D'après R. Louis Gentilcore (dir.), *Atlas historique du Canada, vol. II, La transformation du territoire 1800-1891*, PUM, 1993.

4. LA PÉRIODE CONTEMPORAINE :
UNE CULTURE EN TRANSFORMATION

1899 - 1920

4.1 L'ÉMERGENCE DES NATIONALISMES

Enquête

Construisez un tableau de comparaison dans lequel vous présenterez les principaux types de nationalismes canadiens à la fin du XIXᵉ siècle.

La fin du XIXᵉ siècle et le début du XXᵉ sont marqués par l'émergence de plusieurs formes de nationalismes⊙ canadiens.

L'IMPÉRIALISME ET LA DÉFENSE DE L'EMPIRE

Lorsque l'Angleterre demande l'aide des colonies pour défendre l'Empire lors de la guerre des Boers en Afrique du Sud en 1899 et lors de la Première Guerre mondiale en 1914, elle reçoit le soutien d'un nombre important de Canadiens de langue anglaise qui croient que le Canada peut jouer un rôle important au sein de l'Empire. Les Canadiens français s'opposent à la participation du Canada aux guerres impériales.

LE NATIONALISME CANADIEN BICULTUREL

En 1899, Henri Bourassa s'oppose à la décision du premier ministre du Canada, Wilfrid Laurier, d'aider la Grande-Bretagne. Henri Bourassa, député canadien-français au sein du Parlement fédéral, devient ainsi le porte-parole d'un nouveau nationalisme canadien qui revendique une plus grande autonomie du Canada à l'égard du Royaume-Uni. Il quitte le Parti libéral en 1903 et fonde la Ligue nationaliste canadienne. Pour lui, le Canada est un pays biculturel et binational défini par ses deux peuples fondateurs : les Canadiens français et les Canadiens anglais.

LE NATIONALISME CANADIEN-ANGLAIS

Les faits d'armes canadiens lors de la Première Guerre mondiale suscitent une prise de conscience nationale chez les Canadiens de langue anglaise. Au début du XXᵉ siècle, les peintres du Groupe des Sept (*doc.* **2**) font ainsi la promotion d'une identité canadienne nord-américaine qui se distingue à la fois des traditions culturelles européennes et de la culture étatsunienne.

LE NATIONALISME CANADIEN-FRANÇAIS

L'abbé Lionel Groulx, disciple d'Henri Bourassa, revendique, après la guerre, une plus grande autonomie pour la province de Québec, foyer national des Canadiens français (*doc.* **3**). Il élabore un programme qui favorise l'identité politique, sociale, économique et intellectuelle de la nation canadienne-française et la préservation de ses valeurs traditionnelles (*doc.* **1**).

1 UN MONUMENT À LA MÉMOIRE DE DOLLARD DES ORMEAUX RC

**Alfred Laliberté
(1878-1953)**
(Bibliothèque nationale
du Québec.)

Sculpteur et peintre
québécois, Alfred Laliberté
étudie à la Société des
arts et au Conseil des arts
et manufactures. Il se
rend à Paris en 1902 pour parfaire sa formation.
De retour au pays, il réalise des œuvres qui
représentent les légendes, coutumes et métiers
du Québec rural. Il est reconnu pour ses
monuments publics et commémoratifs.

(Alfred Laliberté, *Dollard des Ormeaux*, 1920.)

Ce monument commémore la bataille
du Long-Sault de 1660. Représentant
la résistance et la survivance de la nation canadienne-française, Dollard des Ormeaux est un
modèle pour les nationalistes conservateurs. D'autres personnages historiques de la Nouvelle-
France, telle Madeleine de Verchères, deviennent des héros nationaux canadiens-français au
début du XXe siècle.

COMPÉTENCE 2
Interpréter le passé.

1. En quoi Henri Bourassa
contribue-t-il à l'émergence
d'une identité canadienne ?

2. Quels événements influencent
l'évolution des nationalismes
canadiens au début du XXe siècle ?

CONCEPT
Identité

3. Expliquez les différentes
formes d'identité culturelle dans
la société québécoise du XXe siècle.

2 LE GROUPE DES SEPT

(J. E. H. MacDonald, *Terre Solennelle*, 1921. Musée des beaux-arts du Canada,
Ottawa, Canada.)

Dès 1913, quelques peintres canadiens se regroupent dans des
ateliers d'artistes à Toronto. Ils cherchent à s'affranchir des écoles
de peinture européennes et à poser les bases d'une nouvelle
esthétique❻ qui représenterait mieux les paysages sauvages du
Canada. Franklin Carmichael, Lawren Harris, A.Y. Jackson,
Franz Johnston, Arthur Lismer, J. E. H. MacDonald et
F. H. Varley forment officiellement le Groupe des Sept en 1920,
et présentent leur première exposition l'année suivante. Leurs
œuvres sont maintenant reconnues internationalement.

3 LIONEL GROULX SUR LES LIENS AVEC LA FRANCE

**Lionel Groulx
(1878-1967)**
(Université de Montréal.)

Prêtre, éducateur,
professeur, homme de
lettres, historien, maître
à penser du nationalisme
canadien-français de la
première moitié du XXe
siècle, il étudie la théologie
à Rome. Il est le titulaire de
la première chaire d'histoire du Canada, en 1919,
à l'Université de Montréal. Il publie *Notre maître
le passé*, en 1936, l'*Histoire du Canada français
depuis la découverte* en quatre tomes, entre 1950
et 1952, et son roman le plus connu,
L'Appel de la race, en 1922.

« L'on ne saurait se tromper, j'en suis sûr,
sur nos sentiments envers la France. Nous
l'aimons parce qu'à elle nous rattachent les
liens du sang ; parce que sa grande histoire,
jusqu'au dix-huitième siècle, nous est
commune. Nous l'aimons parce que d'elle
et de Rome nous viennent toute notre vie
intellectuelle, les meilleurs éléments de
notre vie morale et chrétienne. […] En
Amérique […], nous sommes restés
catholiques parce que nous sommes restés
Français. »

Lionel Groulx, *Notre maître le passé*, Granger Frères, 1936.

4.2 LA SOCIÉTÉ URBAINE ET LA SOCIÉTÉ RURALE

Au XXe siècle, les transformations apportées par l'industrialisation affectent surtout les villes, alors que les régions rurales conservent des traits de la culture traditionnelle.

Enquête

Dans un tableau, comparez le mode de vie des bourgeois, des ouvriers et des gens de la campagne.

LEXIQUE

Mécène – Personne fortunée qui soutient financièrement des artistes.

LE MODE DE VIE DES BOURGEOIS

La grande bourgeoisie anglophone s'installe dans des quartiers distincts de ceux des Canadiens français, tels le « Mille Carré Doré » (*Golden Square Mile*) ou Westmount à Montréal (*doc.* **2**). Une petite bourgeoisie francophone, qui profite de la prospérité du début du siècle, s'installe dans l'est de Montréal et dans les centres urbains qui se développent en région. Ces élites⊖ font étalage de leur richesse en se faisant construire de grandes résidences parfois inspirées des châteaux européens (*doc.* **3**). Elles achètent des œuvres d'art provenant d'Europe, en commandent à des artistes québécois et deviennent parfois des **mécènes**. Elles circulent en automobile et elles fréquentent les théâtres ou les salles de concert où l'on présente souvent des œuvres du répertoire classique européen, britannique ou français.

LE MODE DE VIE DES OUVRIERS

Les ouvriers s'installent près des usines et des sites industriels, contribuant au développement de quartiers ouvriers comme Saint-Henri à Montréal ou le faubourg Saint-Roch à Québec. Ils créent des syndicats qui revendiquent l'amélioration de leurs conditions de vie très difficiles. De nouveaux sports deviennent populaires, comme le hockey (inspiré par la crosse, un sport pratiqué par les Premiers occupants). Le club de hockey le Canadien de Montréal est fondé en 1909.

Dans les années 1920, la scolarisation se développe. Les gens apprennent à lire et les quotidiens à grand tirage deviennent très populaires. L'Église exerce moins d'influence dans les milieux urbains. De nouveaux arrivants s'installent à Montréal. Ils se regroupent et forment les premiers quartiers ethniques, tels que la Petite Italie ou le quartier chinois de Montréal.

LE MODE DE VIE DANS LES RÉGIONS RURALES

La société rurale est moins affectée que la société urbaine par les transformations de l'industrialisation au début du XXe siècle. Les valeurs traditionnelles y sont encore dominantes. La famille est le noyau de l'organisation sociale et l'Église y exerce une grande influence. Comme le niveau de scolarisation est moins élevé dans les campagnes que dans les villes, la tradition orale reste le principal moyen de diffusion de la culture. La musique, les chants et les contes traditionnels s'inspirent de la Nouvelle-France et du folklore anglo-irlandais. Les danses populaires, la gigue, la bourrée ou le cotillon, sont accompagnées au violon. Les conteurs transmettent les légendes et les contes traditionnels. Des artisans fabriquent des objets en utilisant encore les techniques traditionnelles (*doc.* **1**).

1 LES TECHNIQUES TRADITIONNELLES D'ARTISANAT

Les femmes ont conservé et transmis des techniques traditionnelles comme le tissage ou la fabrication de la courtepointe, une couverture de lit ouatée et piquée.

(Edith S. Watson, *Femme avec un métier à tisser*, vers 1930. Musée McCord d'histoire canadienne, Montréal, Canada.)

2 UN BOURGEOIS ANGLOPHONE DÉPEINT SES RELATIONS AVEC LES CANADIENS FRANÇAIS.

RC « Canadien d'origine britannique, je suis né et j'ai été élevé dans ce que l'on appelait le [« Mille Carré Doré »] de Montréal. J'ai vécu entouré de Canadiens français, mais sans jamais vraiment les connaître. J'ai étudié à l'Université McGill où j'ai obtenu mon diplôme en histoire. J'assistais à tous les cours que le département d'histoire offrait, mais je ne comprenais toujours rien aux Canadiens français. Ceux-ci ne semblaient pas avoir une grande importance. »

Murray Ballantyne, « Le Canada, expérience ratée… ou réussie », extrait d'une conférence prononcée lors du Congrès des affaires canadiennes, 1961.

3 UNE RÉSIDENCE BOURGEOISE À MONTRÉAL

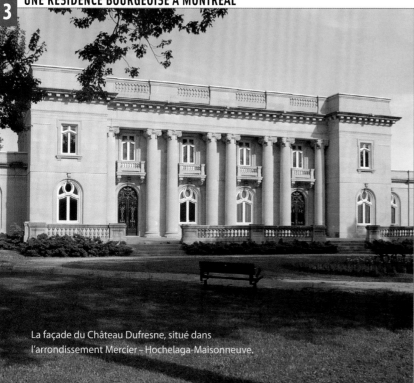

La façade du Château Dufresne, situé dans l'arrondissement Mercier – Hochelaga-Maisonneuve.

Guido Nincheri RC (1885-1973)

Né en Italie, Guido Nincheri émigre à Montréal en 1915. Vitrailliste et fresquiste, il décore la salle d'opéra de Boston et la bibliothèque de l'Assemblée nationale à Québec. On peut voir ses œuvres dans plusieurs églises du Québec comme l'Oratoire Saint-Joseph de Québec, l'église du Christ-Roi de West Warwick et l'église Saint-Pierre de Shawinigan.

Construit dans la ville de Maisonneuve au début du XXᵉ siècle pour les frères Marius et Oscar Dufresne, des industriels prospères, le Château Dufresne est décoré par Guido Nincheri. Son architecture s'inspire du Petit Trianon de Versailles. Toutes les moulures et les décorations intérieures sont commandées par catalogue à des sociétés étatsuniennes.

⚜ COMPÉTENCE 2
Interpréter le passé.

1. Expliquez quelques aspects :
a) du mode de vie bourgeois du XXᵉ siècle.
b) du mode de vie ouvrier du XXᵉ siècle.
c) du mode de vie rural du XXᵉ siècle.

⚜ COMPÉTENCE 3
Exercer sa citoyenneté.

2. Les différences culturelles entre la société rurale et la société urbaine sont-elles aussi importantes aujourd'hui qu'au début du XXᵉ siècle ? Justifiez votre réponse par quelques exemples.

⚜ CONCEPT
Patrimoine

3. Quelles sont les grandes caractéristiques des cultures rurales et urbaines au Québec dans les années 1920 ?

1900 - 1930

4.3 LES TRANSFORMATIONS CULTURELLES

Dès le début du XXᵉ siècle, de nouveaux moyens de communication permettent la diffusion de nouvelles idées et d'une culture nouvelle en provenance des États-Unis.

DES MOYENS DE COMMUNICATION MODERNES

Le cinéma et la radio, apparus au début du XXᵉ siècle, ont une grande influence sur la diffusion de la culture. En 1906, Léo-Ernest Ouimet ouvre la première salle de cinéma (*doc.* 5). Il présente des productions étatsuniennes et européennes, mais aussi ses productions personnelles, de courts métrages comme *L'affaire de la gare Windsor* (1909), *Le congrès eucharistique de Montréal* (1910) ou *La chute du pont de Québec* (1916). Le public suit les aventures des vedettes étatsuniennes ou françaises dans les salles de cinéma qui se multiplient rapidement. En 1922, CKAC, la première station de radio francophone, ouvre ses portes à Montréal. Ce nouveau média permet de diffuser des pièces musicales, des concerts ou des feuilletons radiophoniques qui deviennent très populaires. Des auteurs écrivent ou composent des œuvres pour la radio. De nouveaux artistes québécois, telle La Bolduc, font leur apparition (*doc.* 3).

LA NAISSANCE DU FÉMINISME

Dans la société traditionnelle, les femmes n'ont aucun droit civil et sont soumises à l'autorité de leur époux. Après la Première Guerre mondiale, elles réclament des changements dans leurs conditions de vie et la reconnaissance de droits civils, tel le droit de vote. Elles s'inspirent des mouvements féministes européens et étatsuniens. Par la mode, elles manifestent leur désir de liberté et leurs revendications politiques et sociales. Les femmes se coupent les cheveux, portent des robes plus courtes (*doc.* 1) et délaissent les corsets. Elles veulent avoir accès à l'éducation et pouvoir choisir des domaines professionnels réservés aux hommes, par exemple la médecine (*doc.* 4).

LES RÉACTIONS DE L'ÉGLISE ET DES NATIONALISTES CONSERVATEURS

L'Église et les nationalistes⊙ conservateurs critiquent l'industrialisation et l'urbanisation. L'Église voit d'un mauvais œil ces transformations qui remettent en question la culture traditionnelle canadienne-française. Elle s'oppose au mouvement d'émancipation des femmes, critique les nouvelles **mœurs** et la mode, et cherche à contrôler les nouveaux médias par la censure. L'Église entreprend de préserver les valeurs traditionnelles par l'éducation (*doc.* 2). Elle fonde également des syndicats et des organisations politiques qui ont pour but de promouvoir ces valeurs chez les ouvriers.

Enquête

Composez une scène pour un feuilleton radiophonique illustrant une des transformations culturelles que vit le Québec entre 1900 et 1930.

☐ LEXIQUE

Mœurs – Coutumes, mode de vie.

Multinationale – Groupe industriel, commercial ou financier dont les activités se répartissent dans plusieurs États.

1 LA COUVERTURE D'UNE REVUE ÉTATSUNIENNE

(John Held Jr., couverture du magazine «Life», 1926.)

La population québécoise connaît les dernières tendances inspirées des vedettes étatsuniennes de la chanson et du cinéma grâce aux revues ou aux catalogues des grands magasins. Dans les années 1920, le style garçonne est à la mode pour les femmes.

2 LES CHANTS DE LA PATRIE

Dans les années 1940 et 1950, toutes les écoles primaires possèdent les recueils de chansons  *traditionnelles de La bonne chanson, créée en 1937 par l'abbé Gadbois.*

« Dans ces refrains de la terre natale,
Et ce concert de chants laurentiens,
Avec émoi, l'âme nationale,
Toute exultante au cœur des Canadiens,
Chante les preux de l'histoire ancestrale
Et les exploits de nos héros chrétiens.

Ces chants bénis de la Nouvelle-France,
Que fredonnaient soldats et pionniers,
Pieusement ont bercé notre enfance,
Mêlant leur voix à l'hymne des clochers,
Que leurs accents, gage de survivance,
Gardent français nos cœurs et nos foyers. »

Les chants de la patrie, paroles de R.P. Georges Boileau, musique de Claude Lavoie, 1939. © Avec l'aimable autorisation de Louise Courteau, La Bonne Chanson, édition musicale inc.

3 LA PREMIÈRE CHANTEUSE POPULAIRE DU QUÉBEC

Mary Travers, dite La Bolduc (1894-1941)
(Bibliothèque et Archives Canada.)

Chanteuse, accordéoniste, «violoneuse», harmoniciste, auteure-compositrice-interprète, Mary Travers naît à Newport en Gaspésie. Elle se fait connaître dans les années 1930 par son style particulier accompagné de «turlute» (onomatopées rythmées). Ses chansons présentent des thèmes populaires de la culture canadienne-française, la cabane à sucre, la messe de minuit, les chantiers, mais aussi des réalités sociales de l'époque de la crise économique.

⚜ COMPÉTENCE 2
Interpréter le passé.

1. Au début du XXe siècle, de quels pays ou régions les nouvelles influences culturelles viennent-elles ?

2. Quels moyens les femmes utilisent-elles pour exprimer leur désir de liberté ?

⚜ COMPÉTENCE 3
Exercer sa citoyenneté.

3. Le féminisme est-il aujourd'hui partie intégrante de la vie culturelle des Québécois et Québécoises ?

⚜ CONCEPT
Patrimoine

4. Quels phénomènes menacent le patrimoine canadien-français selon l'Église et les nationalistes conservateurs ?

4 LA PREMIÈRE ASSOCIATION FÉMINISTE CANADIENNE-FRANÇAISE

C'est en 1907 qu'est fondée la Fédération nationale Saint-Jean-Baptiste (FNSJB), dont l'objectif est de promouvoir l'action sociale et féminine. Contrairement aux mouvements féministes anglophones, principalement laïques⊙, la FNSJB se définit comme un mouvement catholique. Elle souhaite ainsi attirer dans ses rangs les Canadiennes françaises catholiques sans déplaire au clergé. La FNSJB milite pour le droit de vote des femmes, leur accès à l'éducation et à la pratique de professions comme la médecine et le droit.

5 L'EXPANSION DE L'INDUSTRIE DU CINÉMA

« Au début, de petits propriétaires comme Ouimet construisent ou transforment la majorité des salles, […]. En 1922, arrive la **multinationale** américaine Famous Players et débute la phase la plus importante de l'expansion de l'exploitation. Dans toutes les grandes et moyennes villes, de nouvelles salles qui contiennent souvent plus de deux mille sièges, affichent en marquise Palace, Capitol, Loew's, Imperial, etc. Il s'en construira encore, surtout en province, mais l'arrivée de la télévision en 1952 marquera la fin de la croissance. […]

Que projette-t-on dans ces salles ? Avant la Grande Guerre, les films américains et européens suffisent à peine à la demande. Mais le conflit tarit la source d'outre-Atlantique, en même temps que débute la période la plus fertile de toute l'histoire du cinéma américain avec les Chaplin, Pickford, Fairbanks, Keaton, Valentino, etc. S'instaure alors sur les écrans une domination qui perdure encore. »

Yves Lever, «Le cinéma au Québec», *Continuité*, n⁰ 41, automne 1988.

1930 - 1939

4.4 LE BOUILLONNEMENT DES IDÉES

Les conséquences désastreuses de la crise économique des années 1930 provoquent un bouillonnement d'idées dans la société québécoise dans laquelle le rôle de l'État est remis en question.

Enquête

Dans votre cours d'histoire, vous devez expliquer à vos camarades pourquoi, comment et par qui le rôle de l'État a été remis en question entre les années 1930 et 1939.

LEXIQUE

Fascisme – Idéologie politique rejetant le libéralisme et la démocratie parlementaire en faveur d'une dictature contrôlée par une élite sociale et politique.

LE FASCISME

Le **fascisme**, apparu en Italie dans les années 1920 avec le régime de Benito Mussolini, propose une dictature contrôlée par une élite◉ sociale et politique. Cette idéologie, qui rejette le libéralisme◉ et la démocratie parlementaire, sera reprise par Adolf Hitler et mènera à la Seconde Guerre mondiale et à l'extermination des Juifs européens. Dans l'ensemble, les idées fascistes et l'antisémitisme ont eu peu d'influence dans la société canadienne (*doc.* **4**).

LE SOCIALISME

Les communistes européens proposent la libération et l'émancipation des ouvriers. Quelques leaders ouvriers canadiens tentent de promouvoir un communisme plus modéré, le socialisme, qui est mal reçu au Québec. Bien que les socialistes ne remettent pas en question l'État de droit et la démocratie parlementaire, l'Église s'oppose fortement à ces idées qu'elle estime dangereuses pour la famille, la religion et la propriété privée. En 1937, des volontaires canadiens (*doc.* **1**) se joignent aux communistes espagnols dans la guerre contre les fascistes de Francisco Franco.

LE CORPORATISME

Dans les années 1930, des intellectuels proposent une nouvelle solution pour sortir de la crise économique. Selon eux, les Canadiens français doivent s'unir pour mieux affronter la grande bourgeoisie anglophone, préserver leurs valeurs morales et religieuses, et les défendre contre les effets de l'urbanisation et de l'industrialisation. Le corporatisme (*doc.* **2**)se situe entre les idées libérales et les idées conservatrices.

LA RESTAURATION SOCIALE

L'École sociale populaire, une organisation ecclésiastique fondée en 1911, étudie les questions sociales et propose le retour aux valeurs traditionnelles. Elle valorise la colonisation des régions et le retour à la terre pour aider les chômeurs. Le programme de restauration sociale, qui s'inspire du corporatisme, est un amalgame des valeurs traditionnelles et des idées progressistes sur le rôle de l'État (*doc.* **3**). Il préconise des idées qui auront une grande influence sur la société québécoise dans les années 1940 et 1950. Le fait qu'il soit cautionné par l'Église lui donne, à l'époque, une plus grande valeur et une plus grande crédibilité que les autres courants idéologiques.

1 DES SOLDATS DU BATAILLON MACKENZIE-PAPINEAU EN ESPAGNE EN 1938

(Bibliothèque et Archives Canada.)

Entre 1 200 et 1 600 Canadiens volontaires, dont 6 % sont des Canadiens français, vont combattre les fascistes en Espagne. Parmi eux, on compte des chômeurs, des ouvriers, des militants, des intellectuels et des communistes.

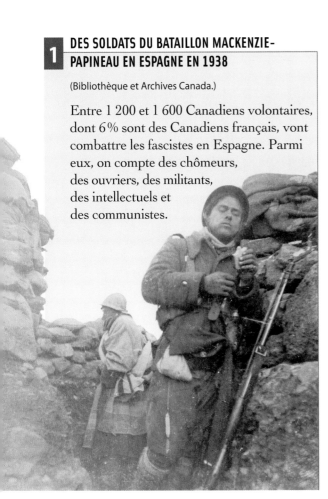

2 LE CORPORATISME

« Le corporatisme est une philosophie qui définit la société comme un tout organique composé d'abord, non pas d'individus, mais de membres collectifs. Ces "corporations" que sont les associations, syndicats, institutions et groupes d'intérêt divers, doivent, dans l'optique corporatiste, coordonner leurs actions pour que règne l'harmonie à l'intérieur du corps social national. Les dirigeants des groupes corporatifs négocient entre eux pour prendre les décisions qui affecteront l'ensemble de la société, chacun défendant théoriquement l'intérêt de ses membres. Les individus n'ont alors qu'à se conformer pour ne pas nuire à l'intérêt national. […]

Au Québec, le corporatisme était défendu par *Le Devoir*, le chanoine Groulx, et d'autres […] qui constituaient l'élite de l'époque. »

Martin Masse, « Le corporatisme, toujours l'idéologie officielle au Québec, » *Le Québécois libre*, n° 1, 7 mars 1998.

3 LE PROGRAMME DE RESTAURATION SOCIALE, 1933

L'auteur, Esdras Minville (1896-1950), écrivain, économiste et sociologue, a été directeur de l'École des hautes études commerciales (HEC) et doyen de la Faculté des sciences sociales de l'Université de Montréal.

« Nous croyons, nous aussi, que les causes principales de la crise sont d'ordre moral et que nous la guérirons surtout par le retour à l'esprit chrétien : esprit de justice, de charité, de modération, respect des droits de Dieu et des droits du prochain.

Nous croyons que l'État, dont le rôle est de protéger les droits et les libertés légitimes, ceux surtout des faibles et des indigents, et de promouvoir le bien commun, doit intervenir par des mesures législatives pour mettre fin à la dictature économique et assurer une meilleure répartition des richesses. Contrairement au socialisme, intrinsèquement mauvais, le régime capitaliste n'est pas condamnable en soi. Ce sont les abus qui l'ont vicié. »

François-Albert Angers, *Esdras Minville, Œuvres complètes*, Fides et Presses HEC, 1988

4 UN RARE EXEMPLE D'ANTISÉMITISME AU QUÉBEC

« Pendant la Crise, les nationalistes québécois abandonnèrent une perspective pancanadienne pour se concentrer sur les problèmes spécifiques du Québec. Ils menèrent des campagnes de boycottage des entreprises anglophones (notamment des commerces juifs). Les premières manifestations d'antisémitisme remontent aux années 1807-1809, alors qu'on tenta d'empêcher Ezekiel Hart d'occuper son siège à l'Assemblée législative, mais ce sentiment s'intensifia au cours des années 1920 et 1930 avec les campagnes "d'achat chez nous" et le mouvement fasciste d'Adrien Arcand qui recruta 700 membres. »

John A. Dickinson et Brian Young, *Brève histoire socioéconomique du Québec*, trad. H. Filion, Septentrion, 1992.

COMPÉTENCE 2
Interpréter le passé.

1. Quelle est l'influence des idées radicales européennes au Québec ?

2. Quelle est l'influence de l'Église sur les mouvements idéologiques au Québec dans les années 1930 ?

CONCEPT
Enjeu

3. Quel est l'enjeu des débats d'idées dans les années 1930 ?

Une affiche antisémite dans les années 1940.

(Bibliothèque et Archives Canada.)

PÉRIODE CONTEMPORAINE

1940 - 1959

4.5 UNE SOCIÉTÉ EN TRANSFORMATION

Sous les deux gouvernements conservateurs de Maurice Duplessis (1936 et 1944), la société demeure attachée aux valeurs traditionnelles. Cependant, la prospérité économique des années 1950 et le développement des moyens de communication vont permettre l'émergence d'une culture de masse qui va profondément transformer la société québécoise.

Enquête

Décrivez les principales caractéristiques de la société québécoise à la fin des années 1950.

DEUX GROUPES LINGUISTIQUES À MONTRÉAL

Dans les années 1940 et 1950, les anglophones de Montréal qui dominent la vie économique ont leurs propres institutions culturelles et sociales. Les artistes explorent des thèmes et des sujets modernes typiquement canadiens. Des poètes et des romanciers anglophones, tels Louis Dudek, Irving Layton et Hugh MacLennan (*doc.* **4**) publient des œuvres importantes. L'anglais est alors la langue des affaires, du commerce et du travail. Les francophones, peu scolarisés, ne participent guère au monde des affaires et forment la main-d'œuvre des entreprises administrées par des anglophones. Les valeurs traditionnelles (*doc.* **1**) et le nationalisme⊕ conservateur sont transmis et diffusés par les manifestations culturelles ou par l'éducation contrôlée par l'Église.

LA PROSPÉRITÉ ET LA NOUVELLE CLASSE MOYENNE

La prospérité économique de l'après-guerre et le *baby-boom*⊕ favorisent le développement d'une nouvelle classe moyenne canadienne-française qui a désormais les moyens d'accéder à la propriété, aux biens de consommation et aux études supérieures. Ces transformations sociales créent des besoins auxquels l'élite⊕ traditionnelle ne peut répondre. Une nouvelle élite, étudiant dans les facultés universitaires des sciences sociales qui se développent à Québec et à Montréal (*doc.* **3**), ou travaillant dans les entreprises privées, concurrence l'élite traditionnelle, dont elle conteste le pouvoir.

L'ÉMERGENCE D'UNE CULTURE DE MASSE

Une culture populaire de masse véhiculée par les nouveaux moyens de communication (presse à grand tirage, radio et télévision) émerge après la crise et la guerre (*doc.* **2**). Ces moyens de communication modernes favorisent le développement d'une culture de consommation de masse. On diffuse des œuvres étatsuniennes ou européennes, mais également des productions québécoises et canadiennes. Les ouvriers et la classe moyenne, qui profitent du retour de la prospérité économique, consomment de plus en plus de produits culturels. La culture et l'art deviennent ainsi des produits de consommation.

1 EXTRAIT DU ROMAN LE PLUS POPULAIRE DE LA LITTÉRATURE QUÉBÉCOISE

Claude-Henri Grignon (1884-1976)
(1956. Archives Radio-Canada.)

Écrivain, journaliste, conférencier et pamphlétaire québécois, Claude-Henri Grignon est aussi maire de Sainte-Adèle de 1941 à 1951. Il est surtout connu pour son roman *Un homme et son péché* (1933), qui a été adapté pour la radio, la télévision, le théâtre et le cinéma, la dernière fois en 2002 par Charles Binamé. L'auteur y décrit la vie des premiers colonisateurs des Laurentides.

« Tous les samedis, vers les dix heures du matin, la femme à Séraphin Poudrier lavait le plancher de la cuisine, dans le bas côté. On pouvait la voir à genoux, pieds nus, vêtue d'une jupe de laine grise, d'une blouse usée jusqu'à la corde, la figure ruisselante de sueurs, où restaient collées des mèches de cheveux noirs. Elle frottait, la pauvre femme, elle raclait, apportant à cette besogne l'ardeur de ses vingt ans. [...]

Comme toutes les choses qu'elle savait, Donalda avait appris à laver le plancher chez ses parents, à l'époque de la colonisation, au Lac-du-Caribou. Et c'était d'une valeur si considérable que le vieux garçon Séraphin Poudrier, dit le riche, l'avait tout de suite remarqué. »

Claude-Henri Grignon, *Un homme et son péché*, Éditions du Totem, 1933.

2 L'IMPACT DE LA TÉLÉVISION

« [Il] est clair que la télévision des années 1950 joue un rôle crucial dans l'évolution de la société québécoise. Non seulement elle fournit un moyen puissant pour la diffusion de l'information et des idées nouvelles, mais elle contribue également à uniformiser les modes de vie, en propageant les mêmes valeurs, les mêmes façons de sentir et de penser [...]. Encore mieux que la radio, elle brise l'isolement relatif du monde rural et renforce l'ouverture du Québec sur le monde. »

Paul-André Linteau *et al.*, *Histoire du Québec contemporain, Le Québec depuis 1930*, Boréal, 1989.

3 LA FACULTÉ DES SCIENCES SOCIALES DE L'UNIVERSITÉ LAVAL

« Par sa présence, ses professeurs et ses enseignements, la Faculté des sciences sociales [fondée en 1938] devient rapidement le foyer de profondes transformations intellectuelles et sociales. Dans les années cinquante, elle compte sur de nouveaux professeurs qu'elle a elle-même formés [...]. C'est ainsi que les Maurice Lamontagne, Jean-Charles Falardeau, Yves Martin, Fernand Dumont, Gérard Bergeron, Léon Dion, Gérard Dion et Adélard Tremblay, pour ne nommer que ceux-là, commencent à publier leurs propres ouvrages de référence, sont de plus en plus consultés, écoutés, et invités à participer à des tribunes publiques. Il faut admettre qu'en cette époque duplessiste, les sujets de contestation ne manquent pas ! Par son rayonnement, la Faculté des sciences sociales, tout comme d'autres entités progressistes telles que Radio-Canada, les syndicats ouvriers et le journal *Le Devoir*, contribue d'une façon majeure aux fondements de ce que l'on a appelé la **Révolution tranquille**. »

Faculté des sciences sociales, *Un mot d'histoire*, Université Laval, 2008.

4 DEUX SOLITUDES

Hugh MacLennan (1907-1990)
(Université McGill.)

Auteur canadien prolifique et professeur d'anglais à l'Université McGill, Hugh MacLennan a écrit le roman *Deux solitudes* (1945), qui lui a valu son premier Prix du Gouverneur général. Il y raconte les tensions entre les deux solitudes qui habitent le Québec : les francophones et les anglophones. Le roman n'est traduit en français qu'en 1963.

« Mais en bas, tout au creux de l'angle, à Montréal, cette ville autour de laquelle les deux cours d'eau s'unissent, on n'éprouve guère cette sensation d'espace nouveau et sans fin. Deux anciennes races et deux anciennes religions se rencontrent ici pour vivre, côte à côte, chacune sa légende. Si cet immense demi-continent a un cœur, c'est bien là qu'il se trouve : on le sent battre, tout au long des rivières et des voies ferrées ; lent, hésitant, rarement simple, son battement est la double résultante d'une réciprocité spontanée. »

Hugh MacLennan, *Two Solitudes*, Duell, Sloan and Pearce, 1945. Passage traduit par Louise Gareau-Desbois.

COMPÉTENCE 2
Interpréter le passé.

1. (*doc.* **4**) Expliquez le titre du roman *Deux solitudes*.

COMPÉTENCE 3
Exercer sa citoyenneté.

2. Existe-t-il, dans votre région, une homogénéisation des cultures francophone et anglophone ? Justifiez votre réponse par quelques exemples.

CONCEPT
Éducation

3. Quel rôle les facultés universitaires jouent-elles dans la transmission de nouvelles valeurs ?

PÉRIODE CONTEMPORAINE

1945 - 1960

4.6 LES NOUVEAUX COURANTS D'IDÉES ET LA CULTURE

La nouvelle classe moyenne critique le retard économique et culturel des Canadiens français et leur **traditionalisme**. Elle revendique la modernisation de l'État et de la société. Les États-Unis deviennent un modèle culturel.

LE FÉMINISME

Après la Seconde Guerre mondiale (1939-1945), les mouvements féministes remettent en question le rôle traditionnel des femmes et revendiquent des réformes sociales tels l'accès à l'éducation supérieure et une reconnaissance juridique. En 1940, les femmes obtiennent le droit de vote aux élections provinciales après l'avoir obtenu au fédéral en 1918. Après 1945, elles sont admises dans la plupart des facultés universitaires et sont reconnues par les corporations professionnelles comme le **barreau**.

L'ANTICLÉRICALISME ET LA LAÏCITÉ

Après 1945, l'Église et le gouvernement Duplessis sont très critiqués. Sans contester les valeurs religieuses, les plus anticléricaux revendiquent la laïcisation⊙ des institutions publiques et remettent en question le pouvoir et l'influence de l'Église. L'anticléricalisme affecte la pratique religieuse dans les années 1960 et 1970. Dans certaines paroisses, le taux de participation à la messe du dimanche chute de 70%. Les congrégations religieuses perdent de plus en plus de membres et les prêtres quittent la prêtrise en grand nombre.

LA REMISE EN QUESTION DE LA TRADITION

La nouvelle élite⊙ intellectuelle, qui utilise les médias tels que le journal *Le Devoir* ou la télévision, remet en question le nationalisme⊙ conservateur et le traditionalisme, et critique le gouvernement de Maurice Duplessis. Une nouvelle culture, inspirée par les mouvements sociaux et culturels des États-Unis, émerge dans la société québécoise. Ces mouvements idéologiques deviennent de plus en plus importants dans les années 1960.

LA MODERNISATION DE L'ART

En 1948, des artistes publient le manifeste du *Refus global* (*doc.* **2** *et* **3**), dans lequel ils revendiquent des transformations dans la société. Leur conception de la modernité s'inspire des grands courants artistiques étatsuniens et européens. Le modernisme touche tous les domaines artistiques : la danse, la littérature, l'architecture, les arts visuels, le théâtre et la musique. Des artistes délaissent la musique traditionnelle et folklorique mais n'abandonnent pas pour autant ses thèmes (*doc.* **4**). D'autres sont influencés par la musique et les courants modernistes des États-Unis, tels le folk et le jazz (*doc.* **1**). Leur musique touche vivement la jeunesse contestataire de l'époque.

Enquête

Composez une chanson ou une courte pièce de théâtre sur la modernisation de la culture dans les années 1960.

LEXIQUE

Barreau – Ordre professionnel regroupant tous les avocats et avocates. Le barreau surveille l'exercice de la profession, soutient ses membres dans l'exercice du droit, favorise le sentiment d'appartenance et fait la promotion de la primauté du droit.

Traditionalisme – Attachement aux valeurs de la tradition.

1 LE JAZZ, UNE MUSIQUE MODERNE

RC Oscar Peterson (1925-2007)

Oscar Peterson au festival de jazz de Newport en juillet 1957.

Né dans le quartier Saint-Henri à Montréal, Oscar Peterson devient l'un des plus grands pianistes de jazz au monde. En plus de sa carrière de soliste, il accompagne de grands noms du jazz, dont Ella Fitzgerald, Dizzy Gillespie et Billie Holiday.

Le jazz, apparu dans les milieux noirs aux États-Unis, devient populaire partout en Occident au XXe siècle. Depuis les années 1940 et 1950, Montréal est une ville importante pour le jazz. Les plus grands musiciens s'y produisent.

2 DES ARTISTES CONTESTENT LA TRADITION.

« Hier, nous étions seuls et indécis.

Aujourd'hui un groupe existe aux ramifications profondes et courageuses; déjà elles débordent les frontières.

Un magnifique devoir nous incombe aussi : conserver le précieux trésor qui nous échoit. [...]

Ce trésor est la réserve poétique, le renouvellement émotif où puiseront les siècles à venir. Il ne peut être transmis que TRANSFORMÉ, sans quoi c'est le gauchissement.

Que ceux tentés par l'aventure se joignent à nous.

Au terme imaginable, nous entrevoyons l'homme, libéré de ses chaînes inutiles, réaliser dans l'ordre imprévu, nécessaire de la spontanéité, dans l'anarchie resplendissante, la plénitude de ses dons individuels.

D'ici là, sans repos ni halte, en communauté de sentiment avec les assoiffés d'un mieux-être, sans crainte des longues échéances, dans l'encouragement ou la persécution, nous poursuivrons dans la joie notre sauvage besoin de libération. »

Paul-Émile Borduas et al., Refus global, 9 août 1948.
Paul-Émile Borduas, Refus global et autres écrits, Typo, 1997. © Éditions Typo et succession Paul-Émile Borduas.

3 LES SIGNATAIRES DU *REFUS GLOBAL*

La liberté d'expression des artistes des années 1940 est paralysée par l'idéologie conservatrice du gouvernement de Maurice Duplessis et de l'Église. Un groupe de 16 artistes inspirés par les idées de Paul-Émile Borduas rédige un manuscrit révolutionnaire : *Refus global*.

Le groupe est constitué de peintres aujourd'hui célèbres (Paul-Émile Borduas, Marcel Barbeau, Pierre Gauvreau, Fernand Leduc, Jean-Paul Riopelle, Jean-Paul Mousseau, Marcelle Ferron), d'artistes du domaine du théâtre (Muriel Guilbault, Louise Renaud), de danseurs (Françoise Riopelle, Françoise Sullivan), de poètes (Claude Gauvreau, Thérèse Renaud-Leduc), d'une designer (Madeleine Arbour), d'un photographe (Maurice Perron) et d'un psychiatre (Bruno Cormier).

4 LA *SYMPHONIE GASPÉSIENNE* RC

Claude Champagne (1891-1965)
(Bibliothèque et Archives Canada.)

Musicien et compositeur canadien, Claude Champagne s'inspire de la nature et du folklore québécois. En plus de composer, il enseigne la musique dans plusieurs institutions réputées. Premier auteur reconnu de musique classique, sa contribution au domaine musical lui vaut de multiples reconnaissances tout au long de sa carrière.

« Inspiré au retour d'un voyage à Percé par les impressions visuelles et auditives suggérées par le spectacle grandiose de la région gaspésienne, j'ai cherché tout simplement à transposer sur le plan musical, le spectacle gaspésien. »

«Notice sur la Symphonie gaspésienne», Exposition virtuelle Claude Champagne, Bibliothèque nationale du Canada.

COMPÉTENCE 2
Interpréter le passé.

1. Expliquez l'influence des nouveaux courants d'idées de la fin des années 1950 sur les transformations culturelles.

2. Définissez des caractéristiques de la modernisation de la culture dans les années 1950 et 1960.

CONCEPT

Art

3. D'où proviennent les principales influences modernistes dans les années 1950 ?

Religion

4. Quels sont les impacts de l'anticléricalisme sur la société ?

4.7 L'ÉTAT ET L'INDUSTRIALISATION DE LA CULTURE

À l'époque de la Révolution tranquille⊙, l'État québécois prend en charge le développement et la protection de la culture et des nouvelles industries culturelles.

LE NOUVEAU RÔLE DE L'ÉTAT ET LA CULTURE

En 1961, le gouvernement de Jean Lesage crée le ministère des Affaires culturelles, qui soutient le développement des arts et des produits culturels au Québec. En 1963, l'État met en place un système d'éducation publique et crée le ministère de l'Éducation en 1964. Le cours classique, aboli en 1965, est remplacé par le réseau des cégeps (collèges d'enseignement général et professionnel) en 1967. L'éducation est désormais gratuite et accessible à tout le monde.

LA TRANSFORMATION DE LA CULTURE

Les nouvelles écoles secondaires et les cégeps deviennent des lieux de diffusion des nouvelles idées et de la contestation du pouvoir politique (*doc.* ❷). Les intellectuels, les étudiants et les artistes issus du nouveau réseau scolaire revendiquent une transformation de la société qui serait fondée sur la liberté, l'émancipation de la femme, la laïcisation⊙ des institutions et l'affirmation de la nouvelle identité nationale québécoise (*doc.* ❶).

LE MONDE CULTUREL EN EFFERVESCENCE

La production artistique québécoise augmente considérablement avec la Révolution tranquille. Les artistes produisent, tant au cinéma qu'en musique et en peinture, des œuvres importantes qui montrent une société québécoise en pleine transformation (*doc.* ❸). À partir des années 1960, la culture du divertissement prend de l'importance. La production cinématographique québécoise devient plus importante à partir des années 1970.

L'INDUSTRIALISATION DE LA CULTURE

Le foisonnement culturel de la Révolution tranquille contribue à l'accroissement de la production culturelle, qui devient un produit de consommation soumis aux lois du marché. La création de la Société Radio-Canada, en 1936 pour la radio et en 1952 pour la télévision, permet une large diffusion des œuvres des artistes québécois, tant en musique qu'en théâtre. En 1961, un nouveau réseau de télévision privé, Télé-Métropole, s'adresse à un autre public que celui du réseau d'État (Radio-Canada) en diffusant des émissions inspirées de la nouvelle culture populaire étatsunienne à laquelle plusieurs Québécois et Québécoises s'identifient. L'État québécois, qui poursuit son intervention dans les milieux culturels, crée Radio-Québec (devenu Télé-Québec) en 1968 et fait construire la Place des arts en 1963. De nouveaux lieux de diffusion de la musique et de nouveaux artistes deviennent très populaires dans les années 1960 (*doc.* ❹).

Enquête

Vous êtes un ou une artiste au début des années 1960. Créez une œuvre dans une discipline artistique de votre choix qui témoignera des bouleversements qui surviennent dans la société québécoise.

1 · SPEAK WHITE

Le poème Speak White *est présenté en 1968 par la poétesse, dramaturge et essayiste Michèle Lalonde lors d'un spectacle intitulé* Poèmes et chants de la résistance.

« [...] speak white and loud
qu'on vous entende de Saint-Henri à
Saint-Domingue
oui quelle admirable langue
pour embaucher
donner des ordres
fixer l'heure de la mort à l'ouvrage
et de la pause qui rafraîchit
et ravigote le dollar »

2 · CÉGEP EN SPECTACLE

Affiche du concours « Cégep en spectacle ».

Fondé en 1979, ce concours regroupe tous les arts de la scène et s'adresse aux étudiants du réseau collégial à travers le Québec. Les cégeps sont des lieux importants de l'apprentissage et de la diffusion de la culture et des nouveaux mouvements de pensée.

3 · LA RÉVOLUTION DU SPECTACLE L'*OSSTIDCHO*

Louise Forestier (1943 -)
Louise Forrestier à l'*Osstidcho* en 1968.

Née à Shawinigan, Louise Forestier complète sa formation à l'École nationale de théâtre de Montréal en 1964. Elle participe à l'*Osstidcho* en 1968, chante avec Robert Charlebois dans les années 1970, et poursuit ensuite sa carrière solo alternant entre théâtre, chanson et cinéma.

« C'est [le spectacle l'*Osstidcho*] quelque chose qui a changé la chanson, selon mes critères [...]. On a arrêté de suivre les traces de nos ancêtres les Français. On voulait chanter comme on parle et danser sur nos chansons. On voulait que ça swingue. C'est ce qu'on a fait. »

Louise Forestier, citée par Alexandre Vigneault, « Charlebois / Forestier : du brouillon au chef-d'œuvre », *La Presse*, 16 février 2008.

4 · LES BOÎTES À CHANSONS (RC)

En 1959, un collectif de chansonniers se regroupe sous le nom de « Les Bozos », en l'honneur d'une chanson de Félix Leclerc. Formé entre autres de Clémence Desrochers, Jean-Pierre Ferland, André Gagnon et Claude Léveillée, le groupe fonde la boîte à chansons Chez Bozo à Montréal. Ce sera le point de départ d'une prolifération de boîtes à chansons à travers tout le Québec jusqu'en 1967, dont Le Patriote de Saint-Adèle et La Piouke de Bonaventure en Gaspésie.

« Les chansonniers témoignent d'une nouvelle conception de l'affirmation du peuple québécois liée à la découverte de son identité propre. Ainsi, les chansonniers ont-ils assumé un processus historique : désormais, la grande majorité des habitants du Québec ne se perçoivent plus comme Canadiens français, mais comme Québécois. En 1960, ils sont la matérialisation d'un phénomène exclusivement québécois. Ils représentent une façon de voir et de vivre en Québécois dont les boîtes à chansons étaient les premières manifestations et les premiers symboles. [Ils] se distinguaient par un idéal social commun de même que par un style de chansons et de présentation dont le dépouillement et le caractère intimiste favorisaient l'expression poétique. »

Bruno Roy, « Chansonniers », *L'Encyclopédie canadienne*, Fondation Historica du Canada, 2008.

⚜ COMPÉTENCE 2
Interpréter le passé.

1. Quel rôle l'État joue-t-il dans la modernisation de la culture ?

2. Nommez des acteurs de la modernisation de la culture au Québec.

⚜ COMPÉTENCE 3
Exercer sa citoyenneté.

3. Votre école participe-t-elle à la vie culturelle de votre région ? Comment ?

⚜ CONCEPT
Éducation

4. Quel rôle joue l'éducation dans la transformation de la culture au Québec ?

1960 - 1980

4.8 L'AFFIRMATION D'UNE NOUVELLE CULTURE

Au Québec, dans les années 1960, des idées nouvelles et modernes supplantent les idées traditionnelles. Comme en Europe, des idéologies comme le socialisme et le communisme inspirent des mouvements contestataires.

UNE NOUVELLE IDENTITÉ NATIONALE

La nouvelle élite⊙ et les artistes contribuent à la transformation de l'identité québécoise. On cesse peu à peu de parler des Canadiens français pour parler d'une appartenance nationale québécoise, civique et territoriale, qui respecte les groupes minoritaires de la société. Pour certains nationalistes⊙, cette affirmation nationale évolue, dans les années 1970, vers une volonté d'émancipation et d'indépendance politique. Lors du référendum de 1980 portant sur une possible souveraineté du Québec, de nombreux artistes militent pour le camp du « Oui ». Dans leurs œuvres, les artistes expriment leurs opinions et font connaître la cause qu'ils défendent (*doc.* **4**).

LA PRISE DE CONSCIENCE DE L'IDENTITÉ AUTOCHTONE

Les Autochtones prennent conscience de leur identité culturelle et revendiquent la reconnaissance de leurs droits. Ils résistent à la perte de leur culture traditionnelle, ce qui n'empêche pas les artistes de moderniser aussi leur production (*doc.* **1**). Cette prise de conscience identitaire est encouragée par des mouvements de pensée qui prônent le retour à la culture et aux valeurs traditionnelles. Les langues autochtones sont enseignées dans les communautés. Les jeunes redécouvrent les pratiques religieuses et les traditions de leurs ancêtres.

L'OUVERTURE SUR LE MONDE

Le Québec, qui a amorcé une ouverture sur le monde après la Révolution tranquille⊙, doit s'adapter à une nouvelle culture (*doc.* **2**). L'immigration contribue à la diversification de la société et à l'évolution de la culture québécoise. L'État intervient pour faciliter l'intégration des nouveaux arrivants et assurer la survivance de la langue française. À partir des années 1960, le gouvernement du Québec développe des liens avec la France et les autres États francophones. Les artistes québécois profitent alors de l'ouverture de ces nouveaux marchés à l'étranger (*doc.* **3**).

LA DÉFENSE DE LA LANGUE FRANÇAISE

Après de longues luttes menées dans les années 1960 pour préserver et défendre la langue française au Québec, le français devient la langue officielle de la province par l'adoption de la loi 101 (Charte de la langue française) en 1977. Cette charte reconnaît aussi des droits aux communautés anglophones et aux Premières Nations. La communauté anglophone du Québec développe des institutions culturelles, comme le théâtre Centaur en 1969.

1 UN DANSEUR CHIPPEWA (OJIBWÉ)

(Patrick Desjarlait, *Danseur Chippewa*, 1970. Collection du *National Cowboy Hall of Fame*.)

Depuis la fin du XIXe siècle, les artistes et les danseurs autochtones se rassemblent dans de grandes manifestations culturelles appelées « pow-wows », une forme contemporaine d'affirmation et de préservation de la culture et de l'identité des Premières Nations.

2 L'EXPOSITION UNIVERSELLE[Ⓖ] DE MONTRÉAL EN 1967

Conçu par l'architecte Buckminster Fuller, le pavillon des États-Unis (aujourd'hui la Biosphère) constitue l'une des attractions majeures de l'Exposition universelle.

L'Expo 67 fait découvrir aux Québécois et aux Québécoises différentes cultures et différents modes de vie du monde entier. Cette exposition contribue à l'ouverture sur le monde de la société québécoise et à la diffusion de nouveaux mouvements de pensée.

COMPÉTENCE 2
Interpréter le passé.

1. Nommez des acteurs de la culture québécoise après la Révolution tranquille.

2. Quels sont les enjeux culturels au Québec après 1960 ?

CONCEPT
Identité

3. Quelles sont les caractéristiques de la nouvelle identité québécoise après 1960 ?

3 UNE PIÈCE DE THÉÂTRE EN JOUAL

Figure dominante du théâtre québécois, l'écrivain et dramaturge Michel Tremblay écrit la première pièce de théâtre en joual, *Les belles-sœurs*, en 1968. Le joual est une forme d'expression populaire. Michel Tremblay défend le joual en affirmant qu'il représente mieux une réalité de la culture québécoise. La pièce *Les belles-sœurs* est traduite dans une vingtaine de langues et jouée à travers le monde.

4 UNE PIÈCE DE THÉÂTRE FÉMINISTE

Louisette Dussault dans la pièce *Les fées ont soif* jouée au Théâtre du Nouveau Monde à Montréal, en 1978.

La pièce *Les fées ont soif* de Denise Boucher, présentée au Théâtre du Nouveau Monde et mise en scène par Jean-Luc Bastien, suscite une polémique importante lors de sa présentation. La pièce critique le modèle traditionnel de la femme et met en scène la Vierge Marie. L'Église catholique tente de faire interdire la pièce.

PÉRIODE CONTEMPORAINE

1980 à nos jours

4.9 LES MOUVEMENTS D'IDÉES AU XXIᵉ SIÈCLE

Dans le cadre de la **mondialisation**, la culture devient un bien de consommation comme tous les autres. La conservation de la spécificité de la culture québécoise représente un défi important à relever.

LA MONDIALISATION ET LA CULTURE

La production culturelle nationale québécoise est concurrencée par les industries culturelles étrangères qui souhaitent vendre au Québec leurs disques compacts, leurs films ou leurs romans. La standardisation des productions culturelles sur le modèle étatsunien représente une menace pour les cultures spécifiques comme celles du Québec (*doc.* **1**).

L'ENJEU DE LA MONDIALISATION DES ÉCHANGES

La préservation des identités culturelles devient un défi important dans le contexte de la mondialisation des échanges. Le rôle de l'État dans la défense et la promotion de la culture est au centre du débat. Tenants du libre marché, les **néolibéraux** considèrent que la culture est un produit qui doit être soumis aux règles du marché et que l'État ne doit pas intervenir pour aider ces industries. Leurs opposants considèrent que la culture est une donnée fondamentale de l'identité d'une société et qu'elle doit être protégée par l'État. Ils défendent la diversité des cultures dans le monde.

DES CÔTÉS POSITIFS À LA MONDIALISATION DES ÉCHANGES

L'industrie culturelle québécoise profite de la mondialisation des marchés. Des artistes québécois, comme Céline Dion, obtiennent une reconnaissance internationale en adoptant les critères standardisés du modèle étatsunien dans leur domaine tout en conservant leur identité québécoise. D'autres artistes, comme Richard Desjardins, préfèrent exploiter la spécificité québécoise. À la fin du XXᵉ siècle, le Québec exporte de plus en plus ses produits culturels. Le Cirque du Soleil ainsi que d'autres artistes québécois, comme Robert Lepage, sont reconnus internationalement (*doc.* **2** *et* **4**), et des films québécois sont distribués dans plusieurs pays (*doc.* **3**).

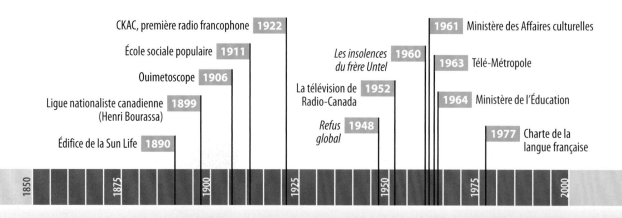

CKAC, première radio francophone **1922**

École sociale populaire **1911**

Ouimetoscope **1906**

Ligue nationaliste canadienne **1899**
(Henri Bourassa)

Édifice de la Sun Life **1890**

*Les insolences
du frère Untel* **1960**

La télévision de **1952**
Radio-Canada

*Refus
global* **1948**

1961 Ministère des Affaires culturelles

1963 Télé-Métropole

1964 Ministère de l'Éducation

1977 Charte de la
langue française

1850   1875   1900   1925   1950   1975   2000

1 LA MONDIALISATION ET LA CONSOMMATION DE PRODUITS CULTURELS

« À l'heure de l'internationalisation croissante de l'économie et de la culture, le Québec se retrouve dans la même position que toutes les petites collectivités, à population et moyens limités, par rapport à quelques géants, tels les États-Unis, le Japon ou l'Allemagne. Ses appétits de consommation sont et resteront beaucoup plus grands que ses capacités de création et de production. […] L'envahissement des productions américaines y sera pour quelque chose, bien sûr. Mais les Québécois en demanderont eux-mêmes. »

Gaëtan Tremblay (dir.), *Les industries de la culture et de la communication au Québec et au Canada*, PUL, 1990.

2 LE DRAMATURGE WAJDI MOUAWAD

Wajdi Mouawad (1968 -)

Né au Liban, Wajdi Mouawad est une figure marquante du théâtre québécois. Auteur, comédien et metteur en scène, il signe des pièces au rayonnement international.

En apprenant la mort de son père inconnu, l'orphelin Wilfrid décide de lui offrir une sépulture dans son pays natal.

« WILFRID : Je ne pleure pas. C'est la vie qui me brûle les yeux. Regarde-moi, chevalier Guiromelan, regarde-moi ; aujourd'hui, plus personne ne m'appellera son fils ! Aujourd'hui, il y a une peine en moi que je ne soupçonnais pas. »

Wajdi Mouawad, *Littoral*, Leméac/Actes-Sud-Papiers, 1999.

3 UN CINÉMA QUÉBÉCOIS DE RÉPUTATION INTERNATIONALE

Le film québécois *Les invasions barbares* a remporté l'Oscar du meilleur film étranger en 2004.

Les producteurs Daniel Louis et Denise Robert ainsi que le réalisateur Denys Arcand.

4 UNE ŒUVRE MAJEURE DE LA DANSE CONTEMPORAINE

Joe, interprété en 1989 par les danseurs et danseuses de la Fondation Jean-Pierre Perreault.

Chorégraphe, danseur, directeur artistique, scénographe et professeur de danse, Jean-Pierre Perreault (1947-2002) a innové dans le domaine de la danse contemporaine. Dans son œuvre la plus importante, *Joe*, créée en 1983, il met en scène un groupe de 32 étudiants et étudiantes en danse de l'Université du Québec à Montréal. Spectacle sans musique, les pas des danseurs et des danseuses, qui escaladent sans cesse une scène en pente raide, battent la mesure. Plusieurs troupes de danse dans le monde se sont inspirées de cette œuvre.

COMPÉTENCE 2
Interpréter le passé.

1. Expliquez quelques impacts positifs de la mondialisation sur la culture québécoise.

COMPÉTENCE 3
Exercer sa citoyenneté.

2. Les Premiers occupants, les habitants francophones de la Nouvelle-France et les anglophones du Régime britannique ont-ils laissé une culture homogène aux Québécois et aux Québécoises ? Justifiez votre réponse.

3. Quel patrimoine culturel est le mieux préservé dans votre région : autochtone, francophone ou anglophone ? Pour quelles raisons ?

CONCEPT
Enjeu

4. Quel est le principal enjeu pour la culture du Québec dans le cadre de la mondialisation des échanges ?

COMPÉTENCE 1
Interroger le présent.

5. Après avoir étudié le thème *Culture et mouvements de pensée* à l'époque contemporaine, votre hypothèse sur l'influence des idées sur les manifestations culturelles au Québec au début du XXIe siècle vous semble-t-elle toujours valide ? Au besoin, reformulez-la ou complétez-la.

PÉRIODE CONTEMPORAINE

Dans les pages 68 à 71, vous trouverez des documents qui constituent une synthèse des savoirs liés au thème **Culture et mouvements de pensée**.

1. RÉSUMÉ

Le résumé ci-dessous présente, pour chacune des grandes périodes historiques, l'influence des idées sur les manifestations culturelles au Québec.

LE RÉGIME BRITANNIQUE (1760-1867)

UNE CULTURE FRANÇAISE MENACÉE

- Les autorités britanniques importent dans la colonie leurs institutions et leurs valeurs culturelles.
- L'échec des Rébellions de 1837 et l'Acte d'Union de 1840 incitent les Canadiens français à se replier sur leurs institutions culturelles et à défendre leur identité nationale.
- La France redevient un modèle de référence culturelle.
- Rome exerce une grande influence et devient un modèle politique et culturel pour les ultramontains.
- L'Église, qui au XIXe siècle contrôle toujours l'éducation, contribue à la préservation et à la transmission de la culture canadienne-française. Elle exerce donc une grande influence sur la société et la culture de la colonie.

LES PREMIERS OCCUPANTS (v. 1500)

TRADITIONS ET CONCEPTION DU MONDE

- La culture et le mode de vie des Premiers occupants sont influencés par leur environnement.
- Le Cercle de vie est une forme de représentation du monde commune à la plupart des peuples autochtones de l'est de l'Amérique du Nord.

LE RÉGIME FRANÇAIS (1608-1760)

UNE CULTURE ORIGINALE

- La culture de la métropole a un impact sur de nombreux aspects de la vie dans la colonie.
- Les colons français s'installent et apportent leur propre culture.
- L'éducation, contrôlée par l'Église catholique, transmet les valeurs morales religieuses et la culture française.
- Les échanges culturels entre les Autochtones et les colons contribuent au développement d'une culture originale caractérisée notamment par l'esprit d'indépendance des habitants canadiens.

LA PÉRIODE CONTEMPORAINE (1867 à nos jours)

UNE CULTURE EN TRANSFORMATION

- L'industrialisation et l'urbanisation de la fin du XIXe siècle et du début du XXe transforment la société québécoise dominée par la bourgeoisie anglophone.
- Sous l'influence des États-Unis, une nouvelle culture populaire se développe dans les grands centres urbains.
- La modernisation de la culture, à laquelle contribue l'instauration d'un système d'éducation public, atteint son apogée avec la Révolution tranquille.
- Une identité québécoise émerge des mouvements d'émancipation nationale et du nouveau nationalisme.
- L'ouverture sur le monde et la mondialisation des échanges économiques entraînent l'évolution constante de cette identité et sa reconnaissance dans le monde.

2. CONCEPTS

Les réseaux ci-dessous mettent en relation les concepts liés au thème Culture et mouvements de pensée. Il peut être intéressant de réfléchir aux liens qui existent entre ces concepts.

L'ÉLABORATION D'UNE NOUVELLE CULTURE

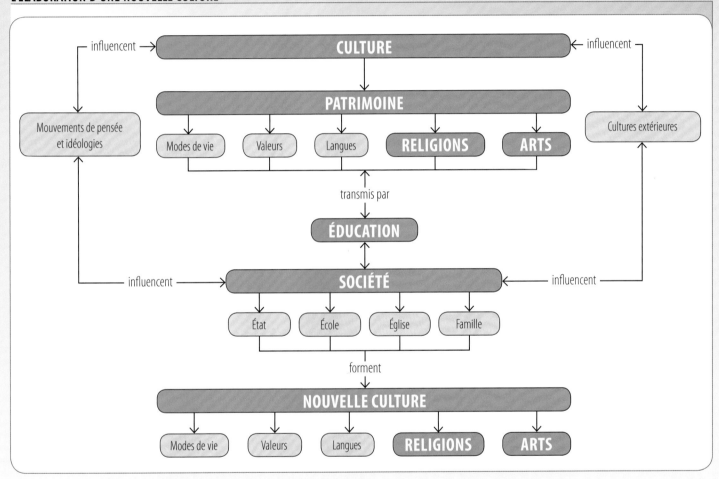

CULTURE ET IDENTITÉ

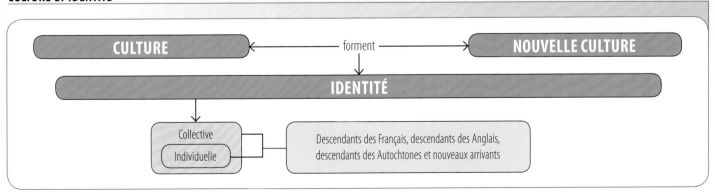

3. CHRONOLOGIE

CULTURE ET MOUVEMENTS DE PENSÉE		POLITIQUE	
Plus anciennes traces d'occupation humaine au Québec.	-10 000		
		Arrivée de Jacques Cartier en Gaspésie.	1534
		Fondation de Québec.	1608
La Conversion des Sauvages, Marc Lescarbot.	1610		
Grand Séminaire de Québec.	1663		
École des arts et métiers de Saint-Joachim.	1668	Grande Paix de Montréal.	1701
Catéchisme du diocèse de Québec.	1702		
Ouvrage historique du père Pierre-François-Xavier de Charlevoix.	1744		
		Conquête de la Nouvelle-France par les Britanniques.	1760
		Traité de Paris et Proclamation royale.	1763
		Acte de Québec.	1774
Imprimerie Fleury Mesplet.	1776		
La *Gazette de Montréal (The Montreal Gazette)*.	1778		
		Acte constitutionnel.	1791
Société Saint-Jean-Baptiste.	1834	Rébellions dans le Haut-Canada et le Bas-Canada.	1837-1838
Loi sur l'instruction publique.	1841	Acte d'Union. Création du Canada-Uni, divisé en Canada-Est et Canada-Ouest.	1840
Histoire du Canada, François-Xavier Garneau.	1845		
Institut canadien de Québec.	1848	Obtention de la démocratie parlementaire.	1848
Les Anciens Canadiens, Philippe Aubert de Gaspé.	1863		
Édifice de la Sun Life.	1890		
		Acte de l'Amérique du Nord britannique (AANB). (Confédération canadienne)	1867
Ligue nationaliste canadienne.	1899		
Ouimetoscope.	1906		
École sociale populaire.	1911		
		Crise de la conscription.	1917
		Obtention du droit de vote des femmes au fédéral.	1918
CKAC, première radio francophone.	1922	Premier mandat de Maurice Duplessis.	1936-1940
		Obtention du droit de vote des femmes au provincial.	1940
		Crise de la conscription.	1942
Refus global.	1948	Adoption du drapeau fleurdelisé au Québec.	1948
La télévision de Radio-Canada.	1952		
Les insolences du frère Untel.	1960	Élection de Jean Lesage.	1960
Ministère des Affaires culturelles.	1961		
Télé-Métropole.	1963		
Ministère de l'Éducation.	1964		
Charte de la langue française.	1977	Élection du Parti québécois.	1976
		Référendums sur la souveraineté du Québec.	1980 et 1995

4. RETOUR SUR L'ANGLE D'ENTRÉE

ANGLE D'ENTRÉE
L'influence des idées sur les manifestations culturelles.

COMPÉTENCE 2
Interpréter le passé.

À l'aide des documents ci-dessous et de vos connaissances, rédigez un texte de 200 mots pour expliquer l'influence des idées sur les manifestations culturelles entre 1500 et le début du XXIe siècle.

1 NOTRE CULTURE SERA PAYSANNE OU NE SERA PAS.

« Si on accepte le mot "culture" dans le sens à la fois large et particulier que vous lui donnez, je persiste à croire qu'il existe une culture canadienne-française. Mais prenez garde, nous finirons par la perdre, à peu près comme tout ce que nous avons perdu à cause de notre indifférence, de notre timidité et, disons le mot, de notre avachissement.

Je l'ai écrit souvent et je le répète : notre survivance reste intimement liée au sol. Le mot "sol" (trois lettres) contient tout le passé, toutes nos traditions, nos mœurs[○], notre foi et notre langue. Retranchez le sol de notre vie sociale, économique, politique et il n'est point de culture canadienne-française. »

Claude-Henri Grignon, « Notre culture sera paysanne ou ne sera pas », *L'Action nationale*, vol. XXII, n° 6, juin 1941.

2 LE NUNAVIK CONTEMPORAIN

« Le Nunavik contemporain, le pays des Inuits du Québec, c'est Élisapie Isaac. Elle chante en inuktitut, mais les accents du passé forment rarement le motif de sa poésie. Elle chante aussi bien en anglais et en français. Sur une musique folk-rock teintée de *lounge*, ses mots disent sans complaisance la beauté et la cruauté de l'amour et du monde, ainsi que le choc des cultures, dont ils symbolisent pourtant l'intégration.

[…] Le Nunavik est un pays de forts contrastes : une population active occupée à gagner sa vie par le travail salarié et par l'entrepreneuriat dans toutes les sphères économiques ; des aînés encore proches de la nature avoisinante, respectés pour leur sagesse et leur savoir mais majoritairement refoulés dans la pauvreté ; une jeunesse nombreuse de plus en plus scolarisée, couramment bilingue, qui connaît aussi bien, sinon mieux, la grille horaire de la télé que l'art de la chasse. C'est un pays en transition. »

Gérard Duhaime, « Nunavik », *L'Actualité, numéro spécial – 100 mots pour comprendre le Québec*, 31 mars 2006.

3 LA COLONNE NELSON SUR LA PLACE JACQUES-CARTIER À MONTRÉAL

Ce monument érigé en 1809 commémore Horatio Nelson (1758-1805), amiral britannique qui a vaincu la flotte française de Napoléon Bonaparte et la flotte espagnole dans la bataille de Trafalgar en 1805.

Inde

‹p. 74 à 79›

(Procession célébrant le dieu hindou à tête d'éléphant, Ganesh, lors du festival *Ganesh Chaturthi* célébré vers la fin août ou le début septembre de chaque année.)

L'Inde, civilisation très ancienne et d'une grande diversité culturelle, rayonne partout dans le monde. On lui doit notamment des découvertes en mathématiques, l'hindouisme et le bouddhisme. À l'aube du XXIe siècle, l'Inde doit relever des défis importants liés à la mondialisation[G].

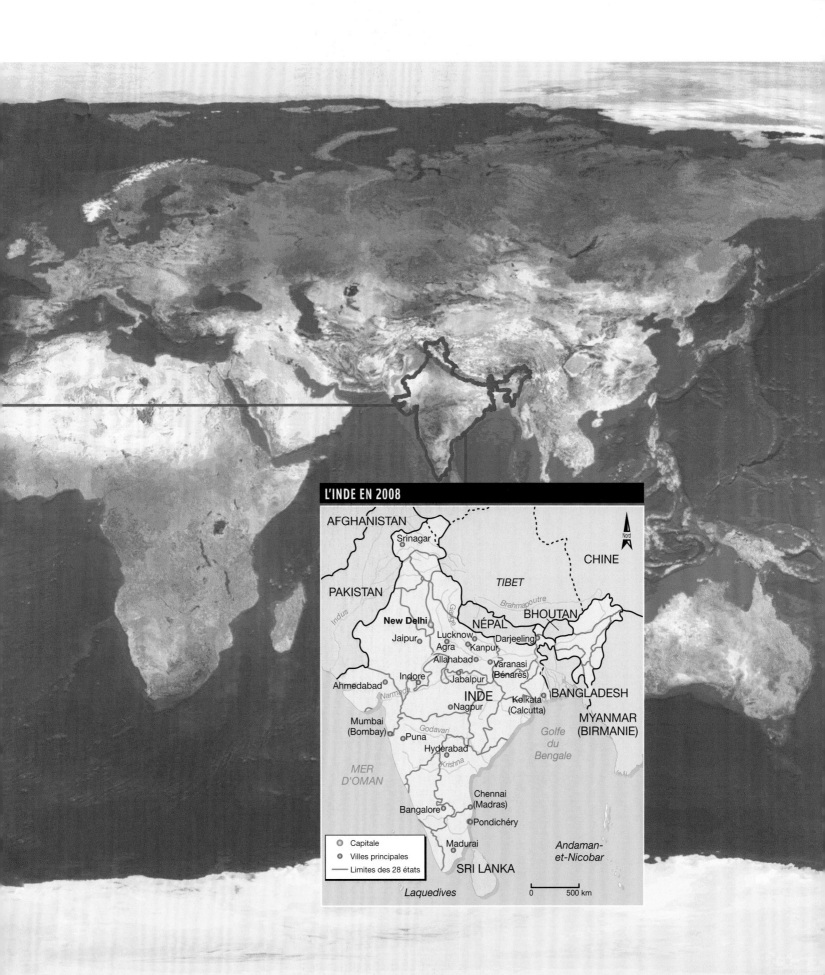

L'INDE EN 2008

AFGHANISTAN

Srinagar

PAKISTAN

CHINE

TIBET

Brahmapoutre

BHOUTAN

New Delhi

Indus

Ganga

NÉPAL

Jaipur

Lucknow

Darjeeling

Agra

Kanpur

Allahabad

Varanasi
(Bénarès)

Indore

Jabalpur

Ahmedabad

Narmada

INDE

Kolkata
(Calcutta)

BANGLADESH

Nagpur

MYANMAR
(BIRMANIE)

Mumbai
(Bombay)

Godavari

Puna

Golfe
du
Bengale

Hyderabad

Krishna

MER
D'OMAN

Chennai
(Madras)

Bangalore

Pondichéry

● Capitale

● Villes principales

— Limites des 28 états

Madurai

Andaman-
et-Nicobar

SRI LANKA

Laquedives

0   500 km

Dans les pages 74 à 79, vous prendrez connaissance de textes explicatifs et de documents qui vous permettront de comparer l'influence des idées sur les manifestations culturelles du Québec avec celles de l'Inde.

LEXIQUE

Bouddhisme – Doctrine religieuse fondée en Inde vers le milieu du VIe siècle avant Jésus-Christ par le prince Siddharta Gautama.

Hindouisme – Doctrine religieuse vieille de plus de cinq mille ans. Les adeptes portent le nom d'« hindous ».

Islam – Doctrine religieuse prêchée par Mahomet au VIe siècle et fondée sur le Coran. Les adeptes portent le nom de « musulmans » et « musulmanes ».

Moghol – Dynastie musulmane qui règne sur l'Inde entre 1526 et 1707.

L'INDE HIER

L'Inde est un pays dont l'héritage culturel est plusieurs fois millénaire. Sa culture est influencée par celle de plusieurs envahisseurs et par de nombreuses religions, notamment l'**hindouisme**, l'**islam** et le **bouddhisme**.

L'EMPREINTE CULTURELLE DES PREMIÈRES CIVILISATIONS

La civilisation de l'Indus, l'une des premières à découvrir l'écriture (*doc.* **2**) et à témoigner d'une activité mathématique, se développe du IIIe au IIe millénaire avant Jésus-Christ. Entre les IVe et VIe siècles après Jésus-Christ, l'Empire des Gupta trace les grands traits de la civilisation indienne, et l'art classique indien atteint son apogée. Au Moyen Âge, la culture indienne étend son influence. Le bouddhisme se répand à travers l'Asie et les sciences indiennes inspirent les savants européens et arabes.

DES INFLUENCES ÉTRANGÈRES PLUS RÉCENTES

Au XVIe siècle, l'Inde est colonisée par les **Moghols** musulmans ; aux XVIIe et XVIIIe siècles, par les Français et les Britanniques. La colonisation britannique transforme la culture indienne par ses institutions, sa politique, l'évangélisation et l'éducation occidentale (*doc.* **1**). L'anglais est, avec l'hindi, l'une des deux langues officielles de l'État fédéral indien et les institutions politiques s'inspirent du modèle britannique. L'Inde est aujourd'hui la démocratie la plus populeuse avec un peu plus de 1 milliard d'habitants.

L'INDÉPENDANCE DE L'INDE

Des chefs politiques comme Gandhi et Nehru ont étudié dans des universités britanniques et mènent une résistance non violente pour la libération nationale. En 1947, l'Inde obtient son indépendance au prix de la division d'une partie du pays pour former l'État islamique du Pakistan. Cependant, de graves conflits opposent la minorité culturelle la plus importante, la communauté musulmane, à la communauté hindoue majoritaire. Il existe plusieurs religions en Inde (*doc.* **4**), mais l'hindouisme est pratiqué par 80 % de la population (*doc.* **3**).

L'INDE CONTEMPORAINE

Vers la fin des années 1990, l'Inde entreprend des réformes importantes en libéralisant son économie et en laissant plus de place à l'entreprise privée. Malgré la modernisation de l'Inde, son développement est insuffisant pour mettre fin à la pauvreté et aux inégalités sociales. L'Inde est un État majoritairement rural imprégné par la culture traditionnelle. Les grands centres urbains ne se modernisent qu'à la fin du XXe siècle.

1 LE SPORT EN INDE

L'équipe All Indian Cricket, 1911. (P. F. Warner, 1912. The London and Countries Press Association.)

L'histoire du sport indien remonte à la période védique avec la pratique d'activités physiques telles que la course de chars, le tir à l'arc, le polo, l'équitation, la lutte et la natation. Les Britanniques ont importé en Inde des sports tels que le rugby et le cricket.

⚜ COMPÉTENCE 1
Interroger le présent.

1. Quels sont les défis que doit relever l'Inde depuis son indépendance ?

⚜ COMPÉTENCE 2
Interpréter le passé.

2. 🔲 Construisez une ligne du temps présentant les principaux événements de l'histoire de l'Inde.

⚜ CONCEPT
Culture

3. Présentez quelques caractéristiques de la culture de l'Inde avant le XIXᵉ siècle.

2 DES ŒUVRES IMPORTANTES DE LA LITTÉRATURE CLASSIQUE INDIENNE

Cette littérature, qui serait la plus ancienne au monde, est composée de textes très anciens comme les Védas et le Mahâbhârata. Les Védas sont un ensemble de textes sacrés en sanskrit dont est issu l'hindouisme. Composés de quatre livres, ils constitueraient le corpus de connaissance le plus ancien de l'humanité. La partie la plus ancienne, le Rig-Véda, daterait de 1800 à 1500 av. J.-C., mais la transmission orale remonterait à bien plus loin. Le Mahâbhârata est un grand poème épique de plus de 100 000 versets écrits en sanskrit, dont la littérature, le théâtre et le cinéma indiens tirent encore aujourd'hui de nombreux thèmes.

3 L'HINDOUISME

Dans l'hindouisme, le dieu Vishnu symbolise la conservation de l'Univers ; le dieu Brahma, la création ; le dieu Shiva, la destruction.

Statue en pierre représentant le dieu Vishnu dans le temple *Angkor Wat*, construit au début du XIIᵉ siècle au Cambodge.

4 LES PRINCIPALES RELIGIONS DANS L'INDE CONTEMPORAINE

Kaboul

AFGHANISTAN

CHINE

Lahore

PAKISTAN

TIBET Lhassa

Brahmapoutre

BHOUTAN

Indus

New Delhi

NÉPAL
Katmandou

Thimbu

Kanpur

Gange

Karachi

Dhaka

Ahmedabad

Narmada

Calcutta

BANGLADESH

Mumbai (Bombay) Godavari

MYANMAR (BIRMANIE)

Golfe du Bengale

MER D'OMAN

Hyderabad

Krishna

Yangon (Rangoon)

Limites provinciales
Villes principales
Religions
Hindouisme
Islam
Christianisme
Bouddhisme
Sikhisme
Autres

Bangalore

Chennai (Madras)

Andaman-et-Nicobar

SRI LANKA

Laquedives Colombo

0   500 km

L'INDE AU DÉBUT DU XXIᴇ SIÈCLE

La mondialisation⊚, facteur de prospérité, transforme la culture indienne. L'Inde d'aujourd'hui doit concilier son ouverture sur le monde, la modernisation de sa société et la préservation de son patrimoine culturel.

1 L'EXPORTATION DES PRODUCTIONS CINÉMATOGRAPHIQUES INDIENNES EN 2005

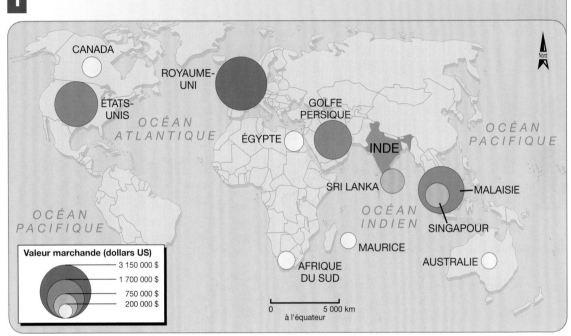

2 LE CINÉMA BOLLYWOODIEN SELON UN CRITIQUE DE CINÉMA 🔴

« Le film de **Bollywood** est, par définition, une expérience particulière. Tout y est codé, soumis à la loi d'une formule immuable : combats, chansons, danses et mélange des genres, quasi obligatoire et le public en veut pour son argent. »

David Chute, cité dans Martine Luchmun, « Les feux ardents de Bollywood », *L'Express de l'île Maurice*, 18 juin 2008.

La star de cinéma bollywoodien Shilpa Shetty, pendant le tournage du film *Kamosh* en 2004, à Mumbay (Bombay) en Inde.

3 UNE SOCIÉTÉ PERMÉABLE AUX IDÉES

« Une multitude d'influences convergentes venues du monde entier traversent cette société qui est à la fois hindoue, musulmane, chrétienne, laïque⊚, staliniste, libérale, maoïste, démocratique, socialiste, gandhienne. Il n'existe pas un seul courant de pensée en vigueur à l'Ouest comme à l'Est qui ne soit à l'œuvre dans quelque esprit indien. »

E. P. Thompson, cité dans Shashi Tharoor, *L'Inde, d'un millénaire à l'autre*, trad. C. et G. Busquet, Seuil, 2007.

4 LA PROGRESSION DU TAUX D'ALPHABÉTISATION EN INDE

ANNÉE	FEMMES	HOMMES
1990	54 %	73 %
2006	68 %	84 %

D'après la Banque mondiale, 2006.

COMPÉTENCE 1
Interroger le présent.

1. Présentez quelques caractéristiques de la société indienne au XXIᵉ siècle.

2. Nommez d'importantes manifestations culturelles indiennes au XXIᵉ siècle.

COMPÉTENCE 3
Exercer sa citoyenneté.

3. Comparez les activités artistiques de l'Inde à celles du Québec au début du XXIᵉ siècle.

6 **LE TAUX DE MÉNAGES INDIENS POSSÉDANT UN TÉLÉVISEUR EN 1980 ET EN 2000**

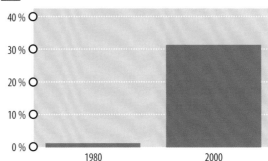

D'après la Banque mondiale, 2005.

5 **LE TAJ MAHAL,** **CHEF-D'ŒUVRE ARCHITECTURAL**

Au XVIIᵉ siècle, l'empereur moghol musulman Shâh Jahân fait construire ce mausolée (monument funéraire) de marbre blanc en mémoire de son épouse. Inscrit sur la liste du patrimoine mondial par l'**UNESCO** en 1983, c'est l'un des monuments historiques les plus célèbres de l'Inde. Les musulmans et musulmanes, qui représentent 13,4 % de la population (*voir le doc.* **1**, *p. 75*), forment aujourd'hui la minorité religieuse la plus importante de l'Inde.

7 **« VERS UNE INDE NOUVELLE ? »**

« L'Inde ne s'est pas transformée de façon brutale mais a cherché à s'adapter aux pressions extérieures en restant elle-même. Cette synthèse a parfois été facilitée par certaines caractéristiques communes ; dans le domaine artistique le goût indien de l'image a, par exemple, épousé avec bonheur la technique cinématographique. D'autres prédispositions à la modernité se sont manifestées dans le domaine politique : si la greffe britannique de la démocratie a pris, c'est probablement en raison du pluralisme de la civilisation indienne, mosaïque de religions et de sectes, de castes et de régions linguistiques qu'aucune autorité centralisée n'avait jamais vraiment régenté jusqu'à l'époque moderne. »

Christophe Jaffrelot (dir.), *L'Inde contemporaine de 1950 à nos jours,* Fayard, 2006.

8 **PÈLERINAGE SUR LES RIVES D'UN DES SEPT FLEUVES SACRÉS DE L'INDE**

Des pèlerins hindous se baignent dans le Gange à l'occasion de la *Kumbha Mela*, une tradition millénaire.

La *Kumbha Mela*, rituel qui a lieu tous les trois ans dans l'un des quatre lieux sacrés (Nashik, Ujjain, Allahabad et Haridwar), est le plus grand rassemblement spirituel au monde. En 2001, environ 75 millions de pèlerins et touristes venus du monde entier y participent.

9 UNE ÉCRIVAINE INDIENNE ENGAGÉE

RC ▸ Mahasweta Devi (1926 -)

Écrivaine et militante née à Dhaka au Bangladesh, elle détient une maîtrise en littérature anglaise de l'université de Calcutta. Auteure d'une soixantaine d'ouvrages, tous écrits en langue bengali, elle est lauréate de plusieurs prix littéraires indiens et internationaux. De plus, elle est reconnue pour son combat en faveur des aborigènes et des démunis.

« L'agent chargé de l'aide humanitaire, un homme extrêmement honnête et bienveillant, envoyé à ce poste à l'issue d'une sélection sévère, a été briefé : on lui a dit que c'était une région hostile, n'offrant aux *adivasi* [indigènes locaux] aucun moyen de gagner décemment leur vie. [...]

De toute sa vie, il n'a jamais vu un endroit aussi aride et désolé. Le spectacle de ces silhouettes faméliques à demi nues qui viennent chercher l'aide alimentaire, de ces ventres boursouflés par la faim et infestés par les vers finit par le révulser. Lui qui s'imaginait qu'ici, dans les régions tribales, les hommes jouaient de la flûte tandis que les femmes dansaient, des fleurs dans les cheveux et qu'ils gambadaient de colline en colline en chantant... »

Mahasweta Devi, *Des enfants*, dans *20 écrivains indiens,* trad. M. Morin, Philippe Picquier, 2002.

10 LA RÉVOLUTION DES TECHNOLOGIES DE L'INFORMATION EN INDE

Depuis l'augmentation de la participation de l'Inde à l'économie mondiale au début des années 1990, le domaine des technologies de l'information est devenu un secteur emblématique de ce pays. Plusieurs institutions technologiques offrent la formation en ingénierie numérique.

11 UN MUSICIEN INDIEN DE RENOMMÉE INTERNATIONALE

RC ▸ Ravi Shankar (1920 -)
Le maestro du sitar lors d'un concert à New Dehli en 2003.

Compositeur et musicien mondialement reconnu, il naît à Varanasi (Bénarès) et reçoit la formation du maître de musique et multi-instrumentiste Allauddin Khan pendant sept ans. En 1956, alors âgé de 36 ans, Ravi Shankar popularise la musique indienne en Occident. Son instrument, le sitar, est un luth à manche long de 13 cordes pincées.

12 UN GRAND ARTISTE INDIEN

Anish Kapoor (1954 -)

Peintre et sculpteur de niveau international, il naît à Mumbai (Bombay). En 1972, il poursuit des études à Londres, où il vit encore. Son art s'inspire de l'art moderne occidental et de ses origines orientales.

Cette sculpture de 110 tonnes en acier inoxydable est inspirée du mercure liquide. Les visiteurs peuvent circuler sous son arche et admirer le jeu des innombrables reflets sur sa surface.

(Anish Kapoor, *Cloud Gate*, 2004. Millenium Park, Chicago, États-Unis, 2004.)

13 LA JEUNESSE INDIENNE DANS L'ÈRE MODERNE

« Au sein de la classe moyenne – entre 15 et 30 % de la population, selon les sources – ces enfants de la mondialisation surfent sur Internet, regardent des chaînes de télévision étrangères, échangent des SMS via leurs téléphones portables. […] Alors que leurs parents n'ont guère connu que le système rigide des castes hindoues, où la place d'un individu dans la société est écrite dès la naissance, ces jeunes découvrent le capitalisme occidental et ses valeurs : individualisme, ambition, pragmatisme. »

Jean-Paul Guilloteau, «Les enfants de la mondialisation», *L'Express*, 20 décembre 2004.

14 L'IMPORTANCE DE LA DANSE DANS LA VIE CULTURELLE ET SOCIALE

Originaire du sud de l'Inde, le *Bharata Natyam* est une des plus anciennes danses classiques indiennes. Son nom provient de *Bharat*, nom indien de l'Inde, et de *natyam*, mot d'une langue du sud-ouest, le tamoul, qui signifie «danse».

En Inde, chaque région a su préserver ses spécificités par la musique et la danse, autant que par ses langues ou la cuisine. La danse traditionnelle et la danse tribale s'apprennent par mimétisme. La danse classique comprend sept différents styles : *Bharata Natyam, Kuchipudi, Odissi, Manipuri, Mohini Attam, Kathak, Kathakali.* Aujourd'hui, la danse tend à combiner tous les styles avec des mouvements chorégraphiques actuels.

COMPÉTENCE 3
Exercer sa citoyenneté.

1. [6] Les enjeux culturels de la mondialisation en Inde sont-ils les mêmes qu'au Québec ?

2. [10] Dans un texte argumentatif, expliquez comment l'Inde pourrait faire face à ces enjeux.

15 LA GASTRONOMIE INDIENNE

« Dans les gastronomies européennes, les légumes sont traditionnellement traités comme des éléments de second ordre, à peine sait-on mettre en valeur leurs qualités de goût, leurs couleurs, leurs textures. On les relègue à la purée et au potage.

En Inde au contraire, d'une gastronomie largement végétarienne, on sait exalter le caractère des végétaux, les épices servant de contrepoint. Les meilleurs cuisiniers usent de combinaisons d'épices avec un infini doigté. C'est un art réel. […]

Côté viande, le Rogan Josh est un classique de la cuisine du nord, comme le Korma son cousin, des plats qui, sans doute, sont nés dans les palais moghols. Le principe est de laisser cuire lentement la viande d'agneau marinée au yaourt dans son propre gras avec de la cardamome, du fenouil et du safran surtout. »

Robert Beauchemin. «Gandhi : l'Inde toute propre et toute bourgeoise», *La Presse*, 22 septembre 2007.

16 L'ÉVOLUTION DES MENTALITÉS AU SEIN DE LA FAMILLE INDIENNE

« L'autorité parentale est particulièrement sensible dans le choix de l'éducation des enfants et surtout dans l'arrangement des mariages. La tradition des mariages arrangés est en effet toujours vivace en Inde, même si les choses changent petit à petit, notamment avec l'éducation des filles. De plus en plus, les parents proposent (et n'imposent plus) un candidat ou une candidate à leur enfant, à qui revient la décision ultime. Le choix du futur époux ou de la future épouse se fait principalement sur des critères de statut social, de caste et d'appartenance religieuse, même si l'on a aussi parfois recours à l'astrologie pour vérifier la compatibilité entre les deux personnalités. »

Bruno Marion, *Réussir avec les Asiatiques – Business et bonnes manières*, Éditions d'Organisation, 2006.

INDE

SYNTHÈSE DES CONCEPTS

Les questions suivantes vous aideront à compléter les réseaux de concepts portant sur le thème Culture et mouvements de pensée *présentés dans la page de droite.*

1 Patrimoine

a) Dans cette société, quels sont les traits caractéristiques d'un héritage culturel transmis par les ancêtres ?

b) Quels sont les traits caractéristiques de cet héritage ? Comment cet héritage est-il transmis ?

2 Religion

a) La culture de cette société est caractérisée par plusieurs religions. Nommez les principales religions qui caractérisent cette société.

b) Quelle est la religion la plus pratiquée ? A-t-elle une influence sur la vie quotidienne de la population ? Si oui, laquelle ?

3 Art

a) Donnez des exemples de manifestations culturelles et artistiques de cette société.

b) L'art de cette société s'est-il modernisé, a-t-il été influencé par d'autres cultures ?

4 Éducation

a) Quelle culture est transmise par la famille sur ce territoire ?

b) Quelle culture est transmise par l'école ?

c) Quelle culture est transmise par les autres institutions sociales ?

5 Identité

a) Donnez des fondements de l'identité collective de cette société.

b) Donnez des fondements de l'identité individuelle de cette société.

Reproduisez et *complétez* les réseaux de concepts ci-dessous. *Adaptez-les* pour rendre compte de la réalité sociale Culture et mouvements de pensée *dans les trois contextes suivants.*

1. **AU QUÉBEC**

2. **AILLEURS**
   L'Inde (voir la section *Ailleurs*, p. 74 à 79)

3. **PRÈS DE CHEZ VOUS**
   Votre région administrative (voir le *Mini-atlas*, p. 208)

Les numéros 1 à 5 dans les réseaux correspondent aux questions de la page de gauche qui peuvent vous aider à compléter chaque élément.

L'ÉLABORATION D'UNE NOUVELLE CULTURE

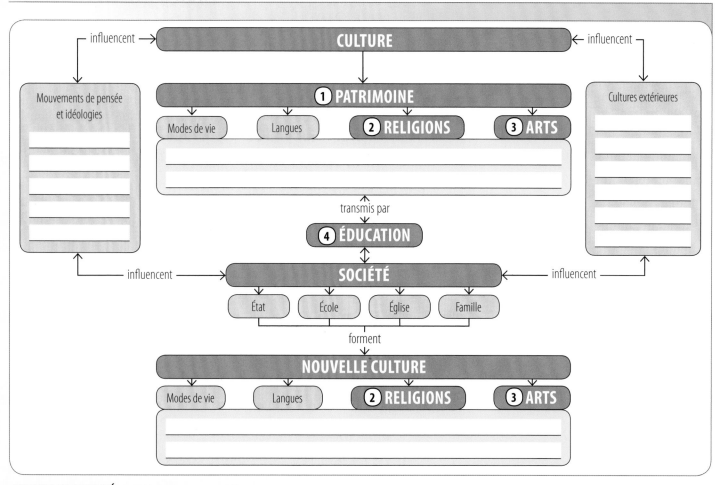

CULTURE ET IDENTITÉ

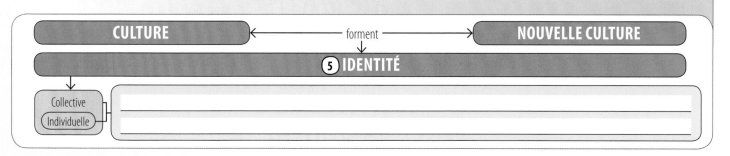

LA PRÉSERVATION DU PATRIMOINE CULTUREL ET L'HOMOGÉNÉISATION DE LA CULTURE

Influencée par les mouvements de pensée, la culture québécoise a évolué au cours des siècles. Au XXIe siècle, elle fait face à un défi important lié à la mondialisation©, soit la préservation du patrimoine culturel québécois alors que la tendance mondiale est axée sur la standardisation de la culture.

Enquête

Rédigez un mémoire que vous présenterez au gouvernement du Québec pour expliquer votre rôle dans la préservation du patrimoine culturel québécois devant l'homogénéisation mondiale de la culture.

1 LA RÉSISTANCE À L'AMÉRICANISATION CULTURELLE

Les auteures sont diplômées de l'école secondaire du Phare de Sherbrooke.

« Bien entendu, l'américanisation de nos habitudes de vie est devenue une réalité à laquelle nous devrons nous habituer. Toutefois, d'après moi, notre culture doit être préservée. Sans arrêter de regarder ces films américains à gros budgets que l'on aime tant, je crois que nous devrions accorder beaucoup plus d'attention à nos films québécois. Sans non plus nous boucher les oreilles en entrant dans les boutiques dont la musique de fond est anglophone, nous devrions peut-être nous intéresser encore plus à nos artistes francophones… »

Laurie Bissonnette-Cardi, « Résistons, par Toutatis ! », *La Tribune*, 28 avril 2005.

« La langue représente, selon moi, une des plus belles preuves de l'identité culturelle d'une société. Si nous perdons cette identité linguistique qui nous est chère, nous deviendrons comme tous les autres habitants du Canada, non pas que ce soit une honte, mais ce n'est pas nécessairement un avantage non plus… »

Emmy Grand-Maison, « "Icitte", on parle français ! », *La Tribune,* 28 avril 2005.

2 LA GRANDE BIBLIOTHÈQUE DU QUÉBEC À MONTRÉAL 🔴

Inauguré en 2005, cet édifice abrite la bibliothèque et les archives nationales du Québec. Le gouvernement du Québec a investi plus de 141 millions de dollars pour la construction de cette bibliothèque, qui est devenue une institution culturelle majeure. Depuis son ouverture, près de 9 000 personnes la fréquentent quotidiennement.

3 LA RÉPARTITION DES VENTES DE CD AU QUÉBEC SELON LA LANGUE D'ENREGISTREMENT, 2006

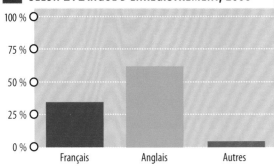

Adapté de Claude Marin, *Ventes d'enregistrements sonores au Québec de 2002 à 2006*, Statistiques en bref, Observatoire de la culture et des communications, n° 32, septembre 2007.
Reproduction autorisée par Les Publications du Québec.

4 LE NOMBRE DE FILMS PRÉSENTÉS AU QUÉBEC EN 2006

PAYS D'ORIGINE	NOMBRE
États-Unis	316
France	94
Autres	88
Québec	43
Grande-Bretagne	41
Canada	33
Italie	2

Adapté de Dominique Jutras (dir.), *Statistiques sur l'industrie du film et de la production télévisuelle indépendante*, Institut de la statistique du Québec, Observatoire de la culture et des communications, 2007.
Reproduction autorisée par Les Publications du Québec.

5 LA RÉPARTITION DES REVENUS DE BILLETTERIE SELON LA DISCIPLINE DES SPECTACLES AU QUÉBEC EN 2005

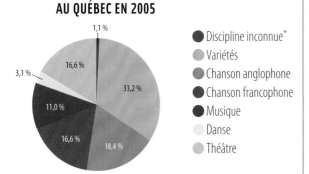

- 1,1 %
- 16,6 %
- 3,1 %
- 11,0 %
- 16,6 %
- 18,4 %
- 33,2 %

- ● Discipline inconnue*
- ● Variétés
- ● Chanson anglophone
- ● Chanson francophone
- ● Musique
- ● Danse
- ● Théâtre

*Inclut les spectacles de discipline inconnue ainsi que les spectacles de chanson dans une langue autre que le français ou l'anglais.

Adapté de Christine Routhier, *La fréquentation des arts de la scène en 2005*, Statistiques en bref, Observatoire de la culture et des communications, n° 22, juillet 2006.
Reproduction autorisée par Les Publications du Québec.

6 UN RAPPEUR MULTIDISCIPLINAIRE À LA DÉFENSE DE SA LANGUE ET DE SA CULTURE

« À 24 ans, Samian, alias Samuel Tremblay, est unique en son genre. Métis – père blanc, mère algonquine, élevé en partie sur la réserve de Pikogan en Abitibi –, vidéaste, poète, rappeur, slammeur, collaborant aussi bien avec Loco Locass qu'avec Florent Vollant, mais se définissant d'abord et avant tout comme… père de famille […].

C'est la grand-mère de Samian qui traduit une partie de ses textes du français à l'algonquin. La musique, pour lui, c'est affaire de filiation, de racines, d'héritage aussi. "Pratiquement tous les journalistes m'ont demandé, au début, pourquoi je n'éprouvais pas de haine envers les Blancs, explique-t-il. Et je leur ai tous répondu que, tout comme mes ancêtres, j'étais quelqu'un de pacifique. Et de constructif. Moi, j'ai de l'espoir ! L'espoir de maintenir vivante ma langue, ma culture. Déjà, pouvoir faire mon album avec des textes écrits en partie en algonquin, c'est prouver qu'il y a de l'espoir." »

Marie-Christine Blais, « Samian : protéger sa langue », *La Presse*, 14 avril 2008.

7 UN ARTISTE ENGAGÉ

Armand Vaillancourt
(1929 -)

Sculpteur à l'engagement social et politique indissociable de son travail artistique, Armand Vaillancourt réalise des milliers d'œuvres au cours de sa carrière. Certaines créations sont de renommée internationale tandis que d'autres n'ont pas encore quitté son atelier de Montréal.

En 2003, dans le cadre de l'événement artistique et culturel de Rivière-du-Loup *La Marée aux 1000 vagues*, une œuvre de 610 mètres de long et de 1,22 mètre de haut est réalisée avec la participation de plus de 1 000 personnes, amateurs ou artistes professionnels. Une fois achevée, la toile voyage pendant un an à travers le Canada. *La Marée aux 1000 vagues* de 2001 a été vue par 900 000 personnes.

Thème 4

Pouvoir et pouvoirs

RC L'hôtel du Parlement à Québec

Construit entre 1877 et 1886 selon les plans de l'architecte Eugène-Étienne Taché, cet édifice s'inspire du palais du Louvre à Paris. Il abrite l'Assemblée nationale, le siège du pouvoir de l'État québécois. Réalisée en 1854, la fontaine de Tourny a d'abord orné le centre-ville de Bordeaux, en France. Elle est offerte en cadeau par la maison Simons pour le 400ᵉ anniversaire de la ville de Québec en 2008.

ANGLE D'ENTRÉE

La dynamique entre groupes d'influence et pouvoir.

Présent

■ LEXIQUE

Entente de principe – Contrat entre des parties qui, sans être ferme, énonce les engagements que chacun prend envers l'autre.

Fédération étudiante – Organisme regroupant plusieurs associations étudiantes dont le mandat principal est de représenter ses membres, de défendre leurs droits et de promouvoir leurs intérêts.

POUVOIR ET POUVOIRS AU QUÉBEC

« Qu'est-ce que le pouvoir aujourd'hui ? Qu'est-ce qui peut l'influencer ? Quels sont les pouvoirs en présence ? Qui détient ces pouvoirs ? Quelles ont été les formes d'influence du pouvoir et des pouvoirs au fil du temps ? Comment fonctionne le pouvoir ? »

Gouvernement du Québec, ministère de l'Éducation, du Loisir et du Sport, *Programme de formation de l'école québécoise – Histoire et éducation à la citoyenneté,* 2007.

1 **L'ORGANISATION DE L'ÉTAT QUÉBÉCOIS AU DÉBUT DU XXIᵉ SIÈCLE**

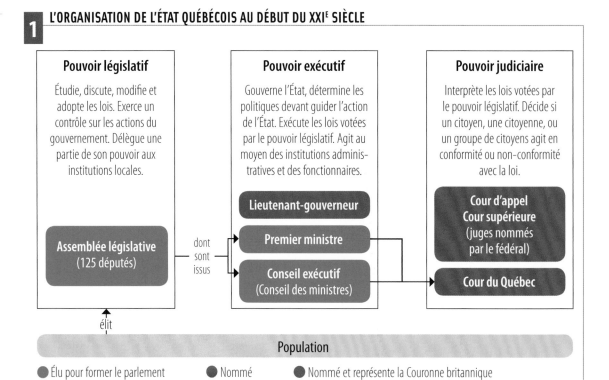

Pouvoir législatif

Étudie, discute, modifie et adopte les lois. Exerce un contrôle sur les actions du gouvernement. Délègue une partie de son pouvoir aux institutions locales.

Assemblée législative (125 députés)

Pouvoir exécutif

Gouverne l'État, détermine les politiques devant guider l'action de l'État. Exécute les lois votées par le pouvoir législatif. Agit au moyen des institutions administratives et des fonctionnaires.

dont sont issus

Lieutenant-gouverneur

Premier ministre

Conseil exécutif (Conseil des ministres)

Pouvoir judiciaire

Interprète les lois votées par le pouvoir législatif. Décide si un citoyen, une citoyenne, ou un groupe de citoyens agit en conformité ou non-conformité avec la loi.

Cour d'appel Cour supérieure (juges nommés par le fédéral)

Cour du Québec

élit

Population

● Élu pour former le parlement   ● Nommé   ● Nommé et représente la Couronne britannique

2 **LES INSTITUTIONS DU POUVOIR POLITIQUE QUÉBÉCOIS**

« Les institutions politiques réfèrent à l'Assemblée nationale et le Conseil exécutif, les institutions municipales, l'organisation administrative des municipalités locales, les municipalités régionales de comté (MRC), l'Administration régionale Kativik ainsi que la Commission municipale du Québec. Ces institutions représentent les lieux de décisions et du pouvoir québécois.

Les institutions judiciaires comprennent les tribunaux administratifs, judiciaires et spécialisés. Ceux-ci incluent de nombreux organismes habilités à entendre ou à juger différents types de causes. Ces institutions sont chargées de veiller à l'application du pouvoir législatif sur l'ensemble du territoire québécois.

Les institutions administratives regroupent les ministères et les organismes gouvernementaux, le système de santé, de l'éducation et de la sécurité publique. Ces institutions constituent la structure de base de l'organisation gouvernementale québécoise. »

Site officiel du gouvernement du Québec, 2008.
Reproduction autorisée par Les Publications du Québec.

3 LE GOUVERNEMENT DU QUÉBEC RENCONTRE LES MÉDIAS.

Le premier ministre du Québec, Jean Charest, devant les médias, le 23 mars 2007 à Québec.

Les médias (journaux, radio, télévision et Internet) exercent un pouvoir et une influence dans la société par le contrôle de l'information. Selon certains, ils constitueraient un pouvoir au même titre que les pouvoirs législatif, exécutif et judiciaire de l'État. On retrouve au Québec cinq quotidiens nationaux francophones et un anglophone, des dizaines d'hebdomadaires régionaux, une dizaine de stations de télévision généralistes de langue française et anglaise, deux stations d'informations continues et plusieurs stations radiophoniques.

⚜ COMPÉTENCE 1
Interroger le présent.

1. Expliquez l'organisation du pouvoir politique au Québec au début du XXIe siècle.

2. Formulez une hypothèse qui expliquerait la dynamique entre le pouvoir et les groupes d'influence au Québec depuis le XVIIe siècle.

4 LA MISSION DU CONSEIL DU PATRONAT DU QUÉBEC (CPQ)

« Le CPQ est la principale confédération patronale au Québec. L'organisme regroupe plusieurs des plus grandes entreprises du Québec ainsi que la vaste majorité des associations patronales sectorielles.

Force incontournable au Québec, le CPQ représente les employeurs de plus de 70 % de la main-d'œuvre québécoise.

La mission du CPQ consiste à promouvoir les intérêts communs du milieu des affaires, d'où sa devise : "Pour avoir l'assurance d'être entendu et défendu". Le CPQ sensibilise les gouvernements aux besoins des entreprises québécoises, appelées à évoluer dans le contexte changeant et exigeant de la mondialisation◎.

En contribuant à la création de conditions propices à l'innovation, à l'investissement, à l'amélioration de la compétitivité des entreprises et à l'entrepreneuriat, les interventions du CPQ dans les débats et les politiques publiques favorisent la prospérité des Québécois. »

« Cap sur la prospérité du Québec », Plateforme 2007-2009, Conseil du patronat du Québec, 2007.

5 LE MOUVEMENT ÉTUDIANT

Une manifestation étudiante à Montréal, le 16 mars 2005.

En 2005, près de 250 000 étudiants et étudiantes des cégeps et des universités se mobilisent lors de la plus importante grève étudiante de l'histoire du Québec. Ils protestent contre la décision du gouvernement de convertir en prêts 103 millions de dollars de bourses. Une grande partie de la population appuie les revendications des étudiants et des étudiantes. Après six semaines de débrayage, le gouvernement conclut une **entente de principe** avec les deux **fédérations étudiantes**. Insatisfaites, un grand nombre d'associations étudiantes s'opposent à l'entente, mais le mouvement de grève prend fin.

LEXIQUE

Pétition – Lettre adressée à l'autorité gouvernementale afin de réclamer une action politique ou de dénoncer une situation.

QUELQUES CONCEPTIONS DU POUVOIR

L'État est une institution politique qui exerce son autorité sur une population dans un territoire délimité. Dans un État démocratique, les citoyens et les citoyennes exercent leurs pouvoirs par leur participation politique ou par l'entremise de groupes d'influence qui agissent sur l'État.

1 LA PARTICIPATION POLITIQUE SELON UN PROFESSEUR D'UNIVERSITÉ

« L'engouement pour la politique est plutôt faible actuellement en Occident. [...]

Selon une étude d'Élections Canada, le taux de participation aux élections des pays ayant adopté le vote obligatoire et imposant des sanctions aux citoyens s'abstenant de voter est en moyenne supérieur de 13 % aux autres pays. [...] À nos yeux, il semble clair que si le vote obligatoire ne transforme pas un pays en véritable paradis démocratique, il rend du moins plus légitime et représentatif sa gouvernance et assure le bon fonctionnement de son système démocratique et de son État. [...]

Les opposants au vote obligatoire soutiennent toutefois que l'action de voter (ou de ne pas le faire) est un droit qui revient au citoyen. Ainsi, obliger un citoyen à voter équivaudrait à restreindre ses droits et ses libertés individuelles. De plus, l'obligation pour les citoyens de voter, [...] dissimulerait le message lancé par de nombreuses personnes refusant de participer au processus électoral non pas par pure paresse, mais bien par déception envers "l'offre politique". »

Renaud Gosselin, *Voter : un droit ou un devoir ?*, Perspective Monde, Université de Sherbrooke, 23 septembre 2006.

2 LE POUVOIR DES MÉDIAS SELON UN JOURNALISTE INDÉPENDANT

« Depuis plusieurs années, la santé figure en première place des préoccupations des citoyennes et des citoyens et les grands médias ont noirci des centaines de milliers de pages sur le sujet. La privatisation est la solution le plus souvent avancée pour régler le problème des listes d'attente et faire face au défi du vieillissement de la population. Cependant, nos médias évitent soigneusement de mentionner qui seraient les principaux bénéficiaires de cette privatisation, c'est-à-dire les compagnies d'assurances. [...]

Il arrive souvent que la moitié des pages du *Journal de Montréal* et du *Journal de Québec* soient consacrées à de la publicité automobile. Dans le cas de *La Presse*, les seuls revenus de la publicité automobile dépassent les revenus des abonnements. Comment espérer que ces médias fassent la promotion du transport en commun ? [...]

L'arrivée des nouveaux médias nous offre peut-être cette fenêtre tant recherchée si nous savons l'utiliser. Une lecture attentive de l'histoire des médias nous apprend qu'à chaque fois qu'une situation politique s'est trouvée bloquée par l'opposition des grands médias, la solution est toujours venue de l'utilisation d'un nouveau média. [...] Alors, pourquoi ne pas mettre sur pied un quotidien Internet ? Un quotidien qui ne nécessite ni imprimerie, ni réseaux de distribution ! »

Pierre Dubuc, « La presse libre et indépendante », *L'aut'journal*, 13 mars 2008.

3 · L'INFLUENCE CITOYENNE SELON UN PROFESSEUR EN SCIENCES HUMAINES AU COLLÉGIAL

« Théâtre d'importantes mobilisations à caractère social, politique ou environnemental, la rue est une voie d'opposition à laquelle beaucoup de citoyens québécois ont eu recours. […]

Les partis politiques et les mécanismes électoraux par lesquels sont choisis leurs candidats ne réussissent pas, à eux seuls, à agréger l'ensemble des demandes des citoyens et ainsi représenter et défendre leurs intérêts. Malgré ses fondements démocratiques, un système politique se trouve parfois peu ouvert ou même fermé à certaines revendications exprimées par une minorité de sa population, mais dont les appuis peuvent s'accroître graduellement. […]

Dans ces circonstances, de quels moyens disposent des hommes et des femmes qui s'organisent et se mobilisent contre les projets du gouvernement, sinon que de passer par les médias, l'argumentation publique, les manifestations et les **pétitions** ? »

Sébastien Despelteau, « La société civile contre la démocratie ? », *Le Devoir,* Opinion, 20 juin 2006.

COMPÉTENCE 1
Interroger le présent.

1. 🔟 Lisez les documents, et relevez les extraits qui se rapportent au pouvoir de l'État et ceux qui se rapportent au pouvoir des citoyens (groupes d'influence).

2. L'hypothèse que vous avez formulée précédemment sur la dynamique entre le pouvoir et les groupes d'influence au Québec depuis le XVIIe siècle vous semble-t-elle encore valide ? Au besoin, reformulez-la ou complétez-là.

4 · LA PARTICIPATION POLITIQUE DES FEMMES SELON UNE JOURNALISTE ET ESSAYISTE

« [On] en est encore à se demander où sont les femmes en politique ! En effet, en 2005, le Canada comptait seulement 21 % de femmes parmi les candidats, et ce, tous partis confondus. À chaque scrutin, c'est la même incompréhension. Et on entend les mêmes conjectures à propos des causes de notre peu d'intérêt pour la politique (il faudra se demander un jour pourquoi les hommes, eux, en ont autant) : la difficulté de concilier travail et famille, l'aversion des femmes pour la culture de l'affrontement, l'impossibilité de manœuvrer si on n'a pas ses entrées dans les milieux financiers, etc. […]

Nous ne cessons de vanter notre démocratie, mais depuis le temps que nous sommes une société ouverte, progressiste, si merveilleusement ouverte aux droits humains et à toutes les minorités, comment se fait-il que nous ne soyons pas capables d'élire des femmes à la tête de nos partis et de nos gouvernements ? »

Pascale Navarro, « Femme en politique : une leçon de modestie », *Le Devoir,* Opinion, 18 janvier 2006.

5 · UN GROUPE DE MUSIQUE ENGAGÉ

Le groupe Loco Locass en concert en 2006.

Le groupe de hip-hop québécois Loco Locass est très engagé dans des causes sociales et politiques. Le trio a écrit plusieurs pièces qui dénoncent des injustices sociales ou des actions politiques avec lesquelles il est en désaccord. Une de leurs chansons, *Libérez-nous des libéraux* (2004), s'adresse au Parti libéral du Québec.

Les textes explicatifs et les documents présentés dans la section Savoirs vous aideront à mieux comprendre la dynamique entre groupes d'influence et pouvoir.

Enquête

Rédigez une lettre adressée au roi de France pour lui rendre compte de la situation politique en Nouvelle-France au XVIIᵉ siècle.

☐ LEXIQUE

Coutume de Paris – Ensemble des lois civiles encadrant les droits des individus. Instaurée dans la région parisienne au XVIᵉ siècle, la Coutume de Paris est importée en Nouvelle-France.

Redevance – Somme versée à échéances déterminées en échange d'un droit d'exploitation ou du droit d'utilisation d'un service.

1608 - 1760

1. LE RÉGIME FRANÇAIS :
L'ÉTAT COLONIAL FRANÇAIS

1608 - 1663

1.1 LE GOUVERNEMENT DES COMPAGNIES

Au début de la colonisation, la Nouvelle-France est administrée par des compagnies commerciales privées qui ont le devoir de peupler la colonie en échange d'un monopole⊙ sur le commerce de la fourrure octroyé par le roi de France.

L'ORGANISATION DU POUVOIR DES COMPAGNIES

Les compagnies sont gérées par des actionnaires qui résident la plupart du temps en France. Un vice-roi, recommandé par les actionnaires et nommé par le roi, obtient le monopole sur le commerce de la fourrure en Nouvelle-France. Il a le pouvoir de développer le peuplement, de fortifier la colonie, de prescrire des lois et des ordonnances, et de taxer. Il a le droit de faire du commerce avec les Premiers occupants. Le vice-roi délègue ses pouvoirs à un gouverneur qui administre la colonie et qui doit s'assurer que la compagnie remplit ses obligations de peuplement (*doc.* ❶). Cette dernière a notamment le devoir de financer les missionnaires et d'assurer la paix et le bon ordre.

L'INFLUENCE DE L'ÉGLISE

En France, l'Église est liée à l'État. Le roi de France gouverne par droit divin et il est le protecteur de l'Église. En Nouvelle-France, l'Église, qui exerce une grande influence, est propriétaire de plusieurs seigneuries et l'État lui confie la responsabilité des établissements scolaires et des hôpitaux (*doc.* ❸). L'évangélisation des Premiers occupants est l'un des buts de la colonisation en Nouvelle-France. En 1642, un groupe de missionnaires, la Société de Notre-Dame pour la conversion des Sauvages, fonde Montréal. Les missionnaires se heurtent parfois à la résistance d'Autochtones qui refusent de se convertir.

L'INFLUENCE DES AUTOCHTONES

Les relations avec les Premiers occupants contribuent à l'établissement et au développement de la colonie. Les marchands et les autorités coloniales ont besoin des Autochtones, ils ont donc intérêt à soutenir leurs alliés, les Hurons-Wendats, les Innus (Montagnais) et les Algonquins, dans leur guerre contre les Iroquois (*doc.* ❷). Les autorités coloniales et l'État français leur fournissent des armes et une aide militaire. Les guerres contre les Iroquois et la destruction de la Huronie en 1652 nuisent à la colonisation de la Nouvelle-France.

1 L'ÉTABLISSEMENT D'UNE NOUVELLE COMPAGNIE PAR UN MINISTRE DU ROI DE FRANCE

« En 1627, après que plusieurs compagnies privées eurent failli à leur tâche d'établir une colonie viable, le cardinal de Richelieu organisa une compagnie plus considérable, la Compagnie de la Nouvelle-France [aussi appelée Compagnie des Cent-Associés] et lui accorda juridiction sur tout le territoire s'étendant de la Floride à l'Arctique et de Terre-Neuve au lac Huron. On nomma un gouverneur résidant avec pouvoirs civils et militaires, un agent de la compagnie pour gérer les finances de la colonie et la Coutume de Paris fut déclarée code de loi. [...] Mais cette compagnie, comme celles qui l'avaient précédée, malchanceuse et mal administrée, fut incapable de réaliser la croissance rapide désirée par son fondateur, et d'exploiter avec profit les ressources du pays. En conséquence, en 1645, elle céda son monopole sur le commerce des fourrures aux colons contre une redevance annuelle. »

Jean-Pierre Hardy, « Le gouvernement de la Nouvelle-France », *La Société historique du Canada,* brochure n° 18, 1965.

2 FRANÇAIS ET HURONS-WENDATS ALLIÉS CONTRE LES IROQUOIS

Champlain aide ses alliés hurons-wendats à lutter contre leurs ennemis iroquois.
(Inconnu, *Deffaite des Yroquois au Lac de Champlain,* 1645. Bibliothèque et Archives Canada.)

Peu après la fondation de Québec, Samuel de Champlain, accompagné de quelques français et d'une soixantaine de Hurons-Wendats, commande une expédition sur la rivière Richelieu. Il explore le lac qui porte aujourd'hui son nom et y affronte près de 200 Iroquois. Après la signature de la Grande Paix de Montréal en 1701, la colonie se développe dans une paix relative.

3 L'ORGANISATION DU POUVOIR DE L'ÉGLISE

« Vers 1660, alors que les missionnaires sont présents dans la colonie depuis le début du siècle, un évêque s'installe à Québec et prend les moyens d'imposer la présence de l'Église catholique un peu partout. Il encourage la venue d'institutions religieuses et assoit le pouvoir de l'Église dans la colonie en divisant le territoire en paroisses. Celles-ci serviront aussi de bases administratives aux pouvoirs civil et militaire, et de lieux de rassemblement pour les habitants. Pour gérer ces divisions administratives, il nomme des curés, et en l'absence de ces derniers, des missionnaires qui pourront y livrer le message évangélique. »

Jean-Pierre Hardy, *Chercher fortune en Nouvelle-France,* Libre Expression, 2007.

COMPÉTENCE 2
Interpréter le passé.

1. Qui a le pouvoir d'administrer la colonie ?

2. Quel groupe exerce une grande influence sur les Premiers occupants ?

3. ▇ (*doc.* ▇) Expliquez ce que ce document nous apprend sur les rapports avec les Autochtones.

COMPÉTENCE 3
Exercer sa citoyenneté.

4. Est-ce que les compagnies privées défendent des intérêts collectifs ou des intérêts particuliers ?

CONCEPT
Intérêts

5. Les intérêts des compagnies favorisent-ils le développement de la colonisation ?

1.2 L'ÉTAT FRANÇAIS PREND EN MAIN LA COLONIE

En 1663, pour régler les problèmes liés au peuplement de la colonie, le roi Louis XIV décide de réorganiser le gouvernement de la Nouvelle-France. Il en prend personnellement le contrôle et crée une nouvelle structure administrative (*doc.* **1**).

LE POUVOIR DU GOUVERNEUR

Le gouverneur général est le personnage politique le plus important en Nouvelle-France. Habituellement issu de la noblesse française, il repré-sente le roi dans la colonie. Il administre l'armée et est responsable de toutes les installations militaires ainsi que des relations diplomatiques avec les Autochtones et les nations étrangères. Il peut accorder des permis de traite ou concéder des seigneuries. Le gouverneur a un **droit de veto** sur toutes les décisions administratives de la colonie.

LE POUVOIR DE L'INTENDANT

L'intendant a la responsabilité de toute l'administration quotidienne de la colonie, des finances, de la justice, de la police, de la voirie, de la sécurité publique, de la concession des seigneuries et du peuplement de la colonie ; il nomme les notaires et les arpenteurs. Il administre le budget et réglemente le commerce, les activités économiques et l'attribution des permis de traite. Souvent, des conflits surviennent entre l'intendant et le gouverneur parce que leurs compétences et leurs pouvoirs ne sont pas clairement définis.

UNE PREMIÈRE INSTITUTION POLITIQUE

Le Conseil souverain, la plus haute cour de justice de la colonie (*doc.* **3**), juge des causes civiles et criminelles selon la Coutume de Paris⊙. La justice est administrée selon la méthode inquisitoire. Cette méthode traditionnelle française donne beaucoup de pouvoir au juge, qui cherche à obtenir de l'accusé un aveu de sa culpabilité. Le Conseil souverain a le pouvoir d'édicter des lois et des ordonnances pour l'administration de la colonie. Le roi peut cependant les modifier.

LES COLONS ET LA MÉTROPOLE

À partir de 1667, le ministre de la Marine, Jean-Baptiste Colbert, exerce le pouvoir sur la colonie au nom du roi. Il donne au gouverneur Rémy de Courcelles et à l'intendant Jean Talon, arrivés dans la colonie en 1665, des directives précises concernant entre autres les politiques, l'octroi des pensions et les nominations. À cause de la distance entre la métropole et la colonie, Colbert est souvent mal informé des problèmes et prend de mauvaises décisions que les administrateurs doivent contester. Le roi doit parfois intervenir auprès d'un gouverneur accusé d'être tyrannique ou de ne pas gouverner dans les intérêts de la colonie (*doc.* **2**).

Enquête

Classez dans un tableau les pouvoirs du gouverneur général et ceux de l'intendant.

▢ LEXIQUE

Droit de veto – Droit qui accorde à un individu ou à un groupe d'individus le pouvoir d'empêcher l'exécution d'une décision politique.

Tout est important

1 L'ORGANISATION POLITIQUE EN NOUVELLE-FRANCE, 1663

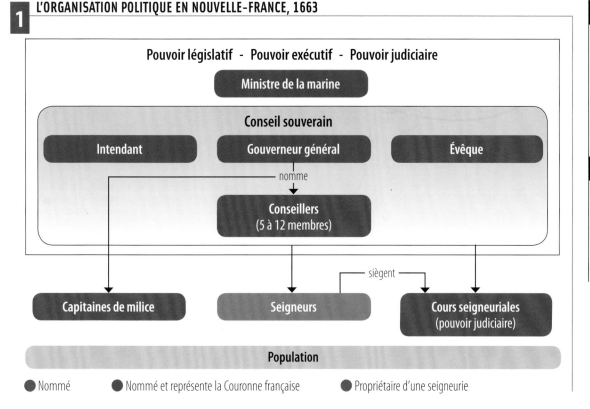

Pouvoir législatif - Pouvoir exécutif - Pouvoir judiciaire

Ministre de la marine

Conseil souverain

| Intendant | Gouverneur général | Évêque |

nomme

Conseillers
(5 à 12 membres)

Capitaines de milice

Seigneurs — siègent — **Cours seigneuriales**
(pouvoir judiciaire)

Population

● Nommé   ● Nommé et représente la Couronne française   ● Propriétaire d'une seigneurie

COMPÉTENCE 2
Interpréter le passé.

1. Qui est le personnage politique le plus important en Nouvelle-France ?

2. Quelles sont les relations de pouvoir entre le gouverneur et l'intendant ?

CONCEPT
État

3. *(doc. 1)* À l'aide de ce document, expliquez la structure de l'État colonial sous le Régime français.

2 LETTRE ROYALE ADRESSÉE À FRONTENAC, GOUVERNEUR GÉNÉRAL

« Tous les corps et presque tous les particuliers qui viennent de ce pays se plaignent avec des circonstances si claires que je n'en puis douter de beaucoup de mauvais traitements qui sont entièrement contraires à la modération que vous devez avoir pour contenir tous les habitants de ce pays dans l'ordre et dans l'union […]. L'évêque et ses ecclésiastiques, les pères jésuites⁰ et le Conseil souverain, en un mot tous les corps et les particuliers se plaignent, mais je veux croire que vous changerez et que vous agirez avec la modération nécessaire pour augmenter cette colonie qui courrait le risque de se détruire entièrement si vous ne changiez pas de conduite et de maximes. »

Louis XIV, 20 avril 1680.

3 LE CONSEIL SOUVERAIN DE 1663

RC (Charles Huot, *Le Conseil souverain de 1663,* 1927-1929. Musée national des Beaux-Arts du Québec, Québec, Canada.)

Cette toile illustre l'ouverture du Conseil souverain qui se tient en 1663. Ce conseil est le siège des pouvoirs publics, et s'installe à Québec, la capitale de la Nouvelle-France. Le premier gouverneur, Augustin de Saffray de Mésy, occupe le siège du Président du conseil. Mᵍʳ de Laval siège à sa droite. Les conseillers, au nombre de 5 en 1663, puis de 12 en 1703, proviennent de la petite noblesse. Ils possèdent souvent une seigneurie et font carrière dans l'administration ou le commerce. Cette œuvre décore maintenant l'hôtel du Parlement à Québec.

1608 - 1760

1.3 LES GROUPES D'INFLUENCE DANS LA SOCIÉTÉ COLONIALE

Le système seigneurial, instauré par les compagnies, structure l'organisation sociale de la Nouvelle-France. Ce régime est fondé sur un contrat qui répartit les droits et les devoirs du seigneur et de ses censitaires⊙.

Enquête

Réalisez une affiche présentant les principaux groupes dans la société de la Nouvelle-France.

☐ LEXIQUE

Hoir – Héritier.

Milice – Troupe levée parmi la population pour défendre la seigneurie, la ville ou la colonie.

L'ARISTOCRATIE⊙

Peu de seigneurs sont issus de la noblesse française, mais ils constituent tout de même une aristocratie. Les seigneurs administrent leurs terres, les seigneuries. Ils ont des devoirs envers l'État et leur statut leur confère des droits (*doc.* **3**). Ainsi, ils peuvent taxer et percevoir le cens et administrer la justice dans leur seigneurie. Ils peuvent exiger de leurs censitaires trois ou quatre jours de corvée. Les seigneurs peuvent être nommés conseillers au Conseil souverain et participer à l'administration de la colonie. Certains seigneurs font le commerce de la fourrure, une activité plus profitable que l'administration de leur seigneurie.

LE CLERGÉ

Le clergé forme un groupe qui exerce une grande influence sur la société coloniale (*doc.* **1**) en prêchant l'obéissance et la soumission, des valeurs catholiques. L'évêque est le chef de l'Église. Il siège au Conseil souverain et contrôle les établissements scolaires et les hôpitaux. Tous les évêques de la Nouvelle-France sont issus de la noblesse française. Des évêques influents, tel François de Montmorency-Laval, proposent des candidatures aux postes de gouverneur ou d'intendant. Ils influencent parfois le rappel d'administrateurs dits incompétents ou despotiques.

LES GROUPES POPULAIRES

Même si la population constitue le fondement de la société coloniale, elle a très peu d'influence et ne participe pas à l'administration de la colonie (*doc.* **2**). Les gens ont des devoirs envers leurs seigneurs, par exemple payer le cens, ou envers l'État, notamment servir dans la **milice**. Ils ont le droit de chasser, contrairement aux paysans français. Certains contreviennent aux lois régissant le commerce de la fourrure en devenant coureurs des bois l'hiver pour s'enrichir avec la traite des fourrures. Parfois, les autorités coloniales se plaignent au roi de la désobéissance, de l'insoumission ou de l'indocilité des habitants.

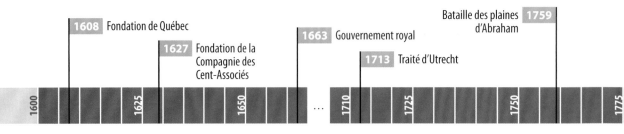

1608 Fondation de Québec

1627 Fondation de la Compagnie des Cent-Associés

1663 Gouvernement royal

1713 Traité d'Utrecht

1759 Bataille des plaines d'Abraham

1600   1625   1650   …   1710   1725   1750   1775

1 L'INFLUENCE DES CURÉS

(*Le mariage de Lucien*, illustration tirée du livre *Monseigneur*, par Paul Saunière. Musée de la civilisation, bibliothèque du Séminaire de Québec, Québec, Canada.)

Les curés ont une grande influence dans leur village ou leur paroisse. Ils exercent des fonctions civiles telles que la tenue des registres paroissiaux (relevés officiels des naissances, des décès et des mariages), en plus de célébrer les offices.

2 L'IMPORTANCE DES HABITANTS POUR LA COLONIE

« Il y a trois ordres en Canada. Les officiers de la colonie et les gens du Conseil souverain sont le premier.

Le second sont les marchands et les gens de plume.

Et le troisième, les habitants qui vivent de leur travail et dans leur bien. Le dernier ordre est ce qui fait le soutien de la colonie, et si l'on en tirait parti il pourrait être d'un grand secours pour la défense de leur pays ; mais on les mène très mal ce qui les rend nonchalants et fainéants par le peu d'émulation qu'on leur donne et par les injustices qu'on leur fait, il n'y a point d'ordre dans la façon de les commander pour aller à la guerre, on prend ceux que l'on veut, et ce sont toujours les mêmes et les plus pauvres qui payent […]. »

Charles de Plantavit, chevalier de La Pause, *Mémoires*, 1755.

COMPÉTENCE 2
Interpréter le passé.

1. Quel est le rôle des seigneurs dans la société en Nouvelle-France ?

2. Quel personnage de l'Église joue un rôle politique dans la colonie ?

COMPÉTENCE 1
Interroger le présent.

3. Après avoir étudié le thème *Pouvoir et pouvoirs* sous le Régime français, votre hypothèse sur la dynamique entre le pouvoir et les groupes d'influence au Québec depuis le XVIIe siècle est-elle toujours valide ? Au besoin, reformulez-la ou complétez-la.

CONCEPT
Influence

4. Quelle institution exerce une grande influence dans la société en Nouvelle-France ?

3 LES DROITS ET DEVOIRS DU SEIGNEUR

« À tous ceux qui ces présentes lettres verront,

Savoir faisons que sur la requête à nous présentée par Jacques Lefebvre, habitant des Trois-Rivières, à ce qu'il nous plut lui vouloir accorder une concession dans les terres non concédées, d'environ deux lieues de front […] avec le droit de haute, moyenne et basse justice, avec celui de chasse et de pêche dans l'étendue des lieux ; […] à la charge de la foi et hommage que le sieur Jacques Lefebvre, ses hoirs et ayant cause seront tenus de porter au château Saint-Louis de Québec, duquel il relèvera, aux droits de redevances⑥ accoutumés et au désir de la Coutume de Paris⑥. »

Gouverneur Lefebvre de la Barre, *Titre du fief de la Baie Saint-Antoine,* Pièces et documents relatifs à la tenure seigneuriale, 1683.

RÉGIME FRANÇAIS

1760 - 1867

2. LE RÉGIME BRITANNIQUE :
UNE NOUVELLE MÉTROPOLE

1760 - 1774

2.1 L'ORGANISATION POLITIQUE DANS LA COLONIE BRITANNIQUE

Après la Conquête, la colonie est d'abord administrée pendant trois ans par un gouvernement militaire. Pour ne pas brusquer la population, on conserve certaines institutions de l'ancienne colonie, tels le système seigneurial et les lois civiles françaises.

LA PROCLAMATION ROYALE

En 1763, la Proclamation royale établit un premier gouvernement civil dans la colonie britannique (*doc.* **1**). Les lois françaises sont abolies et remplacées par les lois britanniques. La population doit prêter serment d'allégeance à la Couronne britannique sous peine d'exil. La liberté religieuse est respectée, mais on encourage fortement la conversion à la religion anglicane⊙. Le gouverneur, nommé par la Couronne britannique, exerce le pouvoir en son nom et est aidé par un conseil. La métropole lui donne le pouvoir de convoquer une assemblée élue chargée d'édicter des lois et de lever des impôts. Il délègue alors ses pouvoirs législatifs à l'assemblée.

LE POUVOIR DU GOUVERNEUR ET DU CONSEIL

Issu de la noblesse militaire britannique, le gouverneur devient le personnage politique le plus important dans la colonie britannique (*doc.* **4**). Il a le pouvoir de promulguer des lois et des règlements et le devoir d'assurer la sécurité des sujets dans la colonie. Le Conseil est formé de 12 membres nommés par le gouverneur, qui partagent généralement ses intérêts et ses opinions. Ils doivent prêter le serment du Test et renier les dogmes catholiques, excluant ainsi les Canadiens français des postes de pouvoir. Par son influence sur les décisions du gouverneur, le Conseil exerce un pouvoir important dans la colonie britannique.

LE PREMIER GOUVERNEUR REFUSE D'INSTAURER UNE ASSEMBLÉE

En 1764, James Murray reçoit des instructions du roi d'Angleterre (*doc.* **2**) sur les politiques à suivre dans la colonie. Il refuse de convoquer une assemblée élue, où siégeraient des marchands britanniques qui limiteraient son pouvoir, et il maintient le Conseil. Pour éviter le désordre et la colère des Canadiens français, il adopte une politique de conciliation et leur accorde des droits politiques. Mécontents des politiques de Murray, les marchands britanniques obtiennent son renvoi (*doc.* **3**).

Enquête

Dressez un tableau comparatif du régime politique de la Nouvelle-France et de celui créé par la Proclamation royale.

☐ **LEXIQUE**

Franc-tenancier – Propriétaire d'une terre qui a le droit de siéger à l'Assemblée législative en Angleterre et dans les colonies britanniques.

Pouvoir législatif	Pouvoirs exécutif et législatif	Pouvoir judiciaire
Assemblée législative	Gouverneur → nomme → Conseil	Cours supérieures / Cours inférieures

peut déléguer ← (Gouverneur)

nomme →

Population

● Nommé   ● Nommé et représente la Couronne britannique   - - - Institution à venir

---

COMPÉTENCE 2
Interpréter le passé.

1. Qui exerce le pouvoir dans la colonie britannique ?

2. Pourquoi le gouverneur Murray ne suit-il pas à la lettre les instructions de la Couronne britannique ?

COMPÉTENCE 3
Exercer sa citoyenneté.

3. Les décisions politiques du gouverneur James Murray ont-elles été motivées par des intérêts particuliers ou par les intérêts de la colonie ?

CONCEPT
État

4. (doc. **1**) À l'aide de ce document, expliquez la constitution de l'État sous la Proclamation royale.

---

2 LES INSTRUCTIONS DU ROI AU GOUVERNEUR MURRAY

« Et attendu qu'il est prescrit par votre commission sous Notre grand sceau de convoquer sur l'avis de Notre Conseil aussitôt que la situation de Notre-dite province et les circonstances le permettront, une assemblée générale des francs-tenanciers de Notre-dite province, vous devrez en conséquence, dès que les affaires les plus pressantes du gouvernement vous le permettront, donner toute l'attention possible à l'exécution de ce projet important. Mais comme la chose est peut-être impossible pour le moment vous devrez, dans l'intervalle, […] prescrire les règles et règlements qui paraîtront nécessaires pour la paix, le bon ordre et le bon gouvernement de Notre-dite province. »

George III, 7 décembre 1763.

---

3 LE RENVOI DE JAMES MURRAY

« Dans une ordonnance, le gouverneur proclama le droit des avocats canadiens [français] à exercer leur profession et à devenir jurés dans les cours criminelles. Cette concession, accordée à titre de sujets anglais, loyaux à la Couronne, irrita la minorité de langue anglaise, qui s'empressa de porter plainte à Londres. […]

[Murray] fut convoqué à Londres afin de s'expliquer et il prit la mer au printemps de 1766, laissant sa charge à Emilius Irving jusqu'à l'arrivée du lieutenant-gouverneur, Guy Carleton. »

Louis Le Jeune, « James Murray », cité dans *Dictionnaire général de biographie, histoire, littérature, agriculture, commerce, industrie et des arts, sciences, mœurs, coutumes, institutions politiques et religieuses du Canada*, vol. 1, Université d'Ottawa, 1931.

---

4 LE CHÂTEAU SAINT-LOUIS

(George Heriot, *Danse au Château Saint-Louis*, 1801. Bibliothèque et Archives Canada.) **RC**

Les gouverneurs britanniques s'installent au château Saint-Louis à Québec, l'ancienne résidence des gouverneurs de la Nouvelle-France et le siège du pouvoir colonial.

2.2 L'ADMINISTRATION COLONIALE ET LES CANADIENS

Le régime politique de la colonie est un gouvernement absolu et la nouvelle métropole continue de tout régir sans la participation directe du peuple. Les premiers gouverneurs doivent néanmoins tenir compte des intérêts des Canadiens et des marchands britanniques.

LES CANADIENS VEULENT PROTÉGER LEURS DROITS

L'élite⊙ canadienne-française, exclue des fonctions administratives, est remplacée par les hauts dignitaires britanniques qui forment une nouvelle élite. Les gouverneurs nomment à ces postes des personnes qui partagent leurs opinions. Les Canadiens français sentent la menace des nouvelles lois britanniques peser sur la liberté de l'Église catholique et sur la survivance de leur langue et de leur nationalité. Les marchands canadiens-français souhaitent exercer de nouveau le commerce de la fourrure, qui leur est interdit depuis la Proclamation royale. Les Canadiens français adressent des demandes et des pétitions⊙ au roi d'Angleterre.

L'ACTE DE QUÉBEC REDONNE DES DROITS AUX CANADIENS FRANÇAIS

En 1774, Londres accepte les recommandations du gouverneur Guy Carleton (*doc.* ❶) et promulgue l'Acte de Québec. Cette nouvelle constitution modifie le territoire de la *Province of Quebec*, maintient les lois criminelles anglaises, rétablit les lois civiles françaises et reconnaît des droits linguistiques et religieux aux Canadiens français. Le clergé retrouve ses privilèges, dont celui de percevoir la dîme. Le serment du Test est supprimé. L'Acte de Québec impose un serment de fidélité moins contraignant que le serment d'allégeance. Il maintient le système seigneurial et les institutions politiques.

LES RÉACTIONS À L'ACTE DE QUÉBEC

L'Acte de Québec soulève diverses réactions. L'élite canadienne-française (*doc.* ❸) et les partisans du compromis sont heureux de la décision de la métropole d'adoucir ses politiques coloniales. Toutefois, les marchands britanniques, qui contrôlent le commerce de la fourrure et souhaitent protéger leurs intérêts économiques, sont mécontents parce que Londres refuse d'instituer une assemblée législative qu'ils réclament depuis la Conquête. Cette assemblée, dont ils prendraient le contrôle, leur permettrait de défendre leurs intérêts et de faire valoir leurs droits. Par ailleurs, l'Acte de Québec provoque des réactions négatives dans les colonies du Sud. Pour les colons américains, ce document devient une raison de plus pour revendiquer leur indépendance à l'égard de l'Angleterre (*doc.* ❷).

1 UNE NOUVELLE CONSTITUTION ACCORDÉE PAR L'ANGLETERRE

« La Proclamation [royale] de 1763 se révèle donc dans les faits un carcan insupportable aux traiteurs soumis à une réglementation impériale, une politique assimilatrice inacceptable pour les Canadiens.

Des rajustements s'imposent, dont les premiers gouverneurs, James Murray et Guy Carleton, se font les défenseurs. Prenant appui sur les élites de l'époque, le clergé et la noblesse, ces gouverneurs demandent à Londres d'adapter sa politique coloniale aux besoins d'une société catholique et française dont les assises économiques reposent sur la traite de la fourrure à l'échelon continental. L'Angleterre accepte sans trop de difficulté de modifier sa politique, car elle sent le besoin de consolider son emprise sur le Canada afin d'être en mesure de mieux résister à la poussée indépendantiste des colonies du Sud. »

Jean Hamelin et Jean Provencher, *Brève histoire du Québec,* Boréal, 1997.

2 LE PREMIER CONGRÈS CONTINENTAL

Un Patriote étatsunien s'adresse au Premier Congrès continental en 1774 à Philadelphie. (*Patrick Henry*, d'après une peinture de Jean Leon Gerome Ferris, 1895. The Granger Collection, New York, États-Unis.)

Lors de ce congrès, des délégués des Treize colonies adoptent des mesures contre le pouvoir britannique et proposent aux Canadiens de se joindre à eux. La plupart des Canadiens français restent neutres. Quelques marchands britanniques prennent le parti des Patriotes étatsuniens. Les Treize colonies accèdent à l'indépendance en 1783.

COMPÉTENCE 2
Interpréter le passé.

1. Quel groupe est le plus désavantagé par la Conquête ?

2. Pourquoi la métropole modifie-t-elle sa politique à l'égard des Canadiens ?

3. ■ (*doc.* ■) Expliquez la position de Mgr Briand. Quels sont ses intérêts ?

COMPÉTENCE 3
Exercer sa citoyenneté.

4. Était-il dans l'intérêt des Britanniques d'accorder l'Acte de Québec ? Pourquoi ?

CONCEPT
Droits

5. Quels droits l'Acte de Québec accorde-t-il aux Canadiens français ?

3 LA POSITION DU CLERGÉ LORS DE L'INVASION ÉTATSUNIENNE EN 1775

« À tous les Peuples de cette Colonie, […] Une troupe de sujets révoltés contre leur légitime Souverain, qui est en même temps le nôtre, vient de faire une irruption dans cette Province […] dans la vue de vous entraîner dans leur révolte, ou au moins de vous engager à ne pas vous opposer à leur pernicieux dessein. La bonté singulière et la douceur avec laquelle nous avons été gouvernés de la part de Sa Très Gracieuse Majesté le Roi George III, depuis que, par le sort des armes, nous avons été soumis à son empire, les faveurs récentes dont il vient de nous combler, en nous rendant l'usage de nos lois, le libre exercice de notre Religion, et en nous faisant participer à tous les privilèges et avantages des sujets Britanniques, suffiraient sans doute pour exciter votre reconnaissance et votre zèle à soutenir les intérêts de la couronne de la Grande-Bretagne. »

Jean-Olivier Briand, *Mandement de Monseigneur Briand,* 22 mai 1775.

1791 - 1840

2.3 UNE NOUVELLE ORGANISATION POLITIQUE

À la fin du XVIIIe siècle, l'établissement des Loyalistes dans la colonie entraîne une augmentation des demandes de réforme du système politique.

Enquête

Vous êtes un Loyaliste nouvellement arrivé dans la colonie. Rédigez une pétition pour faire part de vos demandes au roi d'Angleterre.

LEXIQUE

Sanctionner – Approuver. Une loi devient effective lorsqu'elle reçoit la sanction royale.

Tenure – Mode de concession des terres.

L'INFLUENCE DES LOYALISTES

Les Loyalistes, qui fuient la guerre de l'Indépendance américaine, sont fidèles aux institutions britanniques. En arrivant dans la *Province of Quebec*, ils sont mécontents de retrouver des lois et des institutions françaises. Ils refusent de se plier aux exigences de la **tenure** seigneuriale et de payer le cens et les taxes aux seigneurs canadiens. Ils exigent la tenure anglaise (les *townships*), des lois britanniques et la création d'un district séparé avec leurs institutions politiques. La plupart des Canadiens s'opposent fortement aux demandes des Loyalistes. Ils refusent qu'on accorde à ces nouveaux arrivants un traitement particulier et des privilèges (*doc.* 2).

L'ACTE CONSTITUTIONNEL DE 1791 ET LE PARLEMENTARISME

L'Acte constitutionnel de 1791 modifie le territoire de la colonie. Deux provinces sont créées : le Haut-Canada et le Bas-Canada. Dans chaque province, un lieutenant-gouverneur, représentant le gouverneur général, est assisté d'un conseil législatif. De plus, un système représentatif est institué : le peuple élit des députés qui le représentent auprès du pouvoir (*doc.* 1). L'Acte constitutionnel crée aussi le parlementarisme, ce qui signifie que des représentants du peuple siègent à l'Assemblée législative et participent au pouvoir de l'État. Les lois britanniques s'appliquent dans le Haut-Canada tandis que le droit criminel britannique et le droit civil français s'appliquent dans le Bas-Canada.

LE NOUVEAU RÉGIME POLITIQUE

Le gouverneur conserve un pouvoir arbitraire. Il détient tous les pouvoirs exécutifs. Véritable chef de l'État, il recommande à Londres la nomination des membres des conseils, convoque l'Assemblée une fois l'an et peut la dissoudre. L'Assemblée législative (*doc.* 4) a, conjointement avec le Conseil législatif, le pouvoir d'adopter des lois que le gouverneur peut rejeter si elles ne servent pas les intérêts de la Couronne. Pour être élu à l'Assemblée, il faut avoir 21 ans et posséder des biens ou des revenus équivalant à 40 shillings par année. La loi de 1791 n'interdit pas la participation politique des femmes (*doc.* 3). Quelques veuves propriétaires et fortunées ont le droit de vote, mais ce droit leur sera retiré en 1849. Le gouverneur a le pouvoir de **sanctionner** les projets de loi et de les faire appliquer. Il nomme les fonctionnaires, ainsi que le Conseil exécutif qui l'assiste dans ses fonctions.

1 L'ORGANISATION POLITIQUE DANS LE BAS-CANADA, 1791

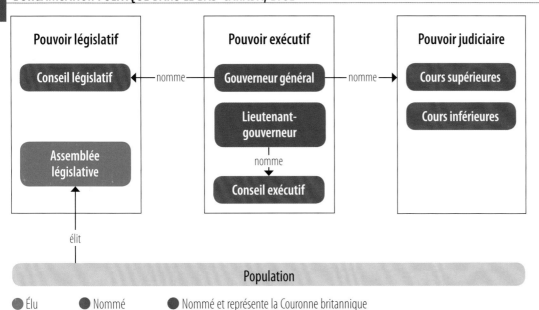

Pouvoir législatif
- Conseil législatif
- Assemblée législative

Pouvoir exécutif
- Gouverneur général
- Lieutenant-gouverneur
- Conseil exécutif

Pouvoir judiciaire
- Cours supérieures
- Cours inférieures

← nomme | nomme →

nomme

élit

Population

● Élu   ● Nommé   ● Nommé et représente la Couronne britannique

⚜ COMPÉTENCE 2
Interpréter le passé.

1. Quelle est l'influence des Loyalistes sur la colonie ?

2. Quels sont les changements politiques apportés par l'Acte constitutionnel de 1791 ?

⚜ CONCEPT
Institution

3. (*doc.* **1**) À l'aide de ce document, expliquez les pouvoirs de la nouvelle institution mise en place en 1791.

2 LA DIVISION CAUSÉE PAR LA RÉFORME DE LA CONSTITUTION

« C'est principalement la classe commerçante de la société des villes de Québec et de Montréal qui préconise le changement des lois et du régime administratif par l'institution d'une assemblée. Les habitants canadiens ou fermiers, [...] n'ayant que peu ou pas d'éducation, ignorent la portée de la question [...]. Le clergé ne semble pas s'être immiscé. Mais les gentilshommes canadiens s'opposent généralement au projet [...]. Je tiens pour assuré que la crainte de la taxation est l'un des motifs des adversaires du changement. »

Guy Carleton, gouverneur Dorchester, *Lettre au secrétaire d'État Sydney*, 8 novembre 1788.

4 LA CHAMBRE D'ASSEMBLÉE DU BAS-CANADA

(Charles Walter Simpson, *La Chambre d'assemblée du Bas-Canada, dans la chapelle du palais épiscopal de Québec*, 1927. Bibliothèque et Archives Canada.)

Dès la première séance de l'Assemblée, le 17 décembre 1792, la question linguistique divise les députés. L'Assemblée adopte une loi décrétant que les deux langues sont officielles, mais le gouverneur renverse cette décision et impose l'anglais comme seule langue officielle du Bas-Canada.

3 LA PARTICIPATION D'UNE FEMME À UNE CAMPAGNE ÉLECTORALE

« En traversant le village de Longueuil, père [Louis-Joseph Papineau] me racontait les incidents de sa première lutte électorale. [...] Père eut alors un adversaire bien terrible : une jeune amazone qui, montée sur un coursier fougueux, parcourait jour et nuit toutes les côtes de la vaste seigneurie s'étendant jusqu'à Belœil et Chambly, et qui savait fort bien faire valoir sa langue et son esprit acérés, auprès de ses censitaires⁶, contre l'audacieux, imberbe et plébien qui osait se mesurer avec monsieur le baron. »

Amédée Papineau, *Souvenirs de jeunesse, 1822-1837*, Septentrion, 1998.

1791 - 1840

2.4 LES GROUPES D'INFLUENCE AU BAS-CANADA

Sous le Régime britannique, la société est très hiérarchisée. L'élite⊙ traditionnelle canadienne doit lutter pour défendre ses intérêts devant la concurrence de la nouvelle élite coloniale.

Enquête

1 Représentez par une bande dessinée ou une illustration les différents groupes de la société au début du XIXe siècle et leur influence sur le pouvoir.

LE POUVOIR AUX MAINS DE LA NOBLESSE ET DE L'ARISTOCRATIE⊙

La noblesse britannique défend les intérêts de l'Empire et cherche à reproduire dans la colonie une petite Angleterre avec ses institutions. Les membres de la noblesse occupent les postes les plus importants du pouvoir. Les seigneurs canadiens cherchent plutôt à défendre leurs privilèges et à s'élever dans la hiérarchie de la colonie en occupant des postes administratifs. Au XIXe siècle, des Britanniques fortunés achètent des seigneuries. Certains seigneurs exercent la fonction de député à l'Assemblée législative.

LA GRANDE BOURGEOISIE D'AFFAIRES VEUT ACCÉDER AU POUVOIR

Ce nouveau groupe social, formé essentiellement de marchands britanniques, prend le contrôle de l'économie, développe ses institutions (*doc.* **1**) et exerce une forte influence dans la société. La grande bourgeoisie d'affaires cherche à accéder aux postes de pouvoir occupés par la noblesse. Souvent, les hommes d'affaires exercent aussi des fonctions publiques. Leurs positions politiques peuvent alors être subordonnées à leurs intérêts personnels.

LES FRANCOPHONES LUTTENT POUR LE POUVOIR

Les Canadiens ont plus de difficulté que les Britanniques à œuvrer dans le monde des affaires, car ils n'ont pas accès aux capitaux de la métropole. Une petite et moyenne bourgeoisie canadienne formée de petits marchands et de membres de professions libérales (*doc.* **3**), provenant surtout des régions rurales, exerce un pouvoir important au sein de la société canadienne-française et de l'Assemblée législative. Les Canadiens français y sont majoritaires (*doc.* **4**), mais la noblesse et la bourgeoisie britanniques contrôlent les conseils législatif et exécutif (*doc.* **2**). Par ailleurs, on retrouve des Écossais et des Irlandais dans la petite et moyenne bourgeoisie.

LE PEU D'INFLUENCE DU CLERGÉ ET DES CLASSES POPULAIRES

Le manque d'effectif et le poids des idées libérales et anticléricales contribuent à la diminution de l'influence du clergé au début du XIXe siècle. Le clergé doit s'assurer la protection de l'État pour maintenir son pouvoir. Les classes populaires principalement canadiennes-françaises, mais aussi britanniques et irlandaises, qui n'ont pas beaucoup d'éducation, exercent peu d'influence et de pouvoir. Pour voter, il faut avoir 21 ans, posséder une propriété ou une terre et payer un minimum d'impôt (cens électoral), ce qui exclut une grande partie de la population. Les femmes qui répondent au cens électoral peuvent voter, mais on leur retire ce droit en 1849.

1 LA BANK OF MONTREAL,  UNE INSTITUTION CONTRÔLÉE PAR LA BOURGEOISIE

(John Henry Walker, *Banque de Montréal*, 1868. Musée McCord d'histoire canadienne, Montréal, Canada.)

Fondée en 1817 par un groupe d'hommes d'affaires britanniques et canadiens, cette banque est la plus importante du pays jusqu'en 1920. Elle joue un rôle important dans le développement de la colonie en finançant de grandes entreprises, des travaux publics ou des projets tels que la construction des canaux maritimes et des chemins de fer. Les Canadiens français répliquent en 1834 et fondent la Banque du Peuple.

◆ COMPÉTENCE 2
Interpréter le passé.

1. Quelles places les Canadiens français occupent-ils dans la société coloniale ?

2. Quel est le rôle du clergé dans la société coloniale ?

3. Quel groupe social a plus facilement accès au pouvoir ?

◆ COMPÉTENCE 3
Exercer sa citoyenneté.

4. Quels intérêts entrent en conflit dans la colonie après 1791 ?

◆ CONCEPT
Influence

5. Comment les différents groupes exercent-ils leur influence dans la société ?

2 LES CANADIENS EXERCENT LEUR DROIT DE PÉTITION©.

« Si le Gouverneur avait le pouvoir d'appeler au Conseil [exécutif] les principaux membres de la majorité de la Chambre d'assemblée, il aurait par là un moyen d'entendre les deux partis, et il ne serait plus privé des connaissances et des conseils qu'il pourrait tirer des anciens habitants du pays, (ni obligé) de n'écouter que ceux qui viennent du parti opposé […].

Après avoir entendu les deux partis, il serait en état de décider sur les mesures qu'il a à prendre, et de transmettre des informations justes en Angleterre […]. »

« Mémoire des Canadiens », 1814, cité dans Louise Charpentier *et al., Nouvelle Histoire du Québec et du Canada*, CEC, 1990.

3 LES MEMBRES DES PROFESSIONS LIBÉRALES DANS LA VILLE DE QUÉBEC

PROFESSIONS	1805		1842	
	FRANCOPHONES	ANGLOPHONES	FRANCOPHONES	ANGLOPHONES
Avocats	7	5	26	26
Médecins	5	2	13	15
Notaires	8	2	18	8
Arpenteurs	3	1	3	1
Ingénieurs	1	1	0	2
Apothicaires	0	0	0	2
Dentistes	0	0	0	5
Opticiens	0	0	0	1

D'après Fernand Ouellet, *Le Bas-Canada, 1791-1840 – Changements structuraux et crise*, Éditions de l'Université d'Ottawa, 1976.

4 LES RÉSULTATS ÉLECTORAUX DE 1827 À 1848

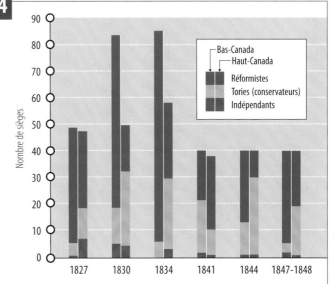

D'après R. Louis Gentilcore (dir.), *Atlas historique du Canada*, vol. II, *La transformation du territoire 1800-1891*, PUM, 1993.

RÉGIME BRITANNIQUE

1791 - 1840

2.5 LES CONFLITS ENTRE LE POUVOIR ET LES GROUPES D'INFLUENCE

Au début du XIXᵉ siècle, des tensions entre l'Assemblée législative et le gouverneur provoquent les Rébellions de 1837-1838.

Enquête

Vous êtes un marchand ou une marchande britannique. Vous devez rédiger un article présentant votre position dans le débat sur les Quatre-vingt-douze Résolutions.

☐ LEXIQUE

Loyaux – Partisans radicaux du gouverneur et du pouvoir colonial. Ils prennent les armes contre les Patriotes en 1837 et 1838.

Parti canadien – Parti politique qui prône des réformes inspirées des idées libérales. Ses partisans sont souvent appelés « réformistes ». Il devient le Parti patriote en 1826.

Parti tory – Parti politique dont les membres, qui ont la faveur du gouverneur général, souhaitent conserver leurs privilèges. On l'appelle aussi Parti bureaucrate, Parti britannique ou Parti conservateur.

LES TENSIONS ENTRE LES CONSEILS ET L'ASSEMBLÉE LÉGISLATIVE

Les marchands britanniques utilisent les conseils législatif et exécutif pour défendre leurs intérêts et ceux de la métropole. À partir de 1804, le journal *Quebec Mercury* devient un important outil pour la promotion des intérêts de la grande bourgeoisie d'affaires britannique regroupée au sein du **Parti tory** à l'Assemblée.

La petite et moyenne bourgeoisie canadienne-française utilise l'Assemblée législative pour accéder au pouvoir et défendre les intérêts et les droits des Canadiens français. À partir de 1806, le journal *Le Canadien* devient le porte-parole de la petite et moyenne bourgeoisie canadienne-française regroupée au sein du **Parti canadien**, puis du Parti patriote à l'Assemblée législative.

LES TENSIONS ENTRE LE GOUVERNEUR ET L'ASSEMBLÉE LÉGISLATIVE

À partir des années 1830, les relations s'enveniment entre le gouverneur et les députés canadiens-français du Bas-Canada, majoritaires à l'Assemblée législative. Plusieurs projets de loi sont rejetés par le gouverneur, qui a le soutien du Conseil exécutif et du Conseil législatif. Londres a le pouvoir de trancher en cas de conflit. Plusieurs gouverneurs tentent d'administrer la colonie en tenant compte des intérêts des marchands britanniques minoritaires et de ceux de la majorité canadienne-française, qui réclame plus de droits politiques et de pouvoir.

LES PATRIOTES DEMANDENT DES RÉFORMES

En 1834, le Parti patriote propose des réformes qui accorderaient plus de pouvoir aux députés élus: l'élection du Conseil législatif, le contrôle du budget par l'Assemblée législative et l'indépendance de la colonie. La Société Saint-Jean-Baptiste est fondée pour défendre les droits et les intérêts des Canadiens français (*doc.* ❶).

L'AFFRONTEMENT ENTRE LES PATRIOTES ET LES LOYAUX

Comme Londres refuse les réformes proposées, les Patriotes organisent des assemblées populaires (*doc.* ❷) et mobilisent une partie de la population. Les Loyaux regroupés au sein du Doric Club (*doc.* ❸) s'opposent aux Patriotes. Les conflits mènent à l'affrontement en 1837 et 1838. Le gouverneur suspend la Constitution du Bas-Canada, les libertés et les droits civils en 1839. En guise de répression, l'armée britannique incendie les fermes de sympathisants patriotes.

1 UN GROUPE POLITIQUE À LA DÉFENSE DES INTÉRÊTS CANADIENS-FRANÇAIS

La fondation de la Société Saint-Jean-Baptiste, d'après un tableau de Gabriel Franchère conservé à la bibliothèque de l'Association Canado-américaine de Manchester, États-Unis.

En 1834, le Patriote Ludger Duvernay fonde la Société Saint-Jean-Baptiste et décrète le 24 juin fête nationale des Canadiens français. Pour l'occasion, il organise un banquet auquel sont conviés une centaine de sympathisants. On porte plusieurs toasts à l'indépendance du Bas-Canada. Les Canadiens français, majoritaires, revendiquent la reconnaissance des droits politiques des élus à l'Assemblée législative. La Société Saint-Jean-Baptiste est un groupe d'influence encore actif au XXIe siècle.

COMPÉTENCE 2
Interpréter le passé.

1. Quels moyens les groupes d'influence utilisent-ils pour promouvoir leurs intérêts ?

2. Quels sont les intérêts défendus par le Doric Club ?

CONCEPT
Droits

3. Quels droits les Canadiens français défendent-ils ?

3 LE DORIC CLUB

Les membres du Doric Club descendent la rue Saint-Jacques.
(Henri Julien, *Scènes de mœurs électorales*, paru dans l'*Almanach du peuple*, 1907.)

Le Doric Club est un groupe paramilitaire qui a pour but de défendre les intérêts des marchands britanniques et de l'Empire. Il affronte les Patriotes et manifeste sa fidélité au pouvoir colonial lors de l'élection de 1834, remportée par le Parti patriote avec 95 % des voix.

2 LA POSITION POLITIQUE DES PATRIOTES

La première assemblée publique des Patriotes a lieu à Saint-Ours, le 7 mai 1837. D'après le journal La Minerve, *douze cents personnes sont présentes. Douze résolutions y sont adoptées.*

« 3. Résolu : — Que dans ces circonstances, nous ne pouvons regarder le gouvernement qui aurait recours à l'injustice, à la force et à une violation du Contrat Social, que comme un pouvoir oppresseur, un gouvernement de force pour lequel la mesure de notre soumission ne devrait être désormais que la mesure de notre force numérique, jointe aux sympathies que nous trouverions ailleurs […].

6. Résolu : — Que nous nions au Parlement anglais le droit de légiférer sur les affaires intérieures de cette colonie contre notre consentement, et sans notre participation. »

L. N. Carrier, *Les événements de 1837-38, Esquisse historique de l'insurrection du Bas-Canada,* Imprimerie de L'Événement, 1877.

1840 - 1848

2.6 UNE NOUVELLE ORGANISATION DU POUVOIR POLITIQUE

Après une dernière tentative infructueuse et après avoir proclamé la République du Bas-Canada en novembre 1838, les Patriotes sont finalement défaits. À la suite de leur arrestation (*doc.* **2**) et de la répression de leurs sympathisants, Londres envoie Lord Durham dans la colonie pour mener une enquête sur les événements et proposer des solutions.

Enquête

En tant que caricaturiste pour un journal canadien-français, vous devez illustrer des conséquences de l'Acte d'Union.

☐ LEXIQUE

Responsabilité ministérielle – Selon ce principe, le gouvernement est choisi parmi les députés du parti majoritaire. Il doit répondre de ses actes devant l'Assemblée.

UNE NOUVELLE CONSTITUTION

L'Acte d'Union de 1840 crée une nouvelle colonie, le Canada-Uni, comportant une seule assemblée législative, un seul conseil exécutif et un seul conseil législatif. Cependant, Londres refuse d'accorder la **responsabilité ministérielle** proposée par Lord Durham.

LA PERTE DE POUVOIR DES CANADIENS FRANÇAIS

Bien que la population du Canada-Est soit plus nombreuse que celle du Canada-Ouest, les deux régions ont le même nombre de représentants à l'Assemblée législative (*doc.* **1**). Les Canadiens français y sont désormais minoritaires et perdent du pouvoir.

LES REVENDICATIONS DES RÉFORMISTES

Londres espère que l'Assemblée sera dominée par les Britanniques et le Parti tory®. Cependant, les réformistes modérés du Canada-Est et du Canada-Ouest décident de former une coalition. Dès les premières élections, ils demandent la responsabilité ministérielle afin de donner plus de pouvoir aux représentants élus et de limiter le pouvoir du gouverneur. Les réformistes canadiens-français croient qu'ils pourraient mieux défendre leurs intérêts dans un régime où les élus détiendraient le pouvoir exécutif et limiteraient ceux du gouverneur général.

LIMITATION DU POUVOIR DU GOUVERNEUR

Comme la population britannique est devenue plus nombreuse que la population canadienne-française, Londres est prête à accorder à la colonie une plus grande autonomie politique. En 1847, un nouveau gouverneur, Lord Elgin, est plutôt favorable à la responsabilité ministérielle. En mars 1848, Louis-Hyppolite La Fontaine, chef du Parti réformiste majoritaire à l'Assemblée, demande de former un gouvernement qui serait responsable devant les députés élus. Pour se maintenir au pouvoir, le Conseil exécutif doit désormais conserver la confiance de l'Assemblée. Les pouvoirs du gouverneur sont limités et deviennent symboliques. Il sanctionne® les lois auxquelles il ne peut plus s'opposer. Certaines décisions de l'Assemblée provoquent des conflits (*doc.* **3**).

1 L'ORGANISATION POLITIQUE DU CANADA-UNI, 1840

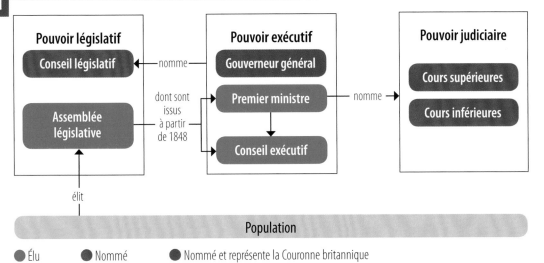

Pouvoir législatif
- Conseil législatif
- Assemblée législative

Pouvoir exécutif
- Gouverneur général
- Premier ministre
- Conseil exécutif

Pouvoir judiciaire
- Cours supérieures
- Cours inférieures

nomme (du Gouverneur général au Conseil législatif)
dont sont issus à partir de 1848
nomme (du Premier ministre aux Cours)
élit

Population

● Élu ● Nommé ● Nommé et représente la Couronne britannique

COMPÉTENCE 2
Interpréter le passé.

1. Quelles sont les caractéristiques du nouveau régime politique dans le Canada-Uni ?

2. Quelles conséquences l'obtention de la responsabilité ministérielle a-t-elle sur le pouvoir du gouverneur ?

3. (doc. 1) À l'aide de ce document, décrivez l'organisation politique du Canada-Uni en 1840.

COMPÉTENCE 3
Exercer sa citoyenneté.

4. Dans quel intérêt Lord Elgin accepte-t-il de déléguer ses pouvoirs au Conseil exécutif ?

CONCEPT
Intérêts

5. Quels intérêts les réformistes servent-ils en formant une coalition à l'Assemblée ?

2 LE TESTAMENT POLITIQUE DE CHEVALIER DE LORIMIER

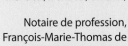

François-Marie-Thomas Chevalier de Lorimier (1803-1839)

(*François-Marie-Thomas Chevalier de Lorimier, XIXe siècle. Fonds des Archives de la Ville de Montréal, Montréal, Canada.*)

Notaire de profession, François-Marie-Thomas de Lorimier joint le mouvement de résistance des Patriotes et prend activement part aux révoltes de 1837-1838. À la suite des soulèvements de Saint-Eustache et de Beauharnois, il est jugé et mis à mort.

« Quant à vous mes compatriotes ! Puisse mon exécution et celle de mes compagnons d'échafaud vous être utiles. Puissent-elles vous démontrer ce que vous devez attendre du gouvernement anglais. Je n'ai plus que quelques heures à vivre, mais j'ai voulu partager ce temps précieux entre mes devoirs religieux et ceux dus à mes compatriotes. Pour eux, je meurs sur le gibet de la mort infâme du meurtrier, pour eux je me sépare de mes jeunes enfants, de mon épouse, sans autre appui que mon industrie et pour eux je meurs en m'écriant : Vive la liberté, Vive l'indépendance. »

Chevalier de Lorimier, 14 février 1839.

3 MANIFESTATION DES TORIES CONTRE UNE DÉCISION DE L'ASSEMBLÉE

Le gouverneur du Canada-Uni, Lord Elgin, donne son accord à la loi qui vise à indemniser les habitants du Bas-Canada ayant subi des pertes matérielles lors des Rébellions de 1837-1838. Le parti de la classe marchande montréalaise, les tories, et leurs sympathisants y voient la confirmation de la domination politique des Canadiens français. À la demande du journal The Gazette, *plus de 1 500 personnes se réunissent sur le Champ-de-Mars le 25 avril 1849.*

« [...] Hier soir, vers les 8 heures, alors que le Parlement siégeait, une populace (on ne peut l'appeler autrement, même si elle était composée de certains de nos meilleurs citoyens) a cerné l'édifice et a commencé à le saccager en brisant les fenêtres, etc. Bientôt les portes furent enfoncées et un gaillard s'élança vers la chaise de l'Orateur en s'écriant : "Je dissous le Parlement !". C'était le signal, et immédiatement devant les députés et de nombreux spectateurs, on mit le feu aux conduites de gaz à une douzaine d'endroits et l'édifice devint la proie des flammes. La foule furieuse s'empara de la masse en or, symbole sacré de la Royauté, pour l'emporter dans la rue en poussant des cris de dérision et de dédain. »

Lettre du marchand W. R. Seaver à son épouse, 26 avril 1849.

1840 - 1867

2.7 VERS UNE NOUVELLE CONSTITUTION

À la fin du XIXᵉ siècle, le Canada-Uni éprouve des problèmes politiques et économiques. Des hommes politiques proposent alors de réformer l'organisation politique de la colonie et d'unir les colonies britanniques d'Amérique du Nord (*doc.* ■).

Enquête

Vous êtes rédacteur ou rédactrice pour un grand quotidien francophone du Canada-Uni. Rédigez un texte argumentatif sur le projet d'union des colonies canadiennes.

☐ LEXIQUE

Clear grit – Parti réformiste radical du Haut-Canada. Il forme avec les rouges et les réformistes des Maritimes le Parti libéral du Canada.

Double majorité – Selon ce principe, un parti doit, pour conserver le pouvoir, détenir la majorité des députés du Canada-Est et la majorité des députés du Canada-Ouest.

LES RÉALISATIONS DANS LE CANADA-UNI

Plusieurs réalisations politiques contribuent au développement de la colonie : en 1841, la Loi sur l'instruction publique crée deux systèmes d'écoles primaires subventionnés en partie par l'État et administrés par les Églises catholique et protestante ; en 1854, à la demande de la bourgeoisie et de la population paysanne, le système seigneurial et les privilèges qu'il accorde aux seigneurs sont abolis ; l'Assemblée accorde des budgets pour financer le développement d'un réseau de canaux maritimes et la construction des chemins de fer.

LA RECHERCHE DE SOLUTIONS

À partir de 1858, des problèmes tels que l'instabilité causée par la règle de la **double majorité**, la fin de la réciprocité et la crainte de l'annexion aux États-Unis ont des incidences sur l'organisation politique des colonies. En 1864, des délégués des colonies britanniques se réunissent à Charlottetown puis à Québec pour négocier les modalités d'une nouvelle union politique dont le principal enjeu est la répartition des pouvoirs entre le gouvernement central et les provinces (*doc.* ■). On hésite entre une union législative très centralisée et une fédération décentralisée (*doc.* ■).

Les délégués conviennent d'une union fédérale malgré l'opposition de John A. Macdonald, le premier ministre du Canada-Uni, et de plusieurs autres délégués qui préfèrent une union législative centralisée. Les Canadiens français s'opposent à une trop grande centralisation des pouvoirs par crainte d'être noyés dans une majorité anglophone et de perdre leurs pouvoirs politiques. Certains proposent plutôt la création d'une confédération qui leur assurerait un pouvoir souverain dans leur province.

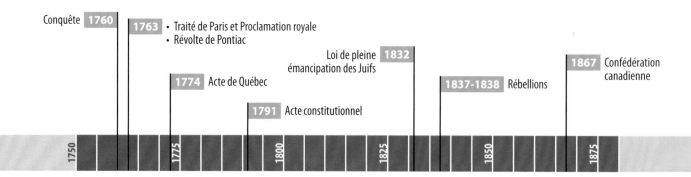

Conquête **1760** — **1763** • Traité de Paris et Proclamation royale • Révolte de Pontiac — Loi de pleine émancipation des Juifs **1832** — **1867** Confédération canadienne — **1774** Acte de Québec — **1837-1838** Rébellions — **1791** Acte constitutionnel

1750 — 1775 — 1800 — 1825 — 1850 — 1875

1 LES COLONIES BRITANNIQUES D'AMÉRIQUE DU NORD, 1840-1867

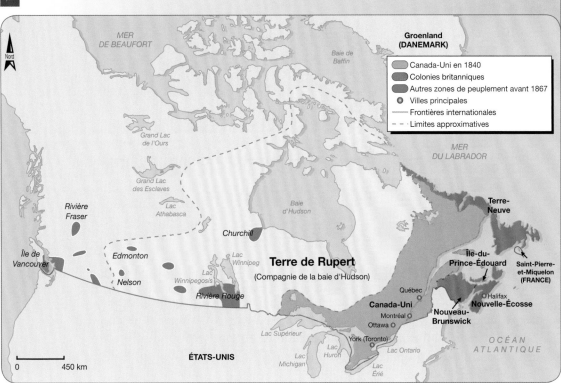

Légende :
- Canada-Uni en 1840
- Colonies britanniques
- Autres zones de peuplement avant 1867
- ○ Villes principales
- —— Frontières internationales
- – – Limites approximatives

COMPÉTENCE 2
Interpréter le passé.

1. Quelles sont les solutions envisagées pour régler les problèmes du Canada-Uni ?

2. Quel est le principal enjeu d'une union des colonies ?

CONCEPT
Intérêts

3. Quels groupes ont des intérêts dans la création d'une nouvelle union des colonies ?

COMPÉTENCE 1

4. Après avoir étudié le thème *Pouvoir et pouvoirs* sous le Régime britannique, votre hypothèse sur la dynamique entre le pouvoir et les groupes d'influence au Québec depuis le XVIIᵉ siècle est-elle toujours valide ? Au besoin, reformulez-la ou complétez-la.

2 LA GRANDE COALITION DE 1864

« C'est dans l'espoir de trouver une solution à tous ces problèmes que, le 22 juin 1864, le leader **clear grit** [George Brown] propose de former avec les chefs conservateurs un gouvernement de coalition. Les hommes politiques voient alors dans la création d'un État fédéral qui s'étendrait de l'Atlantique au Pacifique un remède à tous les maux. L'annexion et le peuplement de l'Ouest assureraient la rentabilité des chemins de fer, fourniraient un exutoire au surplus démographique de certaines régions rurales, constitueraient un marché intérieur susceptible de lancer l'industrie manufacturière. L'union de toutes les colonies anglaises de l'Amérique du Nord donnerait naissance à un État plus fort, plus prestigieux […]. »

Jean Hamelin et Jean Provencher, *Brève histoire du Québec*, Boréal, 1997.

3 LES OPTIONS POLITIQUES DE GEORGE BROWN

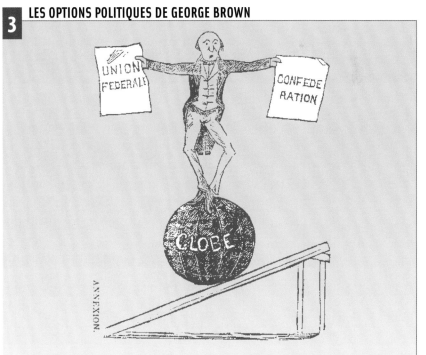

(Jean-Baptiste Côté, *Le statu quo de George Brown*, 1866. Bibliothèque et Archives Canada.)

En avril 1866, un caricaturiste représente George Brown, rédacteur en chef du *Globe* et chef des clear grits, mal à l'aise et hésitant entre diverses options politiques : l'union fédérative, la confédération ou l'annexion aux États-Unis.

3. LA PÉRIODE CONTEMPORAINE :
VERS UN ÉTAT MODERNE

1867 - 1900

3.1 LES GROUPES D'INFLUENCE ET LE PROJET DE FÉDÉRATION

La fédération des colonies britanniques ne fait pas l'unanimité et suscite des débats. Le projet est soumis au vote de l'Assemblée du Canada-Uni en 1865 (*doc.* **1**).

LA DIVISION DES PARTIS POLITIQUES

Selon les **rouges** d'Antoine-Aimé Dorion (*doc.* **3**), le projet de fédération est trop centralisé. Ils critiquent le pouvoir de désaveu du gouvernement fédéral qui peut refuser une loi adoptée par une assemblée législative provinciale. De plus, la représentation proportionnelle, qui favorise la majorité anglophone et lui donne le contrôle du gouvernement fédéral, constitue une grave menace pour la survivance de la nation canadienne-française.

Selon les **libéraux-conservateurs** de George-Étienne Cartier (*doc.* **2**), la fédération est un progrès pour les Canadiens français qui deviennent majoritaires au sein du gouvernement provincial. Ils possèdent leur propre assemblée législative, leur propre budget et tous les pouvoirs en matière d'éducation, de droit civil et de langue pour assurer la survivance de la nation.

L'AMBIVALENCE DU CLERGÉ CATHOLIQUE

Au début, le clergé s'oppose au projet de fédération, mais, hostile aux idées sociales et anticléricales des rouges, il finit par s'y rallier en 1867. Il soutient donc les conservateurs, qui remportent la première élection du Québec en 1867 (*doc.* **4**). Les Pères de la Confédération assurent les autorités cléricales que les droits religieux seront protégés dans la fédération et que les provinces obtiendront l'administration de l'éducation.

LA BOURGEOISIE D'AFFAIRES EST FAVORABLE AU PROJET

La grande bourgeoisie d'affaires, qui souhaite la création d'un nouveau marché intérieur pour vendre ses produits ainsi que le développement d'un réseau de chemin de fer, est favorable à une union des colonies.

LES RÉTICENCES DES ANGLOPHONES DU CANADA-EST

L'élite⊙ anglophone de la colonie craint de perdre ses droits linguistiques et son réseau scolaire, et exige la représentation proportionnelle. Les Pères de la Confédération promettent aux anglophones qu'ils détiendront la majorité à l'Assemblée législative fédérale.

Enquête

Vous devez rédiger un mémoire sur l'adoption du projet de fédération que vous soumettrez lors de la Conférence de Londres. Présentez des arguments favorables et des objections à ce projet.

LEXIQUE

Parti libéral-conservateur – Coalition formée en 1864 par les clear grits du Canada-Ouest et les conservateurs. En 1873, ce parti devient le Parti conservateur.

Rouge – Mouvement et parti politique réformiste radical du Canada-Est. Après la Confédération, les rouges forment le Parti libéral du Canada avec les clear grits et les réformistes des Maritimes.

1 LA RÉPARTITION DES VOIX LORS DE L'ADOPTION DU PROJET DE CONFÉDÉRATION, 1865

ASSEMBLÉE LÉGISLATIVE DU CANADA-UNI (124 députés)				
Répartition des voix (100 %)	Canada-Ouest	Canada-Est		
	62 députés	62 députés	49 députés canadiens-français	13 députés canadiens-anglais
Pour	73 % (91 voix)	87 % (54 voix)	60 % (37 voix)	55 % (27 voix)	77 % (10 voix)
Contre	27 % (33 voix)	13 % (8 voix)	40 % (25 voix)	45% (22 voix)	23 % (3 voix)

Assemblée législative, *Vote sur le projet de Confédération*, 10 mars 1865.

2 LA POSITION DE GEORGE-ÉTIENNE CARTIER

Copremier ministre du Canada-Uni avec John A. Macdonald au début des années 1860, George-Étienne Cartier milite en faveur du projet de Confédération et participe aux conférences de Charlottetown, de Québec et de Londres. On le nomme un des Pères de la Confédération.

« Il faut donc que la confédération de toutes les provinces britanniques s'effectue, sans quoi nous tombons dans la confédération américaine. [...] Je sais que le désir de toutes les personnes présentes est d'achever cette grande œuvre nationale, qui liera en un même faisceau tous les principaux intérêts des colonies, et qui fera de nous tous une véritable nation. [...] La population française, en confiant ses intérêts à un gouvernement fédéral, fait preuve de confiance en nos compatriotes anglais. Est-ce trop demander à la race anglaise qu'elle se fie à la libéralité et à l'esprit de justice de la race française dans le gouvernement local ? »

George-Étienne Cartier, discours prononcé lors de la Conférence de Québec à Montréal, le 29 octobre 1864.

3 LA POSITION D'ANTOINE-AIMÉ DORION

Député du Parti rouge devenu le Parti libéral, Antoine-Aimé Dorion est copremier ministre du Canada-Uni de mai 1863 à mars 1864. Lors de la Conférence de Québec d'octobre 1864, il prononce un discours contre la Confédération qui sera repris dans plusieurs journaux.

« Mais pour qu'il y ait confédération, il faut que les différents États liés entre eux pour les mesures d'intérêt général conservent leur indépendance propre pour tout ce qui concerne leur gouvernement intérieur. Or, quelle indépendance les différentes provinces réunies sous la constitution proposée conserveront-elles, avec un gouvernement général exerçant une autorité souveraine non seulement sur les mesures d'intérêt général, mais encore sur la plupart des questions de régie intérieure, et un contrôle direct sur tous les actes des législatures locales ! »

Antoine-Aimé Dorion, *Manifeste contre le projet de Confédération*, 1864.

4 LES MEMBRES DU GOUVERNEMENT CONSERVATEUR DU QUÉBEC EN 1867

Pierre-Joseph-Olivier Chauveau (1820-1890)
(Assemblée nationale du Québec.)

Avocat de la région de Québec, il occupe tour à tour les fonctions de premier ministre du Québec, de ministre de l'Instruction publique, de secrétaire et de registraire. Cofondateur de la Société Saint-Jean-Baptiste de Québec en 1842, élu à l'Assemblée législative du Canada-Uni en 1844, il soutient les députés réformistes, puis il devient conservateur.

COMPOSITION DU CONSEIL EXÉCUTIF		
NOMS	FONCTIONS	PROFESSIONS
Louis Archambault	Agriculture et travaux publics	Notaire
Joseph-Octave Beaubien	Terres de la Couronne	Médecin
Christopher Dunkin	Trésorier	Avocat
George Irvine	Solliciteur général	Avocat
Gédéon Ouimet	Procureur général	Avocat
Joseph Gibb Robertson	Trésorier	Fermier et marchand

COMPÉTENCE 2
Interpréter le passé.

1. Quels groupes s'opposent au projet de fédération ? Pourquoi ?

2. Quels groupes soutiennent le projet de fédération ? Pourquoi ?

3. (*doc.* 4) Comparez ce document avec le *doc.* 3 de la page 103. Quelle constatation faites-vous sur les professions des personnes qui détiennent le pouvoir ?

COMPÉTENCE 3
Exercer sa citoyenneté.

4. À quels intérêts répond le projet de fédération des colonies ?

CONCEPT
Influence

5. Quels groupes exercent une influence sur la réalisation du projet de fédération ?

PÉRIODE CONTEMPORAINE

3.2 LE SYSTÈME POLITIQUE CANADIEN

Le projet de fédération des colonies britanniques se concrétise en 1867 avec l'adoption de l'Acte de l'Amérique du Nord britannique (*doc.* **1** *et* **3**). Le Dominion du Canada devient une monarchie constitutionnelle. Toutefois, cette nouvelle union fédérale est fortement centralisée et le gouvernement fédéral détient les pouvoirs les plus importants.

LA RÉPARTITION DES POUVOIRS LÉGISLATIFS

Dans le fédéralisme canadien, la souveraineté est séparée entre l'État fédéral et les États provinciaux (*doc.* **2**). Chaque État est souverain dans sa sphère de compétence. Les pouvoirs législatifs sont partagés entre les deux paliers de gouvernement. Les pouvoirs résiduels, c'est-à-dire tous les nouveaux pouvoirs qui apparaîtront après 1867, sont de compétence fédérale. Le gouvernement central peut exercer certains pouvoirs qui lui donnent le droit d'empiéter sur des domaines réservés aux provinces. Le Québec peut conserver ses lois civiles françaises parce que la propriété et les droits civils font partie des compétences provinciales.

L'ÉTAT FÉDÉRAL

L'État fédéral a sa propre assemblée législative (la Chambre des communes), son conseil législatif (le Sénat) et son conseil exécutif (le Conseil privé), issu de l'Assemblée, à qui il doit rendre des comptes. Le gouverneur général, nommé par la Couronne sur recommandation du premier ministre, est le chef de l'État. Il est tenu, par la Constitution, de toujours suivre les décisions des ministres pourvu qu'ils aient la confiance de l'Assemblée. Il sanctionne les lois et représente la Couronne britannique. Jusqu'en 1959, les gouverneurs sont issus de l'aristocratie⊙ britannique. Georges Vanier est le premier gouverneur général canadien-français à occuper ce poste de 1959 à 1967.

L'ÉTAT PROVINCIAL

Les provinces ont leur propre assemblée législative élue, leur conseil exécutif et leur conseil législatif (aboli au Québec en 1968). Un lieutenant-gouverneur est nommé par la Couronne sur recommandation du premier ministre provincial. L'Assemblée législative a le pouvoir de percevoir certaines taxes, par exemple une taxe scolaire. Dans les premiers temps de la fédération, les provinces déterminent les modalités du droit de vote et celles des candidatures à une élection. À la fin du XIXᵉ siècle, l'État fédéral uniformise les règles (*doc.* **4**).

Enquête

Dans un tableau, comparez l'organisation de l'État fédéral canadien et celle de l'État provincial. Quelles sont les ressemblances et les différences ?

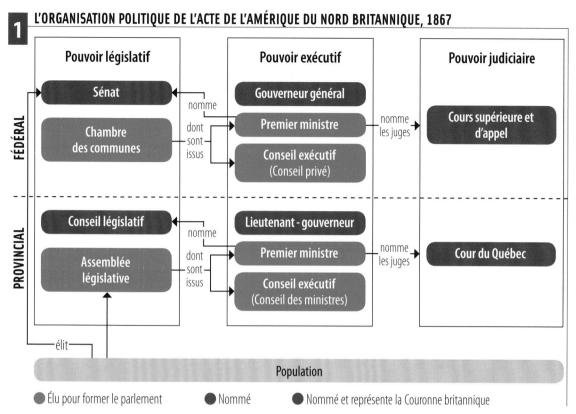

1 L'ORGANISATION POLITIQUE DE L'ACTE DE L'AMÉRIQUE DU NORD BRITANNIQUE, 1867

FÉDÉRAL

Pouvoir législatif
- Sénat
- Chambre des communes

Pouvoir exécutif
- Gouverneur général
- Premier ministre
- Conseil exécutif (Conseil privé)

nomme

dont sont issus

nomme les juges

Pouvoir judiciaire
- Cours supérieure et d'appel

PROVINCIAL

Pouvoir législatif
- Conseil législatif
- Assemblée législative

Pouvoir exécutif
- Lieutenant - gouverneur
- Premier ministre
- Conseil exécutif (Conseil des ministres)

nomme

dont sont issus

nomme les juges

Pouvoir judiciaire
- Cour du Québec

élit

Population

● Élu pour former le parlement   ● Nommé   ● Nommé et représente la Couronne britannique

COMPÉTENCE 2
Interpréter le passé.

1. Qui a le pouvoir de faire appliquer les lois dans le système politique canadien ?

2. Qui a le pouvoir de formuler et d'adopter des lois dans le système politique canadien ?

3. (*doc.* ■) À l'aide de ce document, décrivez l'organisation politique du Canada en 1867.

4. (*doc.* ■) Comparez ce document avec le *doc.* ■ de la page 86. Quelle institution a disparu dans le gouvernement provincial ?

CONCEPT
État

5. Quelles sont les institutions de l'État fédéral canadien ?

6. Quelles sont les institutions de l'État provincial ?

2 LE PARTAGE DES POUVOIRS LÉGISLATIFS

COMPÉTENCE FÉDÉRALE	COMPÉTENCE PARTAGÉE	COMPÉTENCE PROVINCIALE
Commerce interprovincial	Agriculture	Commerce intraprovincial
Douanes et taxes indirectes	Compagnies et développement économique	Terres publiques et forêts
Postes	Prisons et justice	Système de santé
Milice et défense	Pêche	Institutions municipales
Monnaie et banques	Travaux publics	Célébration du mariage
Politique indienne	Transports et communications	Propriété et droits civils
Droit criminel	Immigration	Éducation
Mariage et divorce	Taxes directes	Licences commerciales
Pouvoirs résiduels		Constitution provinciale

Adapté de Gérald-A. Beaudoin, *La constitution du Canada*, Wilson et Lafleur, 1990.

3 LE *RED ENSEIGN* CANADIEN

À partir de 1867, le *red enseign*, utilisé par la marine marchande, devient peu à peu le drapeau officiel du Canada. Il sera remplacé par l'Unifolié en 1965.

4 LA PARTICIPATION POLITIQUE

L'État fédéral élabore des règles pour encadrer et démocratiser la participation politique. Peuvent voter et soumettre leur candidature aux élections les individus de sexe masculin de 21 ans et plus qui paient un impôt suffisant (cens électoral). Les Autochtones et certains immigrants naturalisés sont exclus. Toutefois, tous les sujets britanniques ont le droit de voter. En 1874, le gouvernement libéral impose le scrutin secret et l'obligation pour les candidats de déclarer leurs dépenses électorales. Toutes les mesures du vote censitaire, encore en vigueur au Québec, ne sont abolies qu'en 1948. Les femmes peuvent voter au fédéral en 1917. Le Québec est la dernière province à leur accorder le droit de vote en 1940.

3.3 LA FÉDÉRATION ET LES AUTOCHTONES

Après 1867, le nouvel État se développe, favorisé par la prospérité économique. Cette expansion entraîne des conflits avec les Autochtones.

L'EXPANSION DE LA FÉDÉRATION CANADIENNE

La construction du chemin de fer transcontinental favorise la création de nouvelles provinces qui obtiennent les mêmes institutions politiques que les autres provinces canadiennes et une représentation au Parlement fédéral. À la fin du XIXᵉ siècle, l'État fédéral achète des terres appartenant à la Compagnie de la baie d'Hudson sans tenir compte de la population qui y habite, surtout des **Métis** francophones et catholiques, des Autochtones, et quelques Blancs.

L'INFLUENCE DES MÉTIS DE LA RIVIÈRE ROUGE

En 1869, Louis Riel forme un gouvernement provisoire (*doc.* 4) et demande la création d'une nouvelle province. Le gouvernement fédéral rejette sa requête. En 1869 et 1870, une rébellion des Métis contre le gouvernement fédéral a pour conséquence la création de la province du Manitoba. Riel doit s'exiler, mais, en 1885, une nouvelle rébellion mène à l'écrasement du mouvement métis et à la pendaison de Louis Riel.

UNE PERTE DE DROITS POUR LES AUTOCHTONES

En 1876, le gouvernement fédéral adopte la Loi sur les Indiens (*doc.* 3) et négocie, par différents traités, la cession des terres des Autochtones qui sont envoyés dans des réserves (*doc.* 1). Les Autochtones perdent leurs droits sur leurs territoires et passent sous la juridiction du gouvernement fédéral. Leurs droits civils sont limités par la loi de 1876. Ils n'ont aucune autonomie politique.

LA CONSÉQUENCE DES RÉBELLIONS DES MÉTIS SUR LE QUÉBEC

La pendaison de Louis Riel provoque une profonde division entre les Canadiens français et les Canadiens anglais. Honoré Mercier profite de ce mécontentement. Devenu chef du Parti libéral et du gouvernement du Québec en 1887, il fait la promotion de l'autonomie provinciale (*doc.* 2), contracte des emprunts importants à l'étranger, augmente les dépenses publiques dans les secteurs de l'agriculture et des transports et développe le réseau routier, les chemins de fer et les ponts. La fin du XIXᵉ siècle et le XXᵉ siècle sont marqués par des luttes continuelles sur le partage des pouvoirs entre le gouvernement central et le gouvernement provincial du Québec.

Enquête

Vous êtes journaliste pour un quotidien québécois. On vous demande de rédiger un article sur l'expansion de la fédération canadienne au XIXᵉ siècle.

LEXIQUE

Métis – À la fin du XIXᵉ siècle, les Métis de l'Ouest canadien étaient les personnes nées de l'union entre Blancs et Autochtones. Surtout francophones et catholiques, ils étaient environ 10 000.

1 LES RÉSERVES AMÉRINDIENNES DU QUÉBEC VERS 1900

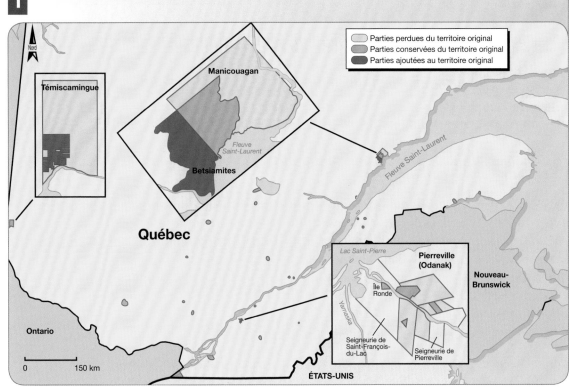

Nord

Parties perdues du territoire original
Parties conservées du territoire original
Parties ajoutées au territoire original

Témiscamingue

Manicouagan

Fleuve Saint-Laurent

Betsiamites

Québec

Fleuve Saint-Laurent

Lac Saint-Pierre

Pierreville (Odanak)

Île Ronde

Nouveau-Brunswick

Yamaska

Seigneurie de Saint-François-du-Lac

Seigneurie de Pierreville

Ontario

0   150 km

ÉTATS-UNIS

COMPÉTENCE 2
Interpréter le passé.

1. Expliquez une des conséquences de l'expansion territoriale du Canada.

2. Expliquez l'enjeu de l'autonomie provinciale défendue par Honoré Mercier.

CONCEPT
Droits

3. Quels droits les Autochtones ont-ils perdus au XIXᵉ siècle ?

2 L'AUTONOMIE PROVINCIALE SELON UN HOMME POLITIQUE DU QUÉBEC

RC **Honoré Mercier (1840-1894)**
(Assemblée nationale du Québec.)

Né à Saint-Athanase dans le Bas-Canada, il étudie à Montréal et est admis au barreau⊕ du Québec en 1865. Dès 1864, il s'oppose au projet de confédération. Il fonde le Parti national en 1871. Il est le premier politicien à parler d'indépendance pour le Québec.

« L'existence des provinces a précédé celle de la puissance et c'est d'elles que celle-ci a reçu ses pouvoirs. Les provinces possédaient le gouvernement responsable en 1867 ; elles avaient leur législature, leurs lois et toute l'autonomie qui est inhérente à une colonie. Les provinces ont délégué, dans l'intérêt général, une partie de leurs pouvoirs : et ce qu'elles n'ont pas délégué, elles l'ont gardé et le possèdent encore. Elles sont souveraines dans les limites de leurs attributions, et toute atteinte à cette souveraineté est une violation du pacte fédéral. »

Honoré Mercier, discours du premier ministre prononcé à l'Assemblée législative de Québec, 7 avril 1884.

3 LES DISPOSITIONS DE LA LOI SUR LES INDIENS

« La première *Loi sur les Indiens*, adoptée en 1876, reflétait l'importance qu'accordait le gouvernement à la gestion des terres, à l'appartenance aux Premières Nations, à l'administration locale et à son objectif ultime, l'assimilation des Autochtones du Canada. […] La *Loi sur les Indiens* demeure le principal texte par lequel le gouvernement exerce son pouvoir à l'égard des "Indiens inscrits". Elle régit la plupart des aspects de leur vie. Ses dispositions portent sur le statut d'Indien, l'appartenance aux bandes et l'administration de celles-ci, la fiscalité, les terres et les ressources, la gestion de l'argent des Indiens, les testaments et les successions, et enfin l'éducation. »

Mary C. Hurley, *Loi sur les Indiens*, gouvernement du Canada, Direction de la recherche parlementaire, 4 octobre 1999.

4 LE GOUVERNEMENT PROVISOIRE DE LA NATION MÉTISSE

Louis Riel (au centre) et le gouvernement provisoire de la nation métisse.
(Bibliothèque et Archives Canada.)

Louis Riel et les Métis défendent leurs droits contre l'intrusion du gouvernement fédéral sur leurs terres et négocient l'entrée du Manitoba dans la fédération canadienne.

1867 - 1920

3.4 LES GROUPES D'INFLUENCE ET LE POUVOIR PROVINCIAL AU QUÉBEC

L'État québécois doit s'assurer de la collaboration de certains groupes d'influence pour maintenir et exercer son pouvoir.

Enquête

Dans un court texte, comparez les groupes d'influence dans la société québécoise contemporaine avec ceux de la société sous le Régime britannique.

LEXIQUE

Philanthropie – Aide et amélioration du sort des plus démunis de manière désintéressée, par exemple sous forme de dons ou par la fondation d'œuvres.

LE CLERGÉ REDEVIENT INFLUENT

Aux XIXe et XXe siècles, l'État québécois, qui a très peu de moyens, fait appel à l'initiative privée (*doc.* **1**) et à la **philanthropie**. Il confie à l'Église l'administration des écoles, des hôpitaux et du programme de colonisation. Pour maintenir leur pouvoir sur la société, les partis politiques et l'État doivent s'assurer de la collaboration du clergé.

L'INFLUENCE DE L'ÉGLISE SUR L'ÉTAT

Les conservateurs ultramontains⊙ considèrent que l'école est sous la responsabilité exclusive de l'Église et s'opposent à l'instruction publique obligatoire. Les libéraux souhaitent plutôt que l'école devienne une institution laïque⊙ contrôlée par l'État et sont en faveur de l'instruction publique obligatoire (*doc.* **2**). En 1875, l'État abolit le ministère de l'Instruction publique et le remplace par un conseil auquel siègent des clercs et des laïcs. L'instruction publique devient obligatoire en 1943.

L'INFLUENCE DE LA BOURGEOISIE

Au XXe siècle, la petite et moyenne bourgeoisie canadienne-française exerce de plus en plus d'influence en occupant des postes importants au sein du pouvoir. La grande bourgeoisie d'affaires anglophone, qui contrôle l'économie québécoise, collabore avec l'État en assurant son financement et celui des partis politiques. Le gouvernement accorde des contrats importants aux entreprises québécoises et favorise l'installation d'entreprises étrangères.

UN NOUVEAU GROUPE D'INFLUENCE

Le développement de l'industrialisation favorise l'émergence d'un nouveau groupe d'influence. Les ouvriers, rassemblés dans des syndicats (*doc.* **3**), exercent des pressions sur l'État et sur le patronat au moyen de grèves ou de manifestations. Les syndicats, tels que la Confédération des travailleurs catholiques du Canada (CTCC), qui défendent les intérêts de leurs membres, réclament des changements dans leurs conditions de vie et de travail. Au début du XXe siècle, le gouvernement adopte une législation sociale qui transforme les conditions de vie et de travail des ouvriers : l'interdiction du travail des enfants (1907) ; la Loi sur les accidents du travail (1909) ; la création d'un bureau de placement gouvernemental pour les chômeurs (1910) ; la semaine de travail limitée à 58 heures (1910).

1 LES CENTRES DE LA « GOUTTE DE LAIT »

(1932. Archives de la Ville de Montréal, Montréal, Canada.)

Au début du XXᵉ siècle, les municipalités ont la responsabilité de l'hygiène publique. La contamination du lait est alors une importante cause de mortalité infantile. La Ville de Montréal prend ses responsabilités et encourage la création des centres de la « goutte de lait » dans lesquels des groupes de femmes issues de la bourgeoisie aident les mères à mieux soigner leurs enfants, prodiguent des conseils sur l'hygiène et l'alimentation après l'accouchement et distribuent du lait pasteurisé.

⚜ COMPÉTENCE 2
Interpréter le passé.

1. Sur quels groupes d'influence l'État doit-il compter pour assurer son pouvoir ?

2. Quels sont les enjeux du débat sur l'éducation ?

⚜ CONCEPT
Influence

3. Quels moyens les différents groupes utilisent-ils pour exercer une influence sur l'État ?

2 L'INSTRUCTION PUBLIQUE OBLIGATOIRE RÉCLAMÉE PAR LA POPULATION

« Les soussignés constatent : qu'une trop forte proportion d'enfants de sept à quatorze ans abandonne l'école avant d'avoir acquis une instruction suffisante ; qu'à peu près 50 % de ces enfants cessent de fréquenter l'école après la 4ᵉ année et plusieurs ne font même pas cette 4ᵉ année ; que ceux-là dans les villes qui ne font pas leur 5ᵉ année, ni leur 6ᵉ année, ne sont pas en état d'être reçus dans les écoles techniques, que les fils de cultivateurs qui ne font que trois ou quatre années de classe et qui se livrent ensuite aux travaux de la terre, retombent en grand nombre après quelques années, dans la catégorie des illettrés ; que trop d'enfants courent encore la rue sans aucun contrôle et finissent par échouer devant les tribunaux ; […]

C'est pourquoi les soussignés, viennent vous prier de demander […] au Conseil de l'Instruction publique de requérir la Législature d'adopter une loi d'obligation scolaire. »

Raoul Dandurand, *Le Devoir*, 21 janvier 1919, cité dans Louis-Philippe Audet, *Histoire de l'enseignement au Québec*, tome 2, Holt, Rinehart et Winston, 1971.

3 LE MOUVEMENT SYNDICAL CATHOLIQUE

La Fédération ouvrière mutuelle du Nord et son fondateur, Mᵍʳ Eugène Lapointe (au centre), vers 1907.
(Bibliothèque et Archives nationales du Québec.)

Les premiers syndicats sont affiliés à des organisations étatsuniennes. L'Église organise des mouvements ouvriers plus modérés qui respectent les valeurs et les idées catholiques. Craignant les syndicats internationaux qui se sont implantés et qui se développent dans la région du Saguenay, Mᵍʳ Eugène Lapointe fonde la Fédération ouvrière mutuelle du Nord en 1912. Elle est dissoute en 1916, et les syndicats de la région joignent alors la CTCC fondée en 1921.

3.5 LES TRANSFORMATIONS DE L'ÉTAT ET DE LA SOCIÉTÉ

La crise économique des années 1930 et la Seconde Guerre mondiale ont des répercussions importantes sur la société québécoise. L'État est amené à modifier son rôle dans la société québécoise.

LE NOUVEAU RÔLE DE L'ÉTAT

Pour assister les personnes affectées par la crise économique, l'État remplace peu à peu l'Église dans l'administration des programmes sociaux ou des institutions publiques (*doc.* **3**). En 1931, le gouvernement fédéral prend des mesures pour venir en aide aux agriculteurs et, en 1940, il adopte la Loi sur l'assurance-chômage. Au Québec, les municipalités entreprennent de grands travaux publics pour créer de l'emploi et distribuent les secours directs. Le gouvernement provincial met sur pied des projets de colonisation dans la région de l'Abitibi-Témiscamingue et dans le nord du Québec.

LES CONSÉQUENCES DE LA SECONDE GUERRE MONDIALE

La guerre favorise la centralisation du gouvernement fédéral. Le gouvernement libéral de William Lyon Mackenzie King applique la Loi sur les mesures de guerre qui suspend les libertés et les droits civils et autorise le gouvernement à empiéter sur les compétences provinciales pour mobiliser les ressources économiques et humaines (*doc.* **1**). La crise de la conscription de 1942 divise les Canadiens français, qui refusent l'enrôlement obligatoire pour servir outre-mer, et les Canadiens anglais, qui soutiennent le gouvernement fédéral et la conscription. Devant la centralisation du gouvernement fédéral, des groupes nationalistes canadiens-français se mobilisent et défendent le renforcement de l'autonomie provinciale. En 1942, naît un nouveau parti politique, le **Bloc populaire canadien**, dont l'aile fédérale est dirigée par Maxime Raymond et l'aile provinciale par André Laurendeau.

LA LUTTE DES FEMMES POUR LEURS DROITS

À la fin du XIXe siècle et au début du XXe, le mouvement féministe devient plus influent. Les femmes revendiquent une amélioration de leurs conditions de vie et des droits politiques. La guerre nécessite une mobilisation de la main-d'œuvre et des industries. Les femmes participent à l'effort de guerre en remplaçant les hommes partis au combat. Ce nouveau rôle et les salaires qu'elles reçoivent favorisent une plus grande autonomie. S'inspirant des mouvements étatsuniens et européens, elles créent des associations pour appuyer leurs revendications (*doc.* **2**). L'État et l'Église s'opposent à leurs demandes, car elles remettent en cause le rôle traditionnel de la femme.

Enquête

Au nom du gouvernement du Québec, vous devez mener une enquête sur les conséquences de la crise et de la guerre sur le pouvoir fédéral.

□ LEXIQUE

Bloc populaire canadien – Parti politique créé pour protester contre la conscription de 1942.

1 LE RENFORCEMENT DE L'ÉTAT FÉDÉRAL

« L'état de guerre provoque un renforcement exceptionnel du pouvoir étatique dans le but de mobiliser les ressources humaines et matérielles du pays. La loi des mesures de guerre, datant du premier conflit mondial, est réactivée. Une première caractéristique de l'intervention étatique est son autoritarisme : le cabinet fédéral peut gouverner par décret, sans passer par le Parlement, il peut réquisitionner tous produits ou services dont l'armée a besoin, faire interner des gens sans procès, établir la censure, limiter les déplacements des personnes. Un deuxième aspect est son caractère très centralisateur : les décisions importantes sont prises à Ottawa par un groupe restreint de personnes, s'appuyant sur des comités spécialisés et une bureaucratie considérable. En outre, les ressources financières du pays sont massivement canalisées vers le gouvernement fédéral : au plus fort de la guerre, ce dernier assure à lui seul plus du tiers de la dépense nationale brute. »

Paul-André Linteau *et al.*, *Histoire du Québec contemporain, Le Québec depuis 1930*, Tome 2, Boréal, 1989.

2 ÉVA CIRCÉ-CÔTÉ À LA DÉFENSE DES DROITS DES FEMMES

Éva Circé-Côté
(1871-1949)

(Archives de la Ville de Montréal, Montréal, Canada.)

Journaliste, musicienne, poète, dramaturge et bibliothécaire, elle fonde la Bibliothèque de Montréal dont l'ouverture est retardée à plusieurs reprises à cause des réticences de Mgr Bruchési, qui voit dans ce lieu un foyer de propagande anticléricale. Dans ses écrits, elle dénonce les conditions de travail des femmes, le racisme, les injustices sociales et défend le droit de vote des femmes.

Durant la crise économique des années 1930, des entreprises licencient des femmes pour les remplacer par des chômeurs et des chefs de famille.

« Si l'on croit avoir trouvé le moyen de faire réintégrer le foyer à celles qui se sont bâti un nid et qui ont organisé leur existence pour vivre indépendantes, on se trompe grandement. Elles prendront un autre chemin que celui de la maison et ce n'est pas celui qui conduit à l'église. »

Éva Circé-Côté, *Le monde ouvrier*, 1934.

COMPÉTENCE 2
Interpréter le passé.

1. Quels sont les effets de la crise économique et de la Seconde Guerre mondiale sur le rôle de l'État fédéral ?

2. Quelles sont les revendications politiques des femmes ?

CONCEPT
État

3. Quelles sont les transformations de l'État au début du XXe siècle ?

3 L'INTERVENTION DE L'ÉTAT PENDANT LA CRISE ÉCONOMIQUE

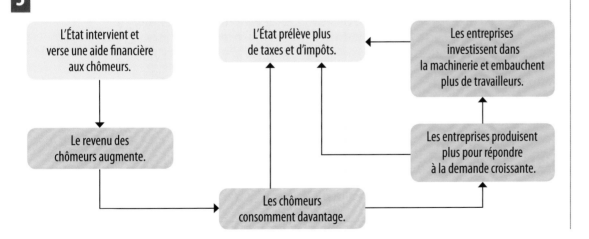

L'État intervient et verse une aide financière aux chômeurs.

Le revenu des chômeurs augmente.

Les chômeurs consomment davantage.

Les entreprises produisent plus pour répondre à la demande croissante.

Les entreprises investissent dans la machinerie et embauchent plus de travailleurs.

L'État prélève plus de taxes et d'impôts.

3.6 LE POUVOIR SOUS LE GOUVERNEMENT DE MAURICE DUPLESSIS

Après avoir gouverné la province de 1936 à 1939, Maurice Duplessis, le chef de l'Union nationale, revient au pouvoir de 1944 à 1959, année de sa mort. Son gouvernement reste au pouvoir jusqu'en 1960.

Enquête

Vous êtes caricaturiste pour un quotidien d'une grande ville du Québec. Quels éléments retiendrez-vous pour illustrer le régime de Maurice Duplessis ?

LES PROGRAMMES DE L'ALN ET DE L'UNION NATIONALE

L'Union nationale est fondée en 1935 par la fusion du Parti conservateur du Québec dirigé par Maurice Duplessis et des libéraux dissidents de l'Action libérale nationale (ALN). Le programme de l'ALN s'inspire largement du programme de restauration sociale (*doc.* **2**). Lorsque Maurice Duplessis accède au pouvoir en 1936 (*doc.* **3**), il met de côté le programme de l'ALN. Il prône plutôt la conservation des valeurs traditionnelles de la vie rurale et de la religion catholique et s'oppose aux réformes sociales.

UNE PAUSE DANS LE RÉGIME DE MAURICE DUPLESSIS

Maurice Duplessis perd les élections de 1939. Le nouveau gouvernement du Parti libéral d'Adélard Godbout entreprend des réformes sociales inspirées du programme de l'ALN qui vont parfois à l'encontre des intérêts de l'Église et des milieux financiers. Il accorde aux femmes le droit de voter aux élections provinciales en 1940; il instaure l'instruction obligatoire jusqu'à 14 ans et la gratuité de l'éducation primaire en 1943. Il adopte un nouveau code du travail qui reconnaît aux travailleurs et travailleuses le droit de se syndiquer; il fonde Hydro-Québec et amorce la nationalisation de l'hydroélectricité.

LE RETOUR AU POUVOIR DE L'UNION NATIONALE

Maurice Duplessis assoit son pouvoir sur les régions rurales en adoptant des mesures favorables aux agriculteurs, telle l'électrification des fermes, ainsi que sur la grande bourgeoisie et sur le clergé. Il se maintient au pouvoir grâce à des pratiques électorales douteuses. Ainsi, il refait le découpage de la carte électorale en favorisant les régions rurales (*doc.* **1**) qui l'appuient et il permet l'utilisation de télégraphes lors des élections, faisant ainsi voter plusieurs fois une même personne sous des identités différentes.

L'UNION NATIONALE À LA DÉFENSE DE L'AUTONOMIE PROVINCIALE

Maurice Duplessis s'oppose fortement à la centralisation fédérale amorcée pendant la crise économique et accentuée au cours de la Seconde Guerre mondiale. Il refuse les arrangements fiscaux proposés par Ottawa et les subventions fédérales aux universités. En 1948, il dote le Québec du drapeau fleurdelisé, et en 1954 il instaure un impôt provincial sur le revenu des particuliers. Selon Maurice Duplessis et les nationalistes conservateurs, le Québec est le foyer national des Canadiens français et son gouvernement doit protéger leurs droits.

1 LES ÉLECTIONS PROVINCIALES DE 1956

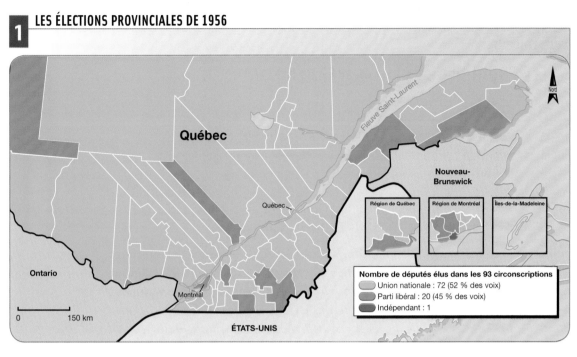

Québec

Fleuve Saint-Laurent

Nouveau-Brunswick

Québec

Ontario

Montréal

| Région de Québec | Région de Montréal | Îles-de-la-Madeleine |

0   150 km

ÉTATS-UNIS

Nombre de députés élus dans les 93 circonscriptions
- Union nationale : 72 (52 % des voix)
- Parti libéral : 20 (45 % des voix)
- Indépendant : 1

COMPÉTENCE 2
Interpréter le passé.

1. Quelles sont les grandes lignes du programme de Maurice Duplessis ?

2. Quelles réformes sont entreprises par Adélard Godbout ?

3. (doc. **3**) Comparez ce document au doc. **3** de la page 103 et au doc. **4** de la page 111. Quelle constatation faites-vous sur les professions des personnes qui détiennent le pouvoir ?

CONCEPT
Pouvoir

4. Comment Maurice Duplessis accède-t-il au pouvoir et comment le conserve-t-il ?

2 LES PROPOSITIONS DE L'ACTION LIBÉRALE NATIONALE EN 1934

L'ALN propose des réformes sociales et économiques telle la nationalisation de l'électricité.

« La crise actuelle est due en grande partie à la mauvaise distribution dans le domaine économique, à l'avidité de la haute finance et aux abus de toutes sortes qui se sont glissés dans l'application du régime démocratique. [...] L'Action libérale nationale est née de la nécessité d'une action politique vivante et constructive qui, tout en sachant reconnaître la valeur de certaines œuvres antérieures et le mérite de leurs auteurs, se préoccupe avant tout du présent et de l'avenir. [...] L'Action libérale nationale offre donc le plan d'ensemble suivant qui, même s'il n'est pas parfait, tend vers cette double évolution politique et économique, seul moyen d'assurer une meilleure répartition des richesses, et partant, d'enrayer le chômage et de mettre fin à la crise. »

Le programme de l'Action libérale nationale, 28 juillet 1934.

3 LE GOUVERNEMENT DE L'UNION NATIONALE EN 1936

NOMS	FONCTIONS	PROFESSIONS
Henri Lemaître-Auger	Ministre de la Colonisation	Homme d'affaires
Joseph Bilodeau	Ministre des Affaires municipales Ministre de l'Industrie et du Commerce	Avocat
John Samuel Bourque	Ministre des Travaux publics	Marchand
Thomas Joseph Coonan	Ministre sans portefeuille	Avocat
Oscar Drouin	Ministre des Terres et Forêts	Avocat
Maurice Duplessis	Premier ministre Procureur général	Avocat
Bona Dussault	Ministre de l'Agriculture	Marin
Antonio Élie	Ministre sans portefeuille	Agriculteur
Martin Beattle Fisher	Trésorier provincial	Agent d'assurances
Onésime Gagnon	Ministre des Mines, de la Chasse et des Pêcheries	Avocat
Gilbert Layton	Ministre sans portefeuille	Marchand
François-Joseph Leduc	Ministre de la Voirie	Ingénieur
Joseph-Henri-Albiny Paquette	Secrétaire de la province	Médecin
William Tremblay	Ministre du Travail	Boucher

Gouvernement de l'Union Nationale de Maurice Duplessis (au centre) en 1936.

PÉRIODE CONTEMPORAINE

3.7 LES GROUPES D'INFLUENCE

Dans les années 1950, l'influence de l'Église décline dans la société québécoise. Son pouvoir est remis en question par les tenants de la laïcisation des institutions publiques et de l'anticléricalisme. Des groupes manifestent leur opposition au gouvernement de Duplessis et revendiquent des réformes sociales.

Enquête

Vous êtes éditorialiste dans un grand quotidien québécois. Rédigez un article sur les rapports entre le régime de Maurice Duplessis et les groupes d'influence au Québec.

LE CLERGÉ COLLABORE AVEC L'ÉTAT

Maurice Duplessis laisse l'Église administrer les établissements scolaires et les services sociaux. Toutefois, l'Église n'a plus les moyens de financer ces institutions. Le gouvernement Duplessis doit donc soutenir financièrement les congrégations religieuses qui les administrent, exerçant ainsi un certain contrôle sur ces services. L'Église conserve alors son influence morale sur la société. Des membres du clergé, tels que Georges-Henri Lévesque, et la faculté des Sciences sociales de l'Université Laval revendiquent tout de même des réformes sociales et critiquent le gouvernement du Québec.

LA GRANDE BOURGEOISIE SOUTIENT L'ÉTAT

Les politiques de Maurice Duplessis favorisent le patronat. Fervent anticommuniste, il adopte une loi interdisant les réunions syndicales en 1937 (*doc.* 1 *et* 5). Il soutient les patrons dans leurs luttes contre les employés syndiqués. Pour favoriser le développement des régions éloignées et en échange de contributions à la caisse électorale de l'Union nationale ou de pots-de-vin aux députés, le gouvernement accorde des privilèges fiscaux aux entreprises étatsuniennes qui s'installent dans le Grand Nord du Québec pour y exploiter les ressources minières.

LES OUVRIERS MANIFESTENT CONTRE LE GOUVERNEMENT DE DUPLESSIS

Les syndicats se mobilisent après la guerre pour bénéficier des avantages de la nouvelle prospérité économique. Des travailleurs manifestent contre leurs conditions de travail parfois très difficiles et réclament des augmentations de salaire et des réformes sociales (*doc.* 3). Les ouvriers accusent Maurice Duplessis de s'opposer au progrès social et de défendre les intérêts de la grande bourgeoisie et des patrons plutôt que ceux des travailleurs canadiens-français.

UN NOUVEAU GROUPE SOCIAL REVENDIQUE PLUS DE POUVOIR

Une classe moyenne, plus instruite, profite de la prospérité économique. Elle conteste le pouvoir des élites⊙ traditionnelles (*doc.* 4), critique le gouvernement de Maurice Duplessis et cherche à occuper des postes de pouvoir dans la société québécoise. La presse et les nouveaux médias tels que la télévision et le cinéma deviennent des outils pour promouvoir les intérêts de la classe moyenne (*doc.* 2).

1 EXTRAIT DE LA LOI DU CADENAS ◄RC

Portant le sous-titre « Loi protégeant la province contre la propagande communiste », cette loi instiguée par le premier ministre du Québec Maurice Duplessis est adoptée le 24 mars 1937. Elle sera déclarée inconstitutionnelle en 1957 par la Cour suprême du Canada.

« 3. Il est illégal pour toute personne qui possède ou occupe une maison dans la province de l'utiliser ou de permettre à une personne d'en faire usage pour propager le communisme ou le bolchevisme par quelque moyen que ce soit.

4. Le procureur général, sur preuve satisfaisante d'une infraction à l'article 3, peut ordonner la fermeture de la maison pour toute fin quelconque, pendant une période n'excédant pas un an; l'ordre de fermeture doit être enregistré au bureau d'enregistrement de la division où est située cette maison, sur production d'une copie de cet ordre certifiée par le procureur général. »

George VI, de l'avis et du consentement du Conseil législatif et de l'Assemblée législative, *Texte de la loi du Cadenas*, 1937.

⚜ COMPÉTENCE 2
Interpréter le passé.

1. Quels groupes donnent leur appui au gouvernement de Maurice Duplessis ?

2. Quels groupes critiquent ses politiques ?

⚜ CONCEPT
Influence

3. Expliquez le rôle des différents groupes d'influence dans les années 1950.

2 *LE DEVOIR*, UN JOURNAL DE COMBAT ◄RC

Lors de son 90ᵉ anniversaire, Le Devoir demande au directeur intérimaire du quotidien de 1978 à 1981, Michel Roy, d'examiner le XXᵉ siècle.

« L'attention, la réflexion, les énergies portaient sur le régime autoritaire et anachronique de Maurice Duplessis, sur l'espoir d'un Québec enfin libéré de la corruption, de l'obscurantisme et de l'intégrisme. Au milieu des années 1950, Gérard Filion et André Laurendeau avaient fait du *Devoir* un journal de combat contre le duplessisme, qui consistait notamment en un nationalisme⑨ étroit et irréaliste, et pour une certaine modernité. C'est comme ça qu'est née la Révolution tranquille⑨, dominée par une volonté d'émancipation et d'affirmation du Québec, par la laïcisation, par la naissance d'un syndicalisme plus revendicateur, par le désir d'édifier un régime plus juste socialement, économiquement, politiquement et culturellement. »

Jean Dion, « Michel Roy, la fin des utopies », *Le Devoir*, 25 janvier 2000.

4 UNE FEMME ENGAGÉE

Simonne Monet-Chartrand ◄RC
(1899-1985)
Le 29 janvier 1992.

Issue d'une famille bourgeoise, Simonne Monet-Chartrand étudie les lettres à l'Université de Montréal. Très jeune, elle s'engage contre la conscription et milite dans des organisations politiques pour défendre les droits des femmes. Mariée au syndicaliste Michel Chartrand, elle soutient les grévistes contre le gouvernement Duplessis. Elle se porte ensuite à la défense de différentes causes sociales et politiques.

3 LA GRÈVE DE L'AMIANTE À ASBESTOS ET À THETFORD MINES ◄RC

En février 1949, une importante grève oppose les 5 000 mineurs de la région d'Asbestos à 5 compagnies minières étatsuniennes. Les mineurs, affectés par l'amiantose, une maladie causée par l'extraction de l'amiante, réclament une amélioration de leurs conditions de travail. Les patrons des mines refusent d'accéder à leur demande. Le gouvernement du Québec décrète que cette grève est illégale et oblige les mineurs à retourner au travail. Appuyés par des membres du clergé, dont l'archevêque Joseph Charbonneau, les travailleurs poursuivent la grève. Après plus de trois mois de grève, le gouvernement adopte une loi anti-émeute et la police provinciale intervient brutalement. Plusieurs grévistes sont arrêtés.

5 UN POÈTE ANGLOPHONE ENGAGÉ

Francis Reginald [Frank] Scott ◄RC
(1899-1985)
(Université McGill.)

Homme de lettres et intellectuel engagé, Frank Scott s'intéresse à la poésie avant d'étudier le droit à l'Université McGill. En 1931, il fonde la League for Social Reconstruction (LSR), puis devient président national du parti socialiste de la Co-operative Commonwealth Federation (CCF) en 1932. Son travail au sein de ce parti influence directement sa poésie, qui est particulièrement critique à l'égard de la politique de Maurice Duplessis. Au milieu des années 1950, il remporte deux causes célèbres devant la Cour suprême du Canada contre ce dernier (la Loi du cadenas et l'affaire Roncarelli).

3.8 LA RÉVOLUTION TRANQUILLE : L'ÉTAT SE MODERNISE

À partir des années 1960, une nouvelle conception du rôle de l'État, soutenue par les nouvelles élites⊙, s'impose dans la société. L'État intervient pour favoriser le développement de la société québécoise et entreprend des réformes.

Enquête

Expliquez les différences entre l'État sous le gouvernement de Maurice Duplessis et l'État à l'époque de la Révolution tranquille.

☐ LEXIQUE

Rapatriement – Avant 1982, il faut passer par Londres pour modifier la Constitution. Pierre Elliott Trudeau rapatrie la Constitution au Canada, y ajoutant une charte des droits et des libertés et une formule d'amendement.

L'AVÈNEMENT DE L'ÉTAT PROVIDENCE

En 1960, l'arrivée au pouvoir du gouvernement de Jean Lesage marque le début de grandes réformes. Le contexte économique et démographique et les changements de mentalités favorisent ces réformes. L'État intervient dans l'économie, dans les services sociaux et dans l'éducation et remplace l'Église et les initiatives privées (*doc.* ❶). Il prend de plus en plus de place dans la société et étend son pouvoir à différentes sphères sociales et économiques.

L'ÉTAT CRÉE DES INSTRUMENTS DE POUVOIR

Des organismes publics, telle la Caisse de dépôt et placement, deviennent des piliers du développement de la société et de l'économie du Québec. L'État nationalise l'hydroélectricité ; il crée des institutions scolaires publiques et un réseau de santé accessible à toute la population ; il met sur pied des organismes qui subventionnent la culture et les communications. En 1970, le gouvernement de Robert Bourassa instaure un régime public et universel d'assurance-maladie malgré l'opposition des médecins québécois qui déclenchent une grève.

LES RELATIONS AVEC LE GOUVERNEMENT FÉDÉRAL

Après 1960, poussés par la montée d'un nouveau nationalisme⊙, les gouvernements québécois réclament du gouvernement fédéral une nouvelle constitution qui donnerait à l'État québécois des pouvoirs accrus pour contrôler le développement social et économique du Québec. En 1980, le gouvernement péquiste de René Lévesque, élu en 1976 (*doc.* ❸ *et* ❹), propose et perd un référendum sur la souveraineté-association. En 1987, le gouvernement libéral de Robert Bourassa demande que le Québec soit reconnu comme une société distincte après l'exclusion du Québec lors du **rapatriement** de la Constitution en 1982. Le gouvernement péquiste de Jacques Parizeau tiendra sans succès un second référendum sur la souveraineté en 1995.

L'ÉTAT QUÉBÉCOIS SUR LA SCÈNE INTERNATIONALE

Les gouvernements québécois adoptent des mesures qui augmentent la présence du Québec sur la scène internationale. En 1965, le gouvernement de Jean Lesage instaure un ministère des Relations internationales. Le Québec est désormais représenté à l'étranger dans les domaines de sa compétence, tels la culture et le commerce, et négocie directement des ententes avec des pays étrangers. Depuis 1970, le Québec est membre de l'Organisation internationale de la Francophonie (*doc.* ❷).

1 L'ÉVOLUTION DES DÉPENSES DU GOUVERNEMENT DU QUÉBEC SELON LES MISSIONS

(en pourcentage)

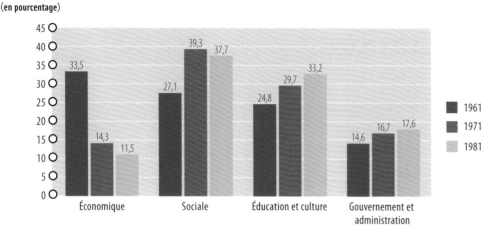

Légende : 1961, 1971, 1981

Économique : 33,5 ; 14,3 ; 11,5
Sociale : 27,1 ; 39,3 ; 37,7
Éducation et culture : 24,8 ; 29,7 ; 33,2
Gouvernement et administration : 14,6 ; 16,7 ; 17,6

Adapté de Simon Langlois *et al.*, *La société québécoise en tendances, 1960-1990*,
Institut de recherche sur la culture, 1990.

2 L'ORGANISATION INTERNATIONALE DE LA FRANCOPHONIE

« La Francophonie, consciente des liens que crée entre ses membres le partage de la langue française et de valeurs universelles, œuvre au service de la paix, de la coopération, de la solidarité et du développement durable. Les institutions de la Francophonie concourent, pour ce qui les concerne, à la réalisation de ces objectifs. […]

L'Organisation internationale de la Francophonie mène une action politique en faveur de la paix, de la démocratie et des droits de l'Homme et anime dans tous les domaines une concertation entre ses membres. Elle apporte autant que de besoin à ses États et gouvernements membres un appui dans l'élaboration ou la consolidation de leurs politiques sectorielles. Elle met en œuvre des actions de coopération multilatérale, selon une programmation quadriennale conformément aux grandes missions tracées par le Sommet de la Francophonie. »

Site officiel de l'Organisation international de la Francophonie [OIF], 2008.

3 LA DIVERSITÉ DES PROFESSIONS DES MEMBRES DU CONSEIL EXÉCUTIF EN 1976

NOMS	PROFESSIONS	NOMS	PROFESSIONS
Marc-André Bédard	Avocat	Marcel Léger	Journaliste
Denis de Belleval	Politologue	Jacques Léonard	Économiste
Yves Bérubé	Ingénieur	Lucien Lessard	Enseignant
Robert Burns	Avocat	René Lévesque	Journaliste
Claude Charron	Politologue	Pierre Marois	Économiste
Jacques Couture	Prêtre ouvrier	Jacques-Yvan Morin	Avocat
Yves Duhaime	Avocat	Claude Morin	Professeur
Jean Garon	Économiste	Louis O'Neill	Prêtre
Guy Joron	Politologue	Jacques Parizeau	Économiste
Bernard Landry	Professeur	Lise Payette	Journaliste
Camille Laurin	Médecin	Guy Tardif	Criminologue
Denis Lazure	Médecin	Rodrigue Tremblay	Économiste

COMPÉTENCE 2
Interpréter le passé.

1. Comment le pouvoir de l'État s'accroît-il ?

2. Quelles sont les principales revendications des gouvernements québécois auprès du fédéral ?

3. (*doc.* **3**) Comparez ce document au *doc.* **3** de la page 103, au *doc.* **4** de la page 111 et au *doc.* **3** de la page 121. Quelle constatation faites-vous sur les professions des personnes qui détiennent le pouvoir ?

COMPÉTENCE 2
Exercer sa citoyenneté.

4. Quels groupes de la société québécoise profitent des réformes durant la Révolution tranquille ?

CONCEPT
État

5. Expliquez les transformations du rôle de l'État québécois au cours de la Révolution tranquille.

4 DES DÉPUTÉS DU PARTI QUÉBÉCOIS CÉLÈBRENT LEUR VICTOIRE EN 1976.

Camille Laurin, René Lévesque, Gilbert Paquette et Lise Payette à l'aréna Paul-Sauvé en 1976.

Le Parti québécois est un parti souverainiste et social-démocrate fondé par René Lévesque en 1968. Au pouvoir de 1976 à 1985, le gouvernement du Parti québécois poursuit des réformes sociales et économiques entreprises pendant la Révolution tranquille.

PÉRIODE CONTEMPORAINE

3.9 LES NOUVEAUX POUVOIRS

Les gouvernements de la Révolution tranquille◉ adoptent des réformes sociales et des mesures visant à démocratiser la société québécoise. Les années 1960 sont aussi marquées par l'émergence d'une nouvelle élite◉ francophone.

Enquête

Vous faites partie de l'élite traditionnelle. Vous devez rédiger un texte expliquant les transformations que votre groupe a subies au cours de la Révolution tranquille.

LA MONTÉE D'UNE NOUVELLE ÉLITE

Une nouvelle élite occupe des postes de pouvoir. Trois nouveaux groupes s'imposent dans la société : les gestionnaires des institutions publiques et parapubliques, les intellectuels issus des universités et les gestionnaires et cadres du secteur privé◉. Ils exercent une influence sur l'État en orientant parfois ses décisions, et sur la société en intervenant dans les médias et sur la scène politique.

UNE NOUVELLE BOURGEOISIE FRANCOPHONE

La prospérité économique de l'après-guerre donne naissance à une nouvelle bourgeoisie francophone qui réussit à s'imposer dans les sociétés québécoise et canadienne et sur la scène internationale. Cette nouvelle bourgeoisie soutient la modernisation de l'État entreprise dans les années 1960. Elle profite des grands chantiers publics et de l'aide de l'État pour le développement économique. Le milieu des affaires se dote d'organismes pour défendre ses intérêts auprès de l'État et des syndicats.

PLUS DE POUVOIR POUR LES FEMMES

Dans les années 1960, des groupes modérés, telle la Fédération des femmes du Québec (FFQ), revendiquent des réformes sociales et luttent pour l'accès au pouvoir, l'émancipation et l'égalité des femmes (*doc.* **2**). D'autres groupes radicaux militent pour une transformation profonde de la société et une remise en question des rapports entre les hommes et les femmes. Les femmes occupent des postes de pouvoir au sein de l'État (*doc.* **3**), des institutions publiques et parapubliques et des entreprises privées, et obtiennent des réformes sociales, économiques et politiques.

LA RADICALISATION DU MOUVEMENT SYNDICAL

La croissance des institutions publiques et parapubliques et le développement des entreprises privées entraînent une augmentation du nombre d'employés syndiqués. Après plusieurs grèves parfois violentes, les travailleurs et travailleuses obtiennent une amélioration de leurs conditions de travail et des augmentations de salaire. Les femmes luttent dès lors contre les écarts salariaux fondés sur la discrimination sexuelle, mais ce n'est qu'en 1996 que le gouvernement adopte la Loi sur l'équité salariale. Des groupes politiques radicaux, tel le Front de libération du Québec (FLQ), manifestent violemment leurs revendications politiques (*doc.* **1** *et* **4**).

1 UN FILM SUR LA CRISE D'OCTOBRE

(Affiche du film *Les Ordres*. Cinémathèque québécoise.)

En 1974, quatre ans seulement après les événements de la Crise d'octobre, le cinéaste Michel Brault présente le film *Les Ordres*. Le scénario est fondé sur les entrevues d'une cinquantaine de personnes emprisonnées pendant la Crise d'octobre et traite de l'emploi de la Loi sur les mesures de guerre.

2 ACCROÎTRE LA PRÉSENCE DES FEMMES AU POUVOIR SELON LA FFQ

« Pour assurer le progrès des femmes en politique, il faudra :

- Intensifier notre action ; le regroupement de femmes ne saurait s'y soustraire et pour la F.F.Q., c'est la suite d'un engagement pris lors de son congrès de juin 1972.

- Continuer d'exercer des pressions auprès des partis politiques afin qu'ils augmentent le nombre de leurs candidates.

- Encourager des femmes à s'engager à tous les niveaux politiques.

- Inciter les femmes à s'inscrire à des cours d'éducation politique et les réclamer partout où ils sont inexistants.

- Porter à l'attention des députés, des femmes députés et des ministres toute question nécessitant des changements.

- Informer et sensibiliser la population en général. »

Bulletin de la Fédération des femmes du Québec, août 1974 et novembre 1976.

3 LA PREMIÈRE FEMME ÉLUE À L'ASSEMBLÉE NATIONALE

Marie-Claire Kirkland Casgrain (1924 -)
(Bibliothèque et Archives nationales du Québec.)

Avocate, elle est la première femme élue à l'Assemblée nationale du Québec en 1961. Ministre d'État sans portefeuille sous le gouvernement de Jean Lesage, elle pilote le projet de loi 16, adopté en 1964, qui accorde l'égalité juridique entre les hommes et les femmes.

COMPÉTENCE 2
Interpréter le passé.

1. Quel groupe perd de l'influence dans les années 1960 ?

2. Quels groupes soutiennent le développement de l'État québécois ?

CONCEPT
Influence

3. Quels groupes exercent une grande influence dans la société au cours de la Révolution tranquille ?

4 LE FRONT DE LIBÉRATION DU QUÉBEC

Le sergent-major Walter Leja est gravement blessé alors qu'il tente de désamorcer une bombe placée par le FLQ dans une boîte aux lettres à Westmount. (Bibliothèque et Archives Canada.)

Le FLQ, un groupe qui s'inspire des idées révolutionnaires européennes et des mouvements de libération nationale africain, asiatique et sud-américain, revendique la transformation radicale du système politique et l'indépendance du Québec. De 1963 à 1970, les membres du FLQ font exploser des bombes pour détruire les symboles de l'État fédéral et du capitalisme. En 1970, ils kidnappent un diplomate britannique, James R. Cross, et un ministre québécois, Pierre Laporte. Le gouvernement fédéral décrète la Loi sur les mesures de guerre. Pierre Laporte est retrouvé mort quelques jours après son enlèvement.

3.10 L'ÉTAT MODERNE REMIS EN QUESTION

À partir des années 1980, le contexte économique national et international suscite une remise en question de l'État providence. Les groupes d'influence se multiplient et des groupes d'intérêt interviennent auprès de l'État.

Enquête

Vous êtes lobbyiste pour une cause de votre choix. Dressez une liste des moyens que vous utiliserez pour vous faire entendre. Tentez de déterminer ceux qui sont le plus susceptibles d'avoir un impact.

LES INTÉRÊTS COLLECTIFS ET LES INTÉRÊTS PARTICULIERS

Les nouveaux enjeux de la fin du XXe siècle et du début du XXIe, tels que l'environnement, les changements démographiques, l'immigration, la dette et les conflits sociaux suscités en partie par la mondialisation⊙ des échanges, posent de nouveaux problèmes qui soulèvent des doutes sur l'efficacité de l'État. Ces enjeux auxquels la société québécoise doit faire face mettent en cause des intérêts collectifs et des intérêts particuliers (*doc.* **1** *et* **4**). Des citoyens s'unissent pour défendre des intérêts collectifs, comme les groupes d'écologistes, et d'autres pour défendre des intérêts particuliers (*doc.* **3**), comme les groupes qui luttent pour les droits des personnes handicapées.

LEXIQUE

Lobbying – Processus qui permet aux personnes et aux groupes de défendre leurs intérêts et d'influencer les décisions gouvernementales. Des lobbyistes sont mandatés pour représenter ces personnes ou ces groupes auprès des élus.

LA RÉÉVALUATION DU RÔLE DE L'ÉTAT

Dans les années 1980 et 1990, le ralentissement économique contribue à l'augmentation de la dette publique. Les institutions publiques éprouvent de sérieux problèmes de financement. Des groupes de personnes remettent en question le rôle de l'État. Ils proposent de diminuer la taille de l'État et sa présence dans la société et d'accorder une plus grande place aux entreprises privées dans l'administration des institutions publiques. Dans les années 2000, l'État québécois entreprend une réforme de ses institutions et de son rôle dans la société (*doc.* **2**).

DE NOUVELLES FORMES D'INFLUENCE

À la fin du XXe siècle, une nouvelle façon d'intervenir auprès de l'État, le **lobbying**, prend de l'importance dans la vie politique québécoise. Des groupes de pression visent à faire modifier ou, au contraire, à empêcher la modification des lois et des procédures du gouvernement (*doc.* **5**). Plusieurs citoyens et citoyennes se regroupent selon leurs intérêts communs dans des associations ou dans des organismes communautaires. Ils utilisent différents moyens pour intervenir auprès de l'État, telles la participation à des commissions ou à des consultations publiques ou des interventions auprès de leur député.

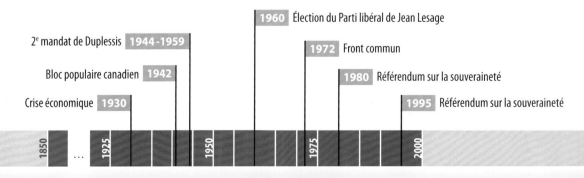

Crise économique **1930**	
Bloc populaire canadien **1942**	
2e mandat de Duplessis **1944-1959**	
	1960 Élection du Parti libéral de Jean Lesage
	1972 Front commun
	1980 Référendum sur la souveraineté
	1995 Référendum sur la souveraineté

1850 … 1925 1950 1975 2000

1 UN GRAND CHEF DE LA NATION HURONNE-WENDAT

Max « one-onti » Gros-Louis (1931 -)

Max Gros-Louis alors qu'il reçoit une décoration à Québec en 2008.

Avocat élu grand chef en 1964, en 1994 et en 2004 et défait en 2008, Max Gros-Louis est également fondateur et directeur de plusieurs organismes pour la défense des droits et des revendications des Premières Nations. Il travaille à la mise en valeur des cultures des Premières Nations et à leur reconnaissance internationale.

2 UNE ASSOCIATION CITOYENNE OPPOSÉE AUX RÉFORMES DE L'ÉTAT QUÉBÉCOIS

Fondée en France en 1998, l'Association pour la taxation des transactions financières et pour l'action citoyenne est aujourd'hui présente dans plus de 40 pays.

« Après la politique, un peu moins agressive mais tout aussi néolibérale[G], du Parti québécois qui prônait la modernisation de l'État, la "réingénierie" proposée actuellement vise à favoriser les intérêts particuliers aux dépens des intérêts collectifs. Moins d'État c'est aussi moins de solidarité. L'économie laissée à elle-même crée de la pauvreté et des inégalités. Contrairement à ce que soutient le discours néolibéral, ce ne sont pas les individus qui choisissent de s'exclure. L'intervention de l'État en faveur des travailleurs, des chômeurs et des exclus est une assurance collective dont nous nous sommes dotés pour nous protéger contre les dysfonctionnements du système économique. Le rôle de l'État est aussi de permettre aux syndicats, à travers un encadrement juridique adéquat, de protéger et d'améliorer les conditions de travail. C'est pour toutes ces raisons qu'Attac-Québec s'oppose au gouvernement Charest et au néolibéralisme, car nous refusons l'individualisme et souhaitons que la société québécoise demeure solidaire. »

Site officiel de ATTAC-Québec, 2008.

3 UN GROUPE D'INFLUENCE : LA CHAMBRE DE COMMERCE DE QUÉBEC

« Agir comme leader et partenaire pour un développement économique soutenu de la région de Québec et offrir aux gens d'affaires des services favorisant le réseautage, l'amélioration de leurs compétences et l'accès à des occasions d'affaires.

Des objectifs

Volet économique : Promouvoir notre vision du développement économique et influencer les dossiers et les projets à caractère économique afin d'atteindre le plein potentiel de croissance du territoire de la communauté métropolitaine de Québec.

Volet réseautage : Favoriser les occasions d'échanges entre les membres.

Volet diffusion : Favoriser la reconnaissance et le rayonnement.

Volet perfectionnement, information et formation : Offrir des occasions de perfectionnement aux membres. »

Site officiel de la Chambre de commerce de Québec, 2008.

4 LA PAIX DES BRAVES ◀RC

En 2002, le premier ministre Bernard Landry et le grand chef du Grand Conseil des Cris, Ted Moses, signent la Paix des braves, une entente qui permet à la société d'État Hydro-Québec de construire le projet hydroélectrique Eastmain-Rupert près de la Baie James. L'entente prévoit que les neuf communautés cries de la Baie James seront associées au développement hydroélectrique de leur région, mais aussi à tout ce qui touche au développement du Nord québécois, reconnaissant ainsi leurs droits sur ces terres.

5 UN GROUPE DE DÉFENSE DES ANGLOPHONES DU QUÉBEC

Alliance Québec, le 23 mars 1982.

Alliance Québec est formé en 1982 pour défendre les droits linguistiques de la minorité anglophone. Ce groupe financé par le gouvernement fédéral conteste en Cour suprême certaines dispositions de la Charte de la langue française. Le gouvernement libéral de Robert Bourassa doit modifier la loi à la suite du jugement de la Cour rendu en 1988, qui invalide l'obligation de l'affichage commercial unilingue français.

COMPÉTENCE 2
Interpréter le passé.

1. Expliquez quelques enjeux qui concernent les intérêts collectifs au début du XXIe siècle.

COMPÉTENCE 3
Exercer sa citoyenneté.

2. Expliquez la différence entre les intérêts collectifs et les intérêts particuliers.

CONCEPT
Influence

3. Quelles sont les nouvelles formes d'influence à la fin du XXe siècle ?

COMPÉTENCE 1
Interroger le présent.

4. Après avoir étudié le thème *Pouvoir et pouvoirs* pendant la période contemporaine, votre hypothèse sur la dynamique entre le pouvoir et les groupes d'influence au Québec depuis le XVIIe siècle est-elle toujours valide ? Au besoin, reformulez-la ou complétez-la.

PÉRIODE CONTEMPORAINE

Dans les pages 130 à 133, vous trouverez des documents qui constituent une synthèse des savoirs liés au thème Pouvoir et pouvoirs.

1. RÉSUMÉ

Le résumé ci-dessous présente, pour chacune des grandes périodes historiques, la dynamique entre pouvoir et pouvoirs au Québec.

 LE RÉGIME FRANÇAIS (1608-1760)

L'ÉTAT COLONIAL FRANÇAIS

- Au début, la Nouvelle-France est administrée par des compagnies privées qui ont le devoir de peupler la colonie en échange du monopole sur la traite des fourrures. L'Église est le groupe d'influence le plus important.

- En 1663, devant l'échec de la colonisation, le roi Louis XIV prend personnellement le contrôle de la Nouvelle-France. Il instaure une nouvelle organisation politique, le Conseil souverain. Le gouverneur et l'intendant se partagent le pouvoir.

- La noblesse, les seigneurs et le clergé exercent une influence sur l'État en siégeant au Conseil souverain. Les classes populaires ont très peu d'influence.

 LE RÉGIME BRITANNIQUE (1760-1867)

UNE NOUVELLE MÉTROPOLE

- La Proclamation royale instaure un nouveau régime politique. Le gouverneur exerce le pouvoir, aidé par un conseil exécutif. James Murray refuse d'instaurer une assemblée législative élue. Les Canadiens français sont exclus du pouvoir politique.

- En 1791, l'Acte constitutionnel instaure le parlementarisme et le système représentatif. Une nouvelle élite, la grande bourgeoisie d'affaires, lutte pour accéder au pouvoir. Une moyenne bourgeoisie francophone utilise l'Assemblée pour faire valoir ses droits et défendre ses intérêts. L'influence de l'Église commence à décliner.

- Des conflits entre l'Assemblée et le gouverneur et entre les Canadiens français et les Britanniques mènent aux Rébellions de 1837-1838.

- Par l'Acte d'Union de 1840, les Canadiens français deviennent minoritaires à l'Assemblée du Canada-Uni.

- En 1848, l'obtention de la responsabilité ministérielle consacre la démocratie parlementaire.

 LA PÉRIODE CONTEMPORAINE (1867 à nos jours)

VERS UN ÉTAT MODERNE

- La Confédération instaure l'État fédéral. Les pouvoirs législatifs sont répartis entre les deux paliers de gouvernement.

- La grande bourgeoisie d'affaires est le groupe le plus influent de la société. La moyenne bourgeoisie francophone occupe les postes de pouvoir de l'État. L'Église redevient un groupe influent à la fin du XIXᵉ siècle. L'État lui confie l'administration des établissements scolaires et des hôpitaux. De nouveaux groupes d'influence émergent au début du XXᵉ siècle : les ouvriers et les groupes de femmes.

- Après la crise économique et la Seconde Guerre mondiale, l'État fédéral intervient davantage dans la société.

- Dans les années 1950, le chef de l'Union nationale, Maurice Duplessis, gouverne en s'appuyant sur les agriculteurs, le patronat et l'Église. Son programme favorise les valeurs traditionnelles de la vie rurale et de la religion catholique.

- Les groupes de femmes, les syndicats et une nouvelle élite critiquent le régime de Maurice Duplessis, revendiquent des réformes sociales et politiques et l'accès aux postes de pouvoir.

- Dans les années 1960 et 1970, l'État québécois intervient davantage dans l'économie, dans les domaines sociaux et dans l'éducation. Il remplace l'Église et les initiatives privées dans la gestion des institutions et instaure des réformes sociales et économiques.

- Dans les années 1980, de nouvelles façons d'influencer l'État apparaissent. Le rôle de l'État est remis en question.

2. CONCEPTS

Les réseaux ci-dessous mettent en relation les concepts liés au thème Pouvoir et pouvoirs. Il peut être intéressant de réfléchir aux liens qui existent entre ces concepts.

LE POUVOIR ET LES POUVOIRS

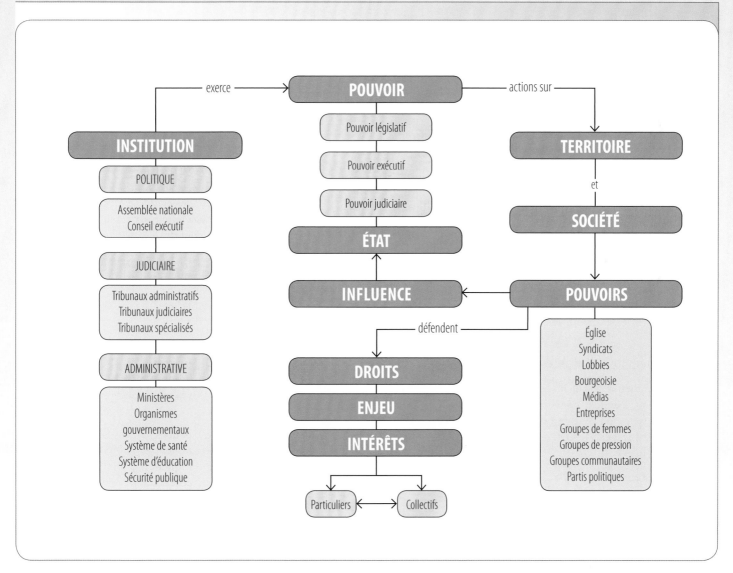

3. CHRONOLOGIE

POUVOIR ET POUVOIRS

	1608 Fondation de Québec.
	1642 Fondation de Ville-Marie (Montréal).
	1663 Mise en place du gouvernement royal.
Intendant Talon. **1665**	
Gouverneur Frontenac. **1672**	**1701** Grande Paix de Montréal.
	1713 Traité d'Utrecht.
Bataille des plaines d'Abraham. **1759**	
	1760 Conquête de la Nouvelle-France par les Britanniques.
	1763 Traité de Paris et Proclamation royale.
	1774 Acte de Québec.
	1776 Déclaration d'Indépendance des États-Unis d'Amérique.
	1791 Acte constitutionnel.
Loi de pleine émancipation des Juifs. **1832**	
	1837-1838 Rébellions dans le Haut-Canada et le Bas-Canada.
Rapport Durham. **1839**	
Application du principe de la responsabilité ministérielle. **1848**	**1840** Acte d'Union. Création du Canada-Uni, divisé en Canada-Est et Canada-Ouest.
Loi interdisant aux femmes de voter. **1849**	
	1867 Acte de l'Amérique du Nord britannique (AANB). (Confédération canadienne.)
Pendaison de Louis Riel. **1885**	
Crise de la conscription. **1917**	**1914-1918** Première Guerre mondiale.
Droit de vote accordé aux femmes au fédéral. **1918**	
Premier mandat de Maurice Duplessis. **1936-1939**	
Droit de vote accordé aux femmes au provincial. **1940**	**1939-1945** Seconde Guerre mondiale.
Création du Bloc populaire. **1942**	
Réélection de l'Union nationale. **1944**	
Adoption du drapeau fleurdelisé au Québec. **1948**	
Instauration de l'impôt provincial sur le revenu. **1954**	
Élection de Jean Lesage. **1960**	
Nationalisation de l'électricité. **1963**	
Création du Mouvement souveraineté-association. **1967**	
Crise d'octobre. **1970**	
Front commun. **1972**	
Convention de la Baie James et du Nord québécois. **1975**	
Élection du Parti québécois. **1976**	
Adoption de la Charte de la langue française (projet de loi 101). **1977**	
	1980 et 1995 Référendums sur la souveraineté du Québec.
Rapatriement de la Constitution. **1982**	

4. RETOUR SUR L'ANGLE D'ENTRÉE

ANGLE D'ENTRÉE
La dynamique entre groupes d'influence et pouvoir.

⚜ COMPÉTENCE 2
Interpréter le passé.

À l'aide des documents ci-dessous et de vos connaissances, rédigez un texte de 200 mots présentant l'évolution de la dynamique entre pouvoir et pouvoirs.

1 L'ADQ PROMET UNE COMMISSION D'ENQUÊTE PUBLIQUE.

« Je m'engage à instaurer une commission d'enquête publique sur les conditions de vie des aînés dans les premiers jours qui suivront les élections. Pour marquer l'importance que nous accordons à cette décision, je m'engage à ce qu'il s'agisse du tout premier geste que je poserai dans un gouvernement adéquiste. Pour que cesse ce fléau inadmissible, il faut poser une action forte, il faut un acte de leadership capable de susciter une prise de conscience collective et un changement de culture en matière de soins à nos aînés. Seule une commission d'enquête publique possède cette capacité de réellement changer les choses en profondeur. Le Québec doit passer à l'action dans ce domaine et c'est ce que nous ferons. »

Site officiel de l'Action démocratique du Québec, *Commission sur les conditions de vie des aînés*, 3 mars 2007.

2 LE RAPPORT DURHAM ◀RC

« Il ne faut pas penser à tenter de priver le peuple de son pouvoir constitutionnel. Le rôle des gouvernants est de conduire maintenant le Gouvernement dans l'harmonie et en accord avec ses principes établis. J'ignore comment il est possible d'assurer cette harmonie d'une autre manière qu'en administrant le Gouvernement d'après des principes dont l'efficacité est établie sur l'expérience de la Grande-Bretagne. […] D'autre part, la couronne doit se soumettre aux conséquences nécessaires des institutions représentatives ; et si elle doit faire fonctionner le Gouvernement de concert avec un corps représentatif, il faut qu'elle y consente par l'intermédiaire de ceux en qui ce corps représentatif a confiance. […] La fin première et ferme du Gouvernement britannique doit à l'avenir consister à établir dans la province une population de lois et de langue anglaise, et de n'en confier le gouvernement qu'à une Assemblée décidément anglaise. »

Lord Durham, *Rapport sur les affaires de l'Amérique du Nord britannique* (1839), trad. Marcel-Pierre Hamel de la Société historique de Montréal, Éditions du Québec, 1948.

3 LE SYSTÈME SEIGNEURIAL

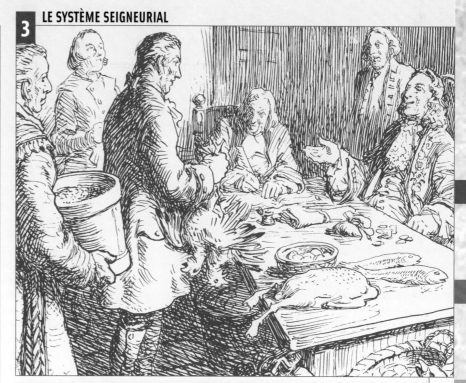

Des habitants paient le cens à leur seigneur.
(C.W. Jefferys dans Morden H. Long, *A History of the Canadian People*, 1942. Musée de la civilisation, Bibliothèque du Séminaire de Québec.)

Cuba

(Le *Capitolio Nacional* est inauguré le 20 mai 1929. Siège du gouvernement cubain avant la révolution de 1959, il abrite aujourd'hui l'Académie des sciences. L'édifice est une réplique du Capitole à Washington, le siège du pouvoir législatif étatsunien.)

RC

Pays insulaire des Grandes Antilles, Cuba est sous occupation étrangère depuis sa conquête par l'Espagne en 1492. Malgré la proclamation de son indépendance en 1901, l'île reste sous la dépendance politique et économique des États-Unis. En 1959, la révolution en fait une dictature socialiste. Les libertés et les droits civils sont réglementés et limités par l'État et l'opposition politique est interdite. Depuis 1960, Cuba est sous embargo^G des États-Unis.

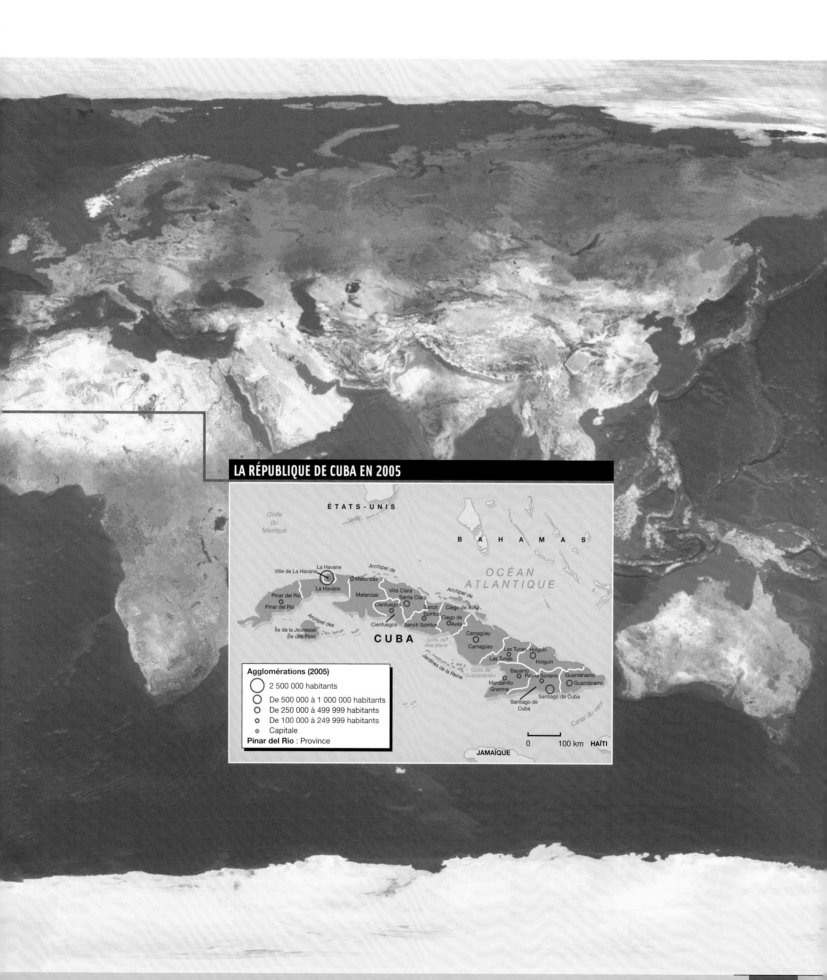

LA RÉPUBLIQUE DE CUBA EN 2005

ÉTATS-UNIS

Golfe du Mexique

B A H A M A S

OCÉAN ATLANTIQUE

Ville de La Havane
La Havane
Archipel de
Matanzas
Pinar del Rio
Pinar del Rio
Matanzas
Villa Clara
Santa Clara
Archipel de
Cienfuegos
Sancti
Spíritus
Ciego de Ávila
Archipel des
Cienfuegos
Sancti Spíritus
Ciego de
Ávila
Île de la Jeunesse
(Île des Pins)
CUBA
Golfe de
Ana María
Camagüey
Camagüey
Las Tunas
Holguín
Las Tunas
Holguín
Jardines de la Reina
Golfe de
Guacanayabo
Bayamo
Palma Soriano
Guantánamo
Manzanillo
Guantánamo
Granma
Santiago de Cuba
Santiago de
Cuba
Canal du vent

Agglomérations (2005)

◯ 2 500 000 habitants
◯ De 500 000 à 1 000 000 habitants
○ De 250 000 à 499 999 habitants
○ De 100 000 à 249 999 habitants
· Capitale
Pinar del Rio : Province

0   100 km   HAÏTI

JAMAÏQUE

Dans les pages 136 à 141, vous prendrez connaissance de textes explicatifs et de documents qui vous permettront de comparer la dynamique entre le pouvoir et les pouvoirs au Québec avec celle de Cuba.

LEXIQUE

Dictateur – Chef d'État qui, s'étant emparé de tous les pouvoirs, gouverne sans contrôle démocratique.

Embargo – Mesures militaires et économiques ayant pour but d'empêcher les échanges économiques entre des pays.

Guérilla – En espagnol, « petite guerre ». Lutte armée menée par des bandes ou des éléments légers cherchant à surprendre, à déséquilibrer et à user l'adversaire, généralement une armée régulière.

Martisme – Idéologie marxiste inspirée du héros nationaliste cubain José Martí, qui a mené la première révolution en 1895.

CUBA HIER

L'**embargo** des États-Unis, imposé en 1960, pose des problèmes économiques importants à Cuba. Isolé depuis la tombée de son allié, l'URSS, l'État adopte quelques mesures libérales sans remettre en question son orientation socialiste.

LA RÉVOLUTION CASTRISTE

À la fin des années 1950, de jeunes socialistes révolutionnaires, dirigés par Fidel Castro et Ernesto Che Guevara (*doc.* **2**), forment une armée paysanne pour prendre le pouvoir à Cuba. Ils affrontent les troupes du **dictateur** Fulgencio Batista, revenu au pouvoir par un coup d'État en mars 1952. On accuse le régime de Batista d'offrir le pays aux États-Unis sur un plateau d'argent. Ces derniers contrôlent 90 % des mines de nickel et des exploitations agricoles, 80 % des services publics et 50 % des chemins de fer. Avec le Royaume-Uni, les États-Unis contrôlent aussi toute l'industrie pétrolière. En 1959, les révolutionnaires prennent à leur tour le pouvoir par la **guérilla**. Les partisans de Batista ainsi que plusieurs opposants politiques sont exécutés.

L'ÉTAT SOCIALISTE CUBAIN

Fidel Castro devient le chef de l'État socialiste cubain. Il cumule tous les pouvoirs et gouverne par décrets. Les libertés et les droits civils sont suspendus. Fidel Castro instaure une police politique d'État qui surveille les opposants politiques. En 1976, une nouvelle constitution (*doc.* **1**) fait du Parti communiste cubain (PCC) l'organe le plus important du pouvoir à Cuba. L'État est omniprésent et le parti unique du PCC contrôle toute la société cubaine, publique et privée. Fidel Castro instaure des réformes sociales et économiques importantes et avant-gardistes pour l'époque, comme la nationalisation des entreprises et des banques étrangères ainsi que la gratuité de l'éducation et des soins médicaux.

LES ÉVÉNEMENTS ENTOURANT LA CRISE DES ANNÉES 1990

L'embargo déclaré par les États-Unis en 1960 ainsi que la chute, en 1991, de l'Union soviétique (le modèle de développement socialiste et le partenaire commercial de Cuba) plongent le pays dans une grave crise économique. L'État assouplit ses politiques économiques et tolère le libre marché. Cuba s'ouvre au monde extérieur et le tourisme, sous le contrôle de l'État et de l'armée, devient la principale activité économique dans les années 2000. L'augmentation des revenus générés par le tourisme contribue à sortir Cuba de la crise, mais accentue les inégalités sociales. En 2006, la maladie contraint Fidel Castro (*doc.* **3**) à déléguer une partie de ses pouvoirs à son frère Raúl.

1. LA CONSTITUTION CUBAINE DE 1976

« ARTICLE 1. La République de Cuba est un État socialiste de travailleurs, indépendant et souverain, organisé avec tous et pour le bien de tous, en tant que République unitaire et démocratique, pour la jouissance de la liberté politique, la justice sociale, le bien-être individuel et collectif et la solidarité humaine. [...]

ARTICLE 3. Dans la République de Cuba, la souveraineté réside dans le peuple, d'où émane tout le pouvoir de l'État. Ce pouvoir est exercé à travers les assemblées de Pouvoir populaire et les autres organes qui en dérivent, ou directement, conformément à la forme et aux normes établies par la Constitution et les lois.

Tous les citoyens ont le droit de combattre, par tous les moyens, y compris à travers la lutte armée au cas où tout autre moyen leur serait impossible, quiconque tenterait de renverser l'ordre politique, social et économique établi par cette Constitution. [...]

ARTICLE 5. Le Parti communiste de Cuba, martiste et marxiste-léniniste, avant-garde organisée de la nation cubaine, est la force dirigeante supérieure de la société et de l'État, qui organise et oriente les efforts communs vers les objectifs élevés de l'édification du socialisme, ainsi que la marche vers la société communiste. [...]

ARTICLE 94. En cas d'absence de maladie ou de décès du président du Conseil d'État, les fonctions de celui-ci sont assumées par le premier vice-président. »

Assemblée nationale du Pouvoir populaire, République de Cuba, *Constitution*, 24 février 1976.

2. LA RÉVOLUTION CUBAINE

Dr Ernesto Guevara (1928-1967)

Ernesto Che Guevara après l'entrée triomphale des forces rebelles à La Havane, le 1er janvier 1959.

Médecin d'origine argentine devenu homme politique et révolutionnaire marxiste, Ernesto Guevara est né le 14 juin 1928. Après avoir voyagé en Amérique latine et découvert l'extrême pauvreté de ses habitants, il livre un combat contre les inégalités socioéconomiques dans plusieurs pays. Il se joint à la guérilla cubaine en 1957 et y joue un rôle majeur. Che Guevara occupe ensuite plusieurs postes importants dans le gouvernement cubain de Castro dont il démissionne en 1965. Poursuivant ses idéaux révolutionnaires au Congo et en Bolivie, il est exécuté le 9 octobre 1967 en Bolivie.

⚜ COMPÉTENCE 1
Interpréter le présent.

1. Quels sont les défis à relever par Cuba depuis la révolution ?

⚜ COMPÉTENCE 2
Interpréter le passé.

2. Quels intérêts poursuivent les États-Unis avant la révolution cubaine ?

3. Quel type d'État est instauré par la révolution de 1959 ?

4. Cet État est-il démocratique ? Expliquez votre réponse.

⚜ CONCEPT
Intérêt

5. Quels intérêts et quels buts poursuivent les révolutionnaires dans les années 1950 ?

3. UN DEMI-SIÈCLE À LA BARRE DE LA NATION CUBAINE

Fidel Castro (1926 -), le 29 janvier 2007 à l'âge de 80 ans.

En 2006, Fidel Castro subit une intervention chirurgicale et son état de santé ne lui permet pas de réintégrer ses fonctions. Raúl Castro, son successeur désigné depuis 1960 par la Constitution de Cuba, prend la présidence. Arrivé au pouvoir en janvier 1959, Fidel Castro aura été le chef de l'État pendant 49 ans.

CUBA AU DÉBUT DU XXIᴱ SIÈCLE

En 2008, Fidel Castro délègue tous ses pouvoirs à son frère Raúl. Ce changement de chef suscite des attentes chez une partie de la population qui souhaite des réformes économiques et politiques. À Cuba, toutes les personnes doivent affirmer leur allégeance à l'État pour faire partie intégrante de la société. Dans le cas contraire, elles sont considérées comme asociales ou contre-révolutionnaires et sont passibles d'emprisonnement.

1 LE DISCOURS DE CONTINUITÉ DE RAÚL CASTRO

Raúl Castro
(1931 -)
Raúl Castro, le 13 mars 2007 lors d'une cérémonie.

Frère cadet de Fidel Castro, Raúl participe à la révolution cubaine et devient ministre de la Défense en 1959. Successeur désigné dès 1960, Raúl assure la présidence par intérim à compter de juillet 2006, à la suite de la maladie de Fidel. Le 24 février 2008, Raúl est élu président du Conseil d'État et du Conseil des ministres de la République de Cuba à l'unanimité par les 609 membres de l'Assemblée nationale (doc. **3**). Il y exerce tous les pouvoirs de l'État.

« J'assume la responsabilité qui m'est confiée avec la conviction qu'il n'y a, comme je l'ai souvent affirmé, qu'un seul commandant de la Révolution cubaine. Fidel est Fidel, nous le savons tous bien. Fidel est irremplaçable et le peuple continuera son œuvre lorsqu'il ne sera plus là physiquement… Seul le Parti communiste, garantie sûre de l'unité de la nation cubaine, peut être le digne héritier de la confiance déposée par le peuple en son leader. C'est la force dirigeante supérieure de la société et de l'État… »

Raúl Castro, discours prononcé lors de la cérémonie d'**investiture** à la présidence de Cuba, 24 février 2008.

2 UN DISCOURS PRÉSIDENTIEL SANS LES CHANGEMENTS PROMIS

« Raúl Castro a semblé renoncer pour l'heure aux "changements structurels" promis l'an dernier pour Cuba, préférant, dans son adresse à la nation prononcée le 26 juillet, avertir ses compatriotes de l'arrivée prochaine de mauvaises nouvelles et se concentrer sur la rénovation des infrastructures du pays. […]

Dans son discours prononcé samedi soir à Santiago, le successeur de Fidel Castro a déclaré aux Cubains qu'ils devaient "s'habituer à ne pas recevoir que des bonnes nouvelles", en raison de la flambée des cours mondiaux du pétrole et des denrées alimentaires.

Et ce, même si son gouvernement "continuera de faire tout ce qui est à sa portée pour continuer d'avancer et de réduire au minimum les conséquences inévitables sur la population de la crise internationale actuelle".

Un an après son discours de Camagüey, Raúl Castro, 77 ans, n'est revenu sur aucun des "changements structurels et conceptuels" promis alors qu'il était encore président intérimaire et qui avaient suscité de grands espoirs dans la population. »

Patrick Lescot, « Raúl Castro se détourne des réformes », *Agence France-Presse*, 27 juillet 2008.

3 L'ORGANISATION POLITIQUE DE CUBA

Raúl Castro
Chef d'État et chef du gouvernement ; Président du Conseil d'État ; Président du Conseil des ministres ;
Premier secrétaire du Parti communiste cubain ; Commandant en chef des Forces armées

↑ élit   contrôle   contrôle ↓

Pouvoir législatif   **Pouvoir exécutif**

délègue ses pouvoirs

Assemblée nationale du pouvoir populaire   **Conseil d'État**   nomme →   **Conseil des ministres / Comité exécutif (Administration publique)**

nomme les juges   exerce un contrôle

Pouvoir judiciaire
Cour suprême populaire, cours de justices, cours municipales, tribunaux révolutionnaires

↑ élit

Population

● Élu   ● Nommé

COMPÉTENCE 1
Interroger le présent.

1. Qui est le chef de l'État cubain en 2008 et quelles fonctions cumule-t-il ?

2. En 2008, le pouvoir semble-t-il répondre aux attentes de la population ? Expliquez votre réponse.

CONCEPT
État

3. Qui détient le pouvoir dans l'État cubain ?

Institutions

4. Quels sont les rôles des différentes institutions politiques de Cuba ?

4 DES ORGANISATIONS DE CITOYENS ASSURENT LE CONTRÔLE DE LA SOCIÉTÉ.

« Les Comités de défense de la révolution (CDR) sont l'organisation de masse la plus originale, et la plus massive (jusqu'à 8 millions de membres), du système politique cubain. Créés en 1960 comme organes de surveillance et de lutte contre les sabotages et les menées contre-révolutionnaires, les CDR s'organisent à l'échelle du quartier, voire du pâté de maisons. Ils deviennent rapidement un instrument de censure jusque dans la vie quotidienne et intime des Cubains, relevant et dénonçant les comportements prétendument "asociaux" ou "contraires à la morale socialiste". […] D'autres organisations de masse, telles la Fédération des femmes cubaines (FMC), la Fédération des étudiants universitaires (FEU) […], censées au départ représenter les intérêts des différents secteurs de la société, sont devenues des courroies de transmission du pouvoir. »

Loïc Abrassart, *Cuba – La révolution trahie*, Milan, 2006.

5 LES LIMITES DU POUVOIR POPULAIRE À CUBA

« La Constitution de 1976 institue les organes du *poder popular*, le "pouvoir populaire", dénomination que l'on retrouve à l'échelle municipale, provinciale et nationale. Les candidats aux élections municipales sont choisis par des assemblées de quartier, puis présentés au vote de tous les électeurs. Les membres des 15 assemblées provinciales et de l'Assemblée nationale sont, eux, élus par les élus municipaux. Les candidats ne sont pas présentés par le PCC, mais la quasi-totalité des élus en est membre aux niveaux provincial et national. Si la participation au processus électoral peut être importante, le régime politique cubain grave dans le marbre l'absence de pluralisme politique. C'est dans le Conseil d'État, élu par l'Assemblée nationale, que sont concentrés tous les pouvoirs. »

Loïc Abrassart, *Cuba – La révolution trahie*, Milan, 2006.

6 LES ÉDIFICES PUBLICS DE LA PLACE DE LA RÉVOLUTION

Située dans la capitale, La Havane, la place de la Révolution est le centre du pouvoir politique cubain. De grands rassemblements politiques y sont régulièrement organisés pour commémorer des événements tels que la fête des Travailleurs le 1er mai. Le personnage représenté est le révolutionnaire Ernesto Che Guevara.

CUBA

7 QUELQUES DONNÉES STATISTIQUES SUR CUBA

ANNÉE	DONNÉES	RÉSULTAT
2005	Scolarisation universitaire (% d'élèves de 20 à 24 ans)	61,5 %
2006	Population	11 267 000
2007	Accès à Internet (% par 1 000 habitants)	16,9 %
2007	Dépenses publiques pour l'éducation (% du PIB[G])	9,8 %
2007	Dépenses publiques pour la défense (% du PIB)	4,0 %

D'après divers recensements, adapté de *L'état du monde*, Boréal, 2008.

8 DES EXILÉS CUBAINS SUR UN RADEAU

Depuis la révolution, des milliers de Cubains et de Cubaines fuient leur île pour essayer d'atteindre les États-Unis. On trouve près de 650 000 exilés cubains à Miami.

Des cubains sur un radeau près de La Havane.

9 LE MOUVEMENT DES *DAMAS DE BLANCO*

Des femmes en faveur du régime castriste expriment leur opposition à la manifestation.
(20 mars 2005. La Havane, Cuba.)

Le groupe des Dames en blanc a vu le jour au début de l'année 2004. Il mobilise des femmes, des mères et des amies de dissidents emprisonnés. Elles manifestent en silence, vêtues de blanc, en montrant le portrait de leurs proches, fils et époux.

10 LES DROITS POLITIQUES ENCADRÉS PAR L'ÉTAT

« Il n'existe à Cuba que la presse officielle et l'accès à Internet est très strictement limité. L'exercice des droits et libertés doit être "conforme aux objectifs de la révolution" et le régime met l'accent sur le respect des droits sociaux. Aujourd'hui, c'est surtout dans le sentiment nationaliste que le pouvoir parvient à puiser un certain soutien de la part d'une population que la croissance des inégalités, ainsi que les problèmes de rationnement alimentaire et d'approvisionnement énergétique apparus depuis les années 90, ont rendue plus irritable. Le régime entretient, non sans succès, le syndrome d'une révolution assiégée par l'ennemi extérieur (une intervention américaine est régulièrement présentée comme étant imminente) et recourt à cet argument pour justifier son attitude à l'égard des opposants, présentés comme des mercenaires à la solde des États-Unis, qui mettraient en danger la révolution cubaine. Selon diverses organisations de défense des droits de l'Homme, il y aurait actuellement environ 350 prisonniers politiques à Cuba. »

Site de France Diplomatie, ministère des Affaires étrangères, 2008.

11 LA LIBERTÉ SOUS SURVEILLANCE

Vladimiro Roca Antúnez (1945 -) s'adresse aux médias étrangers.
(25 novembre 2004. La Havane.)

Un des dissidents cubains les plus connus, Vladimiro Roca Antúnez est le chef et fondateur du Parti social-démocrate cubain. Arrêté le 16 juillet 1997 pour avoir critiqué la ligne du parti communiste et réclamé des réformes démocratiques, il est emprisonné pendant près de cinq ans. Libéré en juin 2002, il est aujourd'hui coordonnateur du mouvement illégal d'opposition Todos Unidos (Tous unis).

« D'une façon générale, je dirais que la répression est un échec pour le gouvernement. Le régime n'est pas parvenu à mater l'opposition. Malgré sa tentative d'exploiter l'impopularité mondiale des États-Unis, il a perdu de nombreux appuis dans les pays démocratiques. À l'occasion du premier anniversaire des arrestations [lors de l'opposition pacifique du 18 mars 2003], je voudrais faire passer un message à ceux qui sont derrière les barreaux : nous n'abandonnerons pas la lutte pour le changement démocratique dans notre pays ; malgré la répression du régime, nous poursuivrons notre campagne en vue de la libération de nos prisonniers politiques. »

Vladimiro Roca Antúnez, « La dernière victime de Fidel Castro : lui-même », 2004.

⚜ COMPÉTENCE 1
Interpréter le présent.

1. Quels groupes de citoyens exercent une influence sur l'État ?

2. Comment l'État maintient-il son contrôle sur la société ?

⚜ COMPÉTENCE 3
Exercer sa citoyenneté.

3. Quels intérêts les organisations citoyennes défendent-elles ?

⚜ CONCEPT
Influence

4. Quels moyens la population utilise-t-elle pour exercer une influence sur l'État ?

12 LA LIBERTÉ CONDITIONNELLE

Marta Beatriz Roque Cabello (1945 -)
À sa sortie de prison, l'une des 75 personnes arrêtées le 18 mars 2003 s'adresse aux médias.
(22 juillet 2004. La Havane.)

Économiste et présidente de l'*Asamblea para pormover la sociedad civil en Cuba* (Assemblée pour la promotion de la société civile à Cuba), Marta Beatriz Roque Cabello est arrêtée et emprisonnée en 1997, puis le 18 mars 2003. Elle est condamnée à 20 ans d'emprisonnement pour avoir porté atteinte à l'« indépendance ou l'intégrité territoriale de l'État » (article 91 du Code pénal). Le 22 juillet 2004, elle bénéficie d'une mesure de libération conditionnelle pour raisons médicales. Depuis, elle accorde régulièrement des entrevues à des médias étrangers pour critiquer le pouvoir cubain et pour demander la remise en liberté d'autres prisonniers d'opinion cubains.

13 LA LIBERTÉ PRÉVUE POUR 2023

Ricardo González Alfonso (1950 -)
(Transmis à titre gracieux par Reporters sans frontières.)

Ricardo González Alfonso est le directeur de l'association de journalistes Manuel Márquez Sterling, correspondant de Reporters sans frontières et éditeur du bimensuel *De Cuba*, la première revue indépendante à paraître depuis la révolution cubaine de 1959. Il fait partie des 75 dissidents et dissidentes politiques arrêtés partout au pays le 18 mars 2003. Il est condamné à 20 ans de prison.

14 LES DIFFICULTÉS ÉCONOMIQUES DES CUBAINS

« Les Cubains sont payés en monnaie nationale, le peso cubain, qui vaut le vingt-cinquième du "convertible". […] Le salaire moyen est d'environ 220 pesos cubains par mois (une dizaine de dollars américains). Cela fait 70 centimes par jour. Les Cubains ont accès, par livret de rationnement, à du riz, des fèves et de la viande à des prix dérisoires. Au marché, la livre d'oignons coûte 2,70 pesos, la livre de porc, environ 30, une laitue, deux ou trois pesos. Ce ne sont que quelques sous. […]

"Les choses se sont nettement améliorées depuis dix ans", juge de son côté Hector Higuera, propriétaire d'un *paladar* dans le quartier havanais du Vedado, l'un de ces restaurants familiaux qui, avec les *casas particulares* [logements chez l'habitant], constituent presque les seuls accès à la propriété privée permis aux petits Cubains par le régime. "On respire un autre air", dit cet homme qui, quand on lui pose la question, considère que, oui, Cuba est démocratique malgré son système de parti unique. »

Guy Taillefer, « Les Cubains, entre l'interdit et le possible », *Le Devoir*, 12 mars 2005.

Les activités de cette double page vous permettront de mettre en contexte et de comparer les concepts liés au pouvoir et aux pouvoirs dans un autre territoire.

SYNTHÈSE DES CONCEPTS

Les questions suivantes vous aideront à compléter le réseau de concepts portant sur le thème Pouvoir et pouvoirs *présenté dans la page de droite.*

1 État

a) Quelle est la forme d'organisation politique de ce pays ou de cette société

b) Comment l'État se manifeste-t-il dans la société ?

2 Institutions

Quelles sont les institutions politiques, judiciaires et administratives de ce pays ?

3 Droits

a) Quels droits sont défendus par des groupes ou par des individus ?

b) Ces droits sont-ils protégés par une charte ou par la loi ?

4 Intérêts

a) Quels intérêts collectifs sont défendus par des groupes ou par des individus ?

b) Quels intérêts particuliers sont défendus par des groupes ou par des individus ?

5 Influence

a) Quels groupes exercent une influence sur le pouvoir ?

b) Quels moyens utilisent-ils pour l'exercer ?

6 Territoire

Quelles frontières naturelles délimitent le territoire de cet État ?

7 Société

Le pouvoir est-il exercé sur l'ensemble ou sur une partie de la société ?

Reproduisez et **complétez** les réseaux de concepts ci-dessous. **Adaptez-les** pour rendre compte de la réalité sociale Pouvoir et pouvoirs *dans les trois contextes suivants.*

1. **AU QUÉBEC**

2. **AILLEURS**
   Cuba (voir la section *Ailleurs,* p. 136 à 141)

3. **PRÈS DE CHEZ VOUS**
   Votre région administrative (voir le *Mini-atlas,* p. 208)

Les numéros 1 à 7 dans les réseaux correspondent aux questions de la page de gauche qui peuvent vous aider à compléter chaque élément.

LA STRUCTURE DU POUVOIR

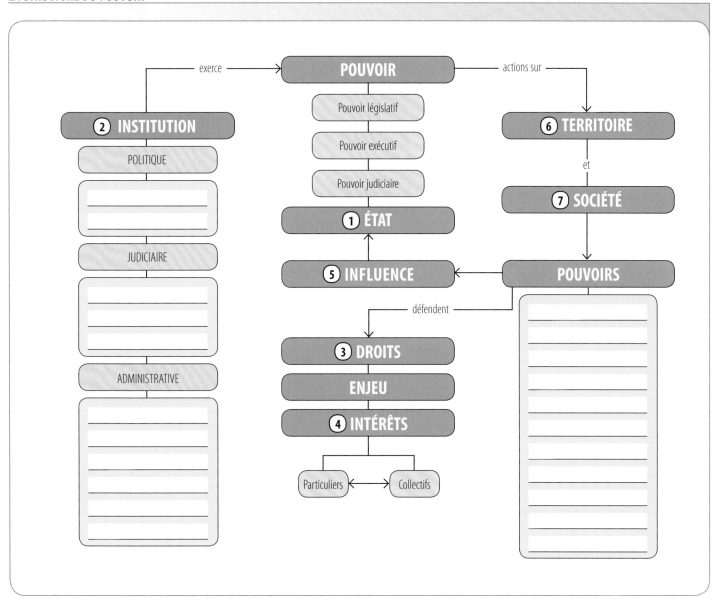

INTÉRÊTS PARTICULIERS ET INTÉRÊTS COLLECTIFS DANS LES CHOIX DE SOCIÉTÉ

Les intérêts particuliers entrent parfois en conflit avec les intérêts collectifs. L'État, les individus et les groupes doivent faire des choix de société et prendre des décisions qui tiennent compte des différents intérêts.

Enquête

En tant que fonctionnaire du gouvernement du Québec, vous devez formuler une proposition sur l'utilisation de l'éthanol en tenant compte des intérêts collectifs de la société québécoise.

1 LE PROBLÈME DE LA CRISE ALIMENTAIRE

« Un groupe de 50 femmes préoccupées par la crise alimentaire mondiale manifestera le samedi 31 mai prochain appuyées par plusieurs citoyens, citoyennes, agriculteurs et agricultrices ainsi que plusieurs jeunes. Elles dénonceront notamment le manque de cohérence entre les discours que font nos gouvernements contre cette grave crise alimentaire mondiale et leurs actions qui détruisent les meilleures terres agricoles du Québec.

Notamment, soulignons la décision du gouvernement Charest de continuer à aller de l'avant dans la destruction des terres en outrepassant la Loi sur la protection du territoire et des activités agricoles dans le dossier de l'autoroute 30. "Je crois qu'il faut réaliser la valeur de ce que nous nous apprêtons à détruire. On manque de nourriture dans le monde et je ne crois pas que la solution soit celle de la culture de l'asphalte" a souligné Denise Hébert, porte-parole de l'événement.

Au Québec, moins de 2 % des territoires sont cultivables ou propices à l'agriculture. "À chaque fois que l'on empiète sur le territoire, on diminue notre capacité de production. Au rythme où va le Québec, il y a fort à parier que moins de 1 % des terres seront cultivables sous peu" a souligné Mme Hébert. »

Communiqué, *Nourrir le Québec avec de l'asphalte ?*, Nourrir le Québec, 21 mai 2008.

2 L'ÉTHANOL, UN CARBURANT ÉCOLOGIQUE

« [...] Au Canada, l'éthanol est actuellement produit surtout à partir de céréales telles que le maïs et le blé. L'éthanol peut aussi être fabriqué à partir de matières cellulosiques, telles que les déchets agricoles et les déchets de bois, ainsi que d'arbres et de graminées à croissance rapide, mais ces technologies sont encore à l'étape du développement, et, pour le moment, ne sont pas concurrentielles avec les procédés de fabrication classiques.

[...] Le développement d'une industrie importante de l'éthanol réduirait non seulement la dépendance du Canada en matière d'importation de pétrole pour fabriquer de l'essence, mais représenterait aussi de nouveaux marchés pour les agriculteurs et les compagnies forestières au Canada, créerait des emplois durant la construction et l'exploitation des usines d'éthanol et contribuerait à renforcer et à diversifier les économies rurales. [...] L'éthanol peut aider le Canada à atteindre ses objectifs en matière de changement climatique. »

D'après l'Office de l'efficacité énergétique, Ressources naturelles Canada, 2008.

3 UN GROUPE ENVIRONNEMENTAL SUR L'IMPACT DE L'ÉTHANOL

« L'éthanol-maïs n'a jamais représenté une solution dans la lutte aux émissions de gaz à effet de serre (GES). Ses conséquences sont néfastes pour l'environnement et cette culture menace le développement d'une agriculture écologiquement et socialement durable. Son développement représente une subvention déguisée au maïs OGM rejeté massivement par les marchés alimentaires mondiaux ».

Éric Darier, « Abandon par Québec de l'éthanol-maïs. Oui mais... », *Greenpeace*, 9 novembre 2007.

4 LE MAÏS GÉNÉTIQUEMENT MODIFIÉ

Des compagnies telles que Monsanto mettent à profit des recherches sur les organismes génétiquement modifiés. Elles fabriquent des plants de maïs qui résistent plus facilement aux insectes et qui sont plus productifs. Des recherches scientifiques démontrent que les OGM peuvent être dangereux pour l'environnement et pour la santé.

5 QUELQUES STATISTIQUES ENVIRONNEMENTALES ET ÉCONOMIQUES

ENVIRONNEMENT	2001	2007
Proportion du territoire québécois protégé, en pourcentage	2,9	4,9
Émissions de gaz à effet de serre par habitant, en tonnes de CO_2	11,5	12,2
Déchets générés par habitant, en tonnes	1,5	1,7
Taux de récupération des déchets, en pourcentage (sur matières résiduelles totales)	35	48
ÉCONOMIE	2001	2006
Revenu net sur le total des exploitants agricoles, en millions de dollars	847	348

D'après l'Institut de la statistique du Québec, *Le Québec chiffres en main*, édition 2008. Reproduction autorisée par Les Publications du Québec.

6 UN AUTOBUS DE MONTRÉAL FONCTIONNANT AU BIODIESEL

Le biodiesel est un carburant écologique fabriqué à partir d'huile végétale et d'huile de cuisson récupérées.

7 DES SOLUTIONS DURABLES AU RÉCHAUFFEMENT CLIMATIQUE DE LA PLANÈTE CRITIQUÉES

« La quantité d'éthanol-grain nécessaire pour faire le plein d'un véhicule utilitaire sport (VUS) suffirait à nourrir un homme pendant un an... Voilà le résultat de la course au biocarburant lancée par le psychodrame environnemental, encouragée par l'État et menée par l'entreprise. L'affaire va dresser les uns contre les autres 800 millions d'automobilistes et 800 millions d'affamés, prévient le Earth Policy Institute, une ONG américaine.

L'éthanol (comme les éoliennes et les ampoules fluocompactes, dont on commence aussi à voir les limites) était présenté par les écologistes comme une des solutions miracles au réchauffement climatique.

L'État s'en est évidemment mêlé. En 2007, les gouvernements de l'Union européenne et des États-Unis ont subventionné à hauteur de 13,2 milliards $US la chaîne de production de l'éthanol.

Ainsi encouragées, les entreprises ont bondi. On a multiplié par 10 (de 8 à 80 milliards de litres) la production mondiale d'éthanol et de biodiesel entre 2000 et 2007. L'huile végétale abreuve aujourd'hui 45 % du parc automobile du Brésil. L'Indonésie a tant et si bien déboisé pour jardiner du carburant qu'elle est passée du 21e au 3e rang au palmarès des délinquants du carbone… […]

À Ottawa débarque le projet de loi C-33 qui fixe à 5 % le seuil minimum de carburant renouvelable dans l'essence – au moment même où le Canada annonce l'octroi de 250 millions au Programme alimentaire mondial ! »

Mario Roy, « La mauvaise bonne idée », *La Presse*, 10 mai 2008.

Un enjeu de société du présent

Enjeux démographiques

Festival international de musique haïtienne de Montréal

Cap sur Haïti... au cœur de Montréal

Yves Bernard, *Le Devoir*, 14 juin 2008.

Enjeux économiques

Boris, caricature parue dans l'*Alternative*, octobre 2005.

Les enjeux québécois

Les enjeux du Québec actuel et la façon dont ils sont gérés provoquent des prises de position et des débats dans l'espace public. Les quotidiens québécois font partie de cet espace public, dans lequel les citoyens et citoyennes délibèrent sur les choix de société à privilégier.

Pascal Elie, *Dépôt du rapport Bouchard-Taylor*, caricature parue dans *Le Plateau*, mai 2008.

Le Québec dans le rouge de 5,8 milliards

ANTOINE ROBITAILLE

Québec — Malgré la Loi sur l'équilibre budgétaire adoptée en 1996, les finances du Québec se sont enfoncées dans le rouge de 5,8 milliards de dollars. C'est le vérificateur général du Québec, Renaud Lachance, qui arrive à cette conclusion après avoir évalué

Antoine Robitaille, *Le Devoir*, 14 juin 2008.

Enjeux culturels

Sus aux «radicaux» et aux «marginaux»

Le gouvernement Harper abolit un programme qui permettait aux artistes et intellectuels d'ici de se produire à l'étranger.

Hélène Buzzetti, Le Devoir, 9 août 2008.

Boris, caricature parue dans *Webdo Info*, le bulletin hebdomadaire de la CSN[G], mars 2008.

■ LEXIQUE

Génération X – Également appelée « génération tampon », la génération X est constituée des enfants nés entre 1965 et 1980. Elle succède immédiatement à celle des *baby-boomers*.

Sondage d'opinion – Enquête faite auprès d'un échantillon de population au sujet d'une question. L'échantillon peut être choisi au hasard ou selon des critères de représentativité. Il est démontré que la formulation de la question peut influencer les réponses.

LES DÉFIS DU QUÉBEC ACTUEL

À l'aube du XXIe siècle, le Québec fait face à des défis importants sur les plans démographique, culturel et économique.

1 L'OPINION PUBLIQUE SELON UN POLITICIEN DE LA RÉVOLUTION TRANQUILLE⊙

« Figure de proue de la Révolution tranquille, Paul Gérin-Lajoie constate que de grandes réformes comme celles que le Québec a connues dans les années 1960 ne seraient plus possibles aujourd'hui. L'opinion publique est maintenant plus morcelée, on ne prend plus le temps de laisser "mûrir les idées", fait-il observer. [...] Les idées de la Révolution tranquille qui ont commencé à circuler dès l'après-guerre, grâce à des leaders d'opinion comme le père Georges-Henri Lévesque, étaient à point lorsque l'heure de leur mise en œuvre a sonné, avec l'élection du gouvernement de Jean Lesage en 1960.

Cet état d'esprit collectif ne trouve pas son équivalent dans le Québec du troisième millénaire. "Il n'y a pas de gens pour provoquer la cohérence dans l'opinion publique. La cohérence, c'est rare qu'elle vienne seule. Dans les pays en voie de développement, où il y a la guerre ou des événements majeurs comme cela, il peut y avoir une cohérence qui se forme toute seule. Mais dans des pays riches comme le nôtre [...], c'est beaucoup plus difficile d'avoir une certaine cohérence", fait remarquer M. Gérin-Lajoie.

La raison de cette dispersion de l'opinion publique ? Le "manque de leadership", avance le père du système moderne d'éducation [...]. "On a de petits leaderships individuels, par quartier, pour ainsi dire. Mais on n'a pas de leadership global comme on en a eu par le passé", dit-il, déplorant l'absence de projet de société. »

Clairandrée Cauchy, « Panne de leadership », *Le Devoir*, 21 avril 2008.

2 UN SONDAGE SUR LES OBJECTIFS DE LA SOCIÉTÉ QUÉBÉCOISE

Question : À votre avis, quel est le plus important objectif que la société québécoise devrait se donner (une seule mention) ?

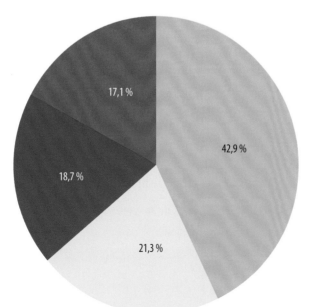

- ● Maintenir un haut taux de croissance économique.
- ● Donner à la population plus de moyens pour s'exprimer lors des décisions gouvernementales importantes.
- ● Permettre à tous les citoyens et citoyennes d'avoir un emploi.
- ○ Faire de la société québécoise une société plus humaine, moins impersonnelle.

17,1 %
42,9 %
18,7 %
21,3 %

Note : Sondage d'opinion réalisé du 16 au 21 avril 1999 auprès de 1 013 répondants.

D'après Guy Lachapelle et Gilbert Gagné, « Intégration économique, valeurs et identités : les attitudes matérialistes et postmatérialistes des Québécois », *Politique et Sociétés*, vol. 22, n° 1, 2003.

3 UN PHILOSOPHE INTERROGE LA POPULATION QUÉBÉCOISE.

Artiste et philosophe, Hervé Fischer lance une enquête en 2007 dans laquelle il pose les deux questions suivantes aux Québécois et aux Québécoises : « Qu'est-ce que le Québec réel ? » et « Quel est votre Québec imaginaire ? » Les réponses ont été publiées en 2008 dans l'ouvrage *Québec imaginaire et Canada réel. L'avenir en suspens* aux Éditions VLB.

4 LE QUÉBEC SELON UN CITOYEN

Secrétaire d'Équiterre et conseiller en programmes d'accès à l'égalité à la Commission des droits de la personne et des droits de la jeunesse, l'auteur répond à l'invitation lancée par Hervé Fischer.

« Pour répondre à la question "Qu'est-ce que le Québec réel ?", j'utiliserai une image, celle d'un Québécois qui gagnerait un énorme gros lot à la 6/49. Son comportement serait typique de celui d'un citoyen du Québec réel, vivant dans un monde de surconsommation, envahi par la publicité tapageuse, créant des désirs sans fin.

[…] Il aurait aussi un Yukon XL et une Ferrari devant la porte, un gros yacht, deux motomarines, deux VTT, deux Harley Davidson et un hydravion avec accès au fleuve.

[…] N'ayant pas de temps à perdre, il mangerait presque toujours des mets préparés et utiliserait de la vaisselle jetable.

[…] Enfin, il favoriserait le libre-échange sans concession sociale ou environnementale, les travailleurs mexicains qui ramassent les petits fruits (mais pas leurs droits à la syndicalisation et à l'immigration).

[…] il serait contre les impôts et les taxes qui réduisent son pouvoir d'achat, les syndicats qui font gonfler les prix, les altermondialistes et les environnementalistes qui bloquent les beaux projets de développement ou d'exploitation des ressources. C'est cet individu qui, pour moi, personnifie malheureusement le Québec réel et tout ce que cela sous-entend […] »

Rock Beaudet, « Testament pour Rosalie et Simone », *Le Devoir*, Opinion, 11 novembre 2007.

Hervé Fischer

⚜ COMPÉTENCE 1
Interroger le présent.

1. Quels sont les grands enjeux du Québec actuel selon ces documents ?

2. Formulez au moins quatre questions qui vous permettraient de comprendre les éléments constitutifs de ces enjeux, ainsi que leurs origines.

3. (*doc.* 4 *et* 5) Quelle vision du Québec exprimée dans ces documents se rapproche le plus de la vôtre ? Expliquez pourquoi.

5 LE QUÉBEC SELON UNE ÉTUDIANTE EN MÉDECINE À L'UNIVERSITÉ LAVAL

L'auteure répond à la question posée par Hervé Fischer : « Quel est votre Québec imaginaire ? »

« Le Québec que j'entrevois de ma fenêtre fermée est étiré comme un élastique, de gauche à droite, du fédéralisme à l'indépendantisme, des villes aux régions, des tenants de l'immigration aux plus réticents, de la **génération X** aux *baby-boomers*⑤, de la laïcité⑤ aux diverses religions, et je ne sais s'il cassera sous la tension ou, au contraire, s'élancera, utilisant la force déployée par un tel tiraillement.

Isolé sur une île francophone dans une mer anglophone, il tremble à l'idée de ne pas survivre aux tsunamis qui le guettent, à la mondialisation⑤ économique dont la langue de Shakespeare semble indissociable, à l'immigration qui afflue, à toutes les femmes voilées qu'il ne comprend pas, mais dont il tente de saisir le regard.

Il se cherche, adolescent sans indépendance, et les valeurs qu'il avait refoulées par crainte d'un nationalisme⑤ ethnique resurgissent maladroitement […].

Mon Québec sombre quelquefois dans le repli sur soi et revêt même parfois, furtivement, les habits de l'intolérance.

Mon Québec réel, il est constitué d'une nature sauvage et fulgurante, qu'on pille de façon tout aussi sauvage et fulgurante. […] Pourtant, il peut également être magnifique, lorsqu'il sursaute pour la paix, lorsqu'il marche pour exprimer sa révolte, lorsqu'il refuse d'être réduit au seul rôle de consommateur qu'on lui fait avaler avec une bouchée de pâté chinois, lorsqu'il se révolutionne, lorsqu'il devient pure poésie dans les fougues d'un Miron, lorsqu'il est soulevé par un Lévesque. Alors à mon tour, j'ai envie de m'exclamer : "Voilà le pays que j'aime !" Et cela malgré tout, à cause de tout, et aussi paradoxal que cela puisse paraître, c'est justement parce que je le chéris tant que je souhaite le changer. »

Ouanessa Younsi, « Nous sommes encore loin de nous-mêmes », *Le Devoir*, Opinion, 29 septembre 2007.

Dans le résumé qui suit, vous trouverez les grandes lignes du thème Population et peuplement *qui vous permettront d'ancrer votre questionnement, votre interprétation du passé ainsi que votre prise de position sur les enjeux démographiques du Québec.*

1. DES ENJEUX DÉMOGRAPHIQUES :
POPULATION ET PEUPLEMENT AU QUÉBEC

RÉSUMÉ

LES PREMIERS OCCUPANTS
(v. -30 000 - v. 1500)

Environ 30 000 ans avant notre ère, le territoire nord-américain est marqué par diverses vagues de migration des Premiers occupants. Probablement venus d'Asie, les peuples autochtones occupent progressivement l'ensemble du territoire. Le contact avec les Européens, arrivés vers 1492, crée des conflits particulièrement liés au commerce de la fourrure et à l'occupation du territoire et cause une diminution importante de la population autochtone, estimée à 1 million d'habitants vers 1500. Au début du XXIe siècle, ils ne seraient plus que 83 000 au Québec.

LE RÉGIME FRANÇAIS
(1608-1760)

Les Français s'installent en Nouvelle-France, attirés par le développement du commerce de la fourrure avec les Autochtones. Les compagnies, mises en place pour gérer ce commerce, ne participent pas aux efforts de peuplement et la population française de la colonie augmente très peu. Par contre, la population autochtone diminue beaucoup à la suite des conflits provoqués par le commerce de la fourrure. Le régime seigneurial est instauré et, grâce aux politiques natalistes, on observe une augmentation de la population dans les basses-terres du Saint-Laurent.

LE RÉGIME BRITANNIQUE
(1760-1867)

La Nouvelle-France passe aux mains de l'Empire britannique en 1760. Les répercussions démographiques de ce changement d'empire se font particulièrement sentir avec l'arrivée des Loyalistes dans la *Province of Quebec*. Environ 100 000 colons britanniques fuient la révolution américaine et migrent vers les Maritimes et le Haut-Canada. Au début de l'industrialisation, un million d'immigrants et d'immigrantes viennent des îles britanniques (Irlande, Écosse, Angleterre), dont des milliers d'Irlandais fuyant la famine. Des conflits naissent entre les principales communautés culturelles constituées des Autochtones, des Français et des Britanniques.

LA PÉRIODE CONTEMPORAINE
(1867 à nos jours)

Entre 1840 et 1930, des milliers de Canadiens français quittent le Québec pour fuir la misère et travailler aux États-Unis. Le gouvernement met alors en place des programmes de colonisation pour ralentir cet exode. La colonisation favorise l'identité catholique, française et rurale. À partir du milieu du XIXe siècle, le Québec s'urbanise et les populations des villes augmentent. La population devient peu à peu majoritairement urbaine et les campagnes se vident. Après la Seconde Guerre mondiale, on observe une forte croissance démographique naturelle que l'on appelle le *baby-boom* (1945-1965). Cette croissance est suivie d'une baisse de natalité, ce qui cause un vieillissement de la population actuelle du Québec.

LES PERSONNES DE 65 ANS ET PLUS AU QUÉBEC
(en pourcentage de la population totale)

D'après l'Institut de la statistique du Québec.

Le portrait démographique du Québec est toujours teinté d'un fort sentiment d'appartenance à une nation francophone, héritage à la fois du Régime français et de la Révolution tranquille.

C'est à partir de la deuxième moitié du XXe siècle qu'on peut observer une croissance démographique due à l'immigration. En effet, entre 2002 et 2006, près de 210 000 immigrants sont admis au Québec. Ces personnes sont originaires de tous les continents et s'installent principalement à Montréal. Cette forte immigration n'est pas sans causer de problèmes. En 2007, la Commission d'enquête sur les accommodements raisonnables est créée afin d'assurer l'intégration des communautés culturelles.

La situation démographique québécoise inquiète de nombreux observateurs. Longtemps marqué par une forte natalité, le Québec voit sa croissance démographique ralentir depuis la Révolution tranquille[G]. Dans les années 1960, le taux de natalité du Québec est l'un des plus faibles au monde. En 2008, la population du Québec s'élève à près de 7,5 millions d'habitants.

 ### COMPÉTENCE 2
Interpréter le passé.

1. En tenant compte de ce que vous avez appris dans le thème *Population et peuplement*, nommez les principales communautés qui composent la population québécoise au début du XXIe siècle.

2. Comment décririez-vous la croissance de la population du Québec, des Premiers occupants à aujourd'hui ?

3. Selon vous, quel est l'effet du *baby-boom* sur la population québécoise au début du XXIe siècle ?

4. Quels sont les effets de l'immigration sur la société québécoise au début du XXIe siècle ?

COMPÉTENCE 1

Interroger le présent.

5. À la lumière de vos réponses aux questions 3 et 4, formulez une hypothèse sur l'évolution des grands enjeux démographiques du Québec. Vous validerez cette hypothèse à l'aide des pages 152 à 159.

Les doubles pages qui suivent vous permettront d'explorer les défis posés par une société pluraliste et vous aideront à mieux comprendre la gestion de cet enjeu au regard des choix de société.

L'intégration des communautés culturelles

1.1 LES DÉFIS DE L'INTÉGRATION DES COMMUNAUTÉS CULTURELLES

Le Québec est une société pluriculturelle. Cette situation pose certains défis pour les membres des différentes communautés culturelles, parfois confrontés à des préjugés ou à des obstacles à leur pleine participation à la société québécoise.

Enquête

Le Québec est incapable d'attirer un nombre important d'immigrants et d'immigrantes. Expliquez les causes de cette situation.

☐ LEXIQUE

Commission sur les pratiques d'accommodement reliées aux différences culturelles – Cette commission, aussi appelée Commission Bouchard-Taylor, est créée en 2007 par le premier ministre du Québec, Jean Charest. Dirigée par le philosophe Charles Taylor et le sociologue Gérard Bouchard, elle procède à des audiences publiques dans 17 municipalités. Le rapport final de la commission est rendu public le 22 mai 2008.

1 LES BESOINS DU QUÉBEC EN MATIÈRE D'IMMIGRATION

« Le lecteur devra garder à l'esprit que notre réflexion se trouve délimitée par les choix collectifs fondamentaux que les Québécois ont faits au cours des dernières décennies. Leur faible fécondité et le désir de soutenir la croissance démographique et économique les ont amenés à prendre le parti de l'immigration. Parallèlement, ils ont abandonné la pratique de la religion en très grand nombre, tout en prenant leurs distances par rapport à l'identité canadienne-française au profit de la nouvelle identité québécoise. Ils ont également décidé (jusqu'à nouvel ordre) d'appartenir au Canada et, par conséquent, de relever de ses institutions. Enfin, ils ont accepté de prendre le virage de la mondialisation⁰ et – comme le veut l'expression courante – de "l'ouverture sur le monde". »

Gérard Bouchard et Charles Taylor, Commission sur les pratiques d'accommodement reliées aux différences culturelles, *Fonder l'avenir – Le temps de la conciliation,* Rapport abrégé, gouvernement du Québec, 2008.

2 UN MARCHÉ DU TRAVAIL PEU ACCUEILLANT

Le Québec est la province où l'on observe l'écart le plus marqué entre le taux d'emploi de la population immigrante et celui de la population née au Canada.

TAUX DE CHÔMAGE DE LA POPULATION ÂGÉE DE 25 À 54 ANS, SELON LA PROVINCE ET LA CATÉGORIE			
LIEU	POPULATION NÉE AU CANADA	IMMIGRANTS ÉTABLIS DEPUIS 5 À 10 ANS	IMMIGRANTS ÉTABLIS DEPUIS MOINS DE 5 ANS
Canada	4,9 %	7,3 %	11,5 %
Québec	6,3 %	13,4 %	17,8 %
Ontario	4,4 %	7,0 %	11,0 %
Alberta	2,6 %	4,7 %	5,8 %
Colombie-Britannique	3,7 %	5,1 %	9,5 %

D'après Statistique Canada, *Les immigrants sur le marché canadien du travail en 2006 : premiers résultats de l'enquête sur la population active du Canada,* Ministre de l'Industrie, 2007.

3 | UN GEL DU SEUIL DE L'IMMIGRATION

Une pancarte électorale de l'ADQ photographiée sur la rue Notre-Dame à Montréal, le 25 avril 2008.

Mario Dumont, chef de l'Action démocratique du Québec, appelle à un gel du nombre d'immigrants et d'immigrantes et à un meilleur soutien des organismes d'intégration au Québec.

« "On est préoccupés par le fait qu'au cours des dernières années, l'intégration des immigrants est moins réussie, de plus en plus difficile, parce qu'on a augmenté de façon radicale les seuils tout en coupant les cours de français et le soutien aux organismes et les différents mécanismes d'intégration [...]. La récente décision du gouvernement d'augmenter le seuil [de 45 000 personnes par an] d'encore 10 000 personnes sans mettre en place des efforts d'intégration supplémentaires est une erreur", a-t-il poursuivi. [...]

M. Dumont estime plutôt que la solution à privilégier se trouve d'abord du côté des Québécois eux-mêmes, par l'augmentation du nombre d'enfants. »

D'après Presse canadienne, « Mario Dumont veut pouvoir parler d'immigration comme il l'entend », *Le Devoir*, 26 avril 2008.

4 | DES OBSTACLES À LA PARTICIPATION SOCIALE

« L'Association d'études canadiennes (AEC) révèle que le Québec accuse un net retard par rapport aux autres provinces en matière d'intégration des immigrants. [...] Ainsi, plus d'un immigrant sur quatre, soit 26,9 %, est en situation de faible revenu, tandis que la moyenne canadienne est à 18,1 %. Le seuil de faible revenu désigne non pas le seuil de pauvreté[G], mais celui qui est nettement inférieur à la moyenne. »

« Les immigrants vivent dans la pauvreté au Québec », *Radio-Canada*, 12 mars 2004.

5 | LES AUTOCHTONES ET LES ARABES MAL PERÇUS

« Les actes d'intolérance et les préjugés à l'égard des autochtones et des immigrants, en particulier les Arabes, semblent avoir atteint un niveau préoccupant au Canada. C'est ce qui ressort d'une étude menée par l'Association d'études canadiennes. L'Association a posé aux répondants des questions sur les Arabes, les autochtones, les immigrants, les homosexuels, les noirs et les juifs. Pour tenter de mesurer la perception et les préjugés des répondants, sans poser directement la question, les sondeurs leur ont demandé de nommer quels groupes projetaient une image négative dans la société canadienne. »

« Les autochtones et les Arabes mal perçus au pays », Radio-Canada, 22 avril 2003.

Question : Pouvez-vous dire si vous avez une opinion positive ou négative de l'image projetée par les groupes suivants dans la société ?

COMMUNAUTÉ CULTURELLE	PROPORTION DE CANADIENS QUI PERÇOIVENT CES COMMUNAUTÉS NÉGATIVEMENT	PROPORTION DES QUÉBÉCOIS QUI PERÇOIVENT CES COMMUNAUTÉS NÉGATIVEMENT
Autochtones	33 %	23 %
Arabes	30 %	29 %
Noirs	13 %	10 %
Juifs	11 %	15 %

Note : Sondage d'opinion[G] réalisé auprès de 2 002 Canadiens et Canadiennes âgés de 18 ans et plus du 15 au 23 mars 2003.

D'après Jack Jedwab (dir.), « La guerre et l'inquiétude envers la tolérance au Canada. Est-ce un problème ? », *Association d'études canadiennes*, 2003.

COMPÉTENCE 1
Interroger le présent.

1. Pourquoi le Québec a-t-il besoin d'immigrants et d'immigrantes ?

2. Énumérez les problèmes auxquels se heurtent les immigrants et immigrantes au Québec.

3. Formulez une hypothèse sur les facteurs qui expliqueraient les difficultés de l'intégration des immigrants et immigrantes au Québec.

CONCEPT
Société

4. Qu'est-ce qu'une société pluraliste ?

1.2 DES PISTES DE SOLUTION POUR L'INTÉGRATION DES COMMUNAUTÉS CULTURELLES

Pour relever les défis de la pluriculturalité, le Québec se dote d'une politique d'**interculturalisme**, qui se distingue du **multiculturalisme** dans son désir de faire de la langue française et des valeurs communes le point de rencontre et d'échanges de tous les groupes culturels.

Enquête

Vous êtes enseignant ou enseignante au primaire. Imaginez une activité que vous pourriez proposer aux élèves pour favoriser la compréhension interculturelle et l'intégration de tous les Québécois et Québécoises au projet de société.

☐ LEXIQUE

Interculturalisme – Politique qui favorise le rapprochement entre les cultures.

Multiculturalisme – Politique qui favorise la coexistence de plusieurs cultures sur un même territoire.

---

1 **LES ACCOMMODEMENTS RAISONNABLES**

Charles Taylor et Gérard Bouchard s'adressent aux médias après la sortie de leur rapport. Montréal, le 22 mai 2008.

« Davantage respectueuses de la diversité, les nations démocratiques adoptent maintenant des modes de gestion du vivre-ensemble fondés sur un idéal d'harmonisation interculturelle. [...] Parallèlement à cette évolution, une nouvelle tradition a pris forme dans le domaine du droit. La conception classique de l'égalité, fondée sur le principe du traitement uniforme, a fait place à une autre conception plus attentive aux différences. Peu à peu, le droit a été amené à reconnaître que la règle de l'égalité commande parfois des traitements différenciés. C'est cette conception que reflète la disposition juridique qu'on appelle l'accommodement raisonnable. Utilisé depuis vingt-cinq ans environ, l'accommodement raisonnable découle du principe fondamental d'égalité et d'équité. Il a pour but de contrer certaines formes de discrimination que les tribunaux ont traditionnellement qualifiées d'indirectes. Ce sont celles qui, sans exclure directement ou explicitement une personne ou un groupe de personnes, entraînent malgré tout une discrimination par suite d'un effet préjudiciable, à cause de l'application rigide d'une norme. »

Gérard Bouchard et Charles Taylor, Commission sur les pratiques d'accommodement reliées aux différences culturelles◌, *Fonder l'avenir – Le temps de la conciliation*, Rapport abrégé, gouvernement du Québec, 2008.

---

2 **LA RECONNAISSANCE DE L'AUTONOMIE DES NATIONS AUTOCHTONES**

L'auteur est originaire de la communauté innue de Betsiamites sur la Côte-Nord. Chef régional au sein de l'Assemblée des Premières Nations pour la région du Québec et du Labrador depuis janvier 1992, il assure le lien avec les 43 Chefs de sa région.

« La véritable solution réside dans l'autonomie gouvernementale et la fin du régime de la Loi sur les Indiens [(*voir le doc.* **3**, *p. 115*)]. Les Premières Nations connaissent les enjeux, connaissent les défis et connaissent les solutions. Elles demandent aujourd'hui la reconnaissance de leur statut et la possibilité d'accéder aux ressources nécessaires pour mener à bien les défis qui les interpellent. Pour réaliser cet important objectif, les Premières Nations interpellent l'ensemble de la population québécoise et canadienne. »

Ghislain Picard, *Le colonialisme est toujours bien vivant au Canada,* Assemblée des Premières Nations du Québec et du Labrador, 29 mai 2008.

3 ASSURER LA PLEINE PARTICIPATION DES COMMUNAUTÉS CULTURELLES AU DÉVELOPPEMENT DU QUÉBEC

« L'immigration est la rencontre d'un projet individuel et d'un projet collectif. Il s'agit donc, d'une part, de la quête d'un avenir meilleur pour une personne ou une famille et, d'autre part, de la volonté ferme d'une société d'accueillir des personnes pouvant contribuer à sa croissance démographique, à son développement économique et social, à son dynamisme linguistique et culturel ainsi qu'à son ouverture sur le monde. [...] La responsabilisation de tous les acteurs de cette rencontre s'impose d'emblée comme une condition de réussite :

- La responsabilisation de l'immigrant lui-même, qui est le principal acteur d'un parcours devant le mener à une intégration harmonieuse au sein de la société d'accueil. L'immigrant doit s'adapter à son nouveau milieu de vie, apprendre la langue française, respecter les valeurs fondamentales de la société qui l'accueille, devenir rapidement autonome et apporter sa contribution au développement du Québec.

- La responsabilisation de la société dans son ensemble, qui doit clairement manifester son appréciation de l'apport des nouveaux arrivants et de leur contribution à l'enrichissement de la culture québécoise et qui doit faire preuve d'ouverture à la diversité. »

Ministère des Relations avec les citoyens et de l'Immigration, *Des valeurs partagées, des intérêts communs*, gouvernement du Québec, mai 2004.
Reproduction autorisée par Les Publications du Québec.

COMPÉTENCE 3
Exercer sa citoyenneté.

1. Quelles institutions peuvent favoriser l'intégration de tous les Québécois et Québécoises ?

2. Comment les pistes de solution présentées dans cette double page répondent-elles aux défis de la pluralité ?

CONCEPT
Société de droit

3. En quoi les accommodements raisonnables sont-ils une solution issue de la société de droit ?

4 DES ORGANISMES ACTIFS DANS L'ACCUEIL ET L'INTÉGRATION DES NOUVEAUX ARRIVANTS

Les nombreux organismes à but non lucratif au service des nouveaux arrivants, comme Accueil-parrainage Outaouais (APO), dépendent de l'aide de bénévoles pour offrir des services de qualité.

« Les services offerts par l'APO :
- Accueil au point d'arrivée (réfugiés seulement)
- Contacts avec les institutions/ressources, références, accompagnement, formalités
- Inscription à l'école et/ou aux cours de francisation
- Orientation pour les premières démarches d'établissement
- Aide pour trouver des services de garde

- Orientation vers des ressources d'emploi
- Jumelage
- Sessions d'information sur la vie dans notre nouvelle communauté d'accueil ainsi que sur les droits, les responsabilités, la notion de citoyenneté, etc.
- Groupes d'échanges Québécois-immigrants [...]
- Lien avec les autres services gouvernementaux »

Accueil-parrainage Outaouais (APO), 2008.

Les écarts entre les générations

1.3 LES DÉFIS DES ÉCARTS ENTRE LES GÉNÉRATIONS

Les *baby-boomers*◉ représentent une proportion importante de la population québécoise. Comme ils atteignent l'âge de la retraite, des changements importants s'annoncent dans le monde du travail et dans les débats sociaux.

Enquête

6 Vous êtes un ou une *baby-boomer*. À la lumière des chapitres précédents, expliquez dans un court texte comparatif ce qui distingue votre génération de celles qui la suivent.

1 LES *BABY-BOOMERS* ESTIMENT QU'ILS N'ONT PAS RÉUSSI À CHANGER LE MONDE.

QUESTIONS POSÉES AUX *BABY-BOOMERS* (NOMBRE = 2 318)	POURCENTAGE DES *BABY-BOOMERS* TOTALEMENT EN ACCORD	QUESTIONS POSÉES AUX JEUNES (NOMBRE = 2 684)	POURCENTAGE DES JEUNES TOTALEMENT EN ACCORD
Notre génération laisse le Québec dans un meilleur état qu'il l'était lorsqu'elle en a hérité.	50 %	Les *baby-boomers* laissent le Québec dans un meilleur état qu'il l'était lorsqu'ils en ont hérité.	29 %
Notre génération avait la prétention de changer le monde pour en faire quelque chose de mieux. Nous avons largement réussi.	44 %	La génération des *baby-boomers* avait la prétention de changer le monde pour en faire quelque chose de mieux. Ils ont largement réussi.	48 %
La génération qui nous suit pensera moins à la carrière et à l'argent pour se concentrer sur les vraies choses.	35 %	Notre génération, contrairement à celle des *baby-boomers*, pensera moins à la carrière et à l'argent pour se concentrer sur les vraies choses.	34 %

Note : Sondage d'opinion◉ réalisé auprès de 5 002 Québécoises et Québécois pouvant s'exprimer en français ou en anglais.

D'après Léger Marketing, « Le choc des générations », *Journal de Montréal*, 21 au 24 janvier 2008.

2 L'ENDETTEMENT PUBLIC

Énoncé : Je trouve injuste que les jeunes d'aujourd'hui aient à payer la dette gouvernementale que la génération des *baby-boomers* a engendrée.

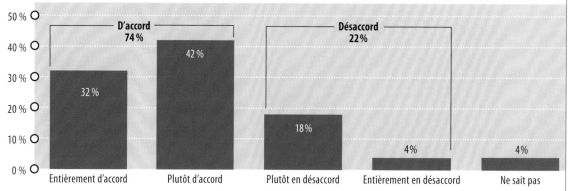

Note : Sondage d'opinion réalisé auprès de 5 002 Québécoises et Québécois pouvant s'exprimer en français ou en anglais.

D'après Léger Marketing, « Le choc des générations », *Journal de Montréal*, 21 au 24 janvier 2008.

3 L'APPAUVRISSEMENT DE LA JEUNESSE

« On constate que les jeunes de 15 à 24 ans se sont appauvris davantage que leurs aînés au cours des années 1980, leur revenu moyen ayant chuté de 26 % [comparativement à] 6 % pour l'ensemble des travailleurs. Cet appauvrissement est dû en partie au chômage, mais également à l'affaiblissement des conditions de travail des jeunes. Ainsi, dans les secteurs d'emplois bien rémunérés et syndiqués, les jeunes sont peu présents. […] En fait, les jeunes se retrouvent en général dans les secteurs moins bien rémunérés et peu syndiqués. »

	PROPORTION DES EMPLOIS OCCUPÉS PAR LES MOINS DE 30 ANS EN 1976	PROPORTION DES EMPLOIS OCCUPÉS PAR LES MOINS DE 30 ANS EN 1995-1996
SECTEURS BIEN RÉMUNÉRÉS ET SYNDIQUÉS		
Pâtes et papiers	37 %	11 %
Fonction publique	43 %	6 %
SECTEURS MOINS BIEN RÉMUNÉRÉS ET PEU SYNDIQUÉS		
Alimentation et pharmacies	44 %	60 %
Vente au détail (vêtements et chaussures)	44 %	46 %

Adapté de Rock Beaudet *et al.,* « Pour raffermir le pont entre les générations », *Le Devoir*, Opinion, 11 novembre 1997.

COMPÉTENCE 2
Interpréter le passé.

1. Quels sont les enjeux liés au départ à la retraite des *baby-boomers* ?

2. En quoi la génération actuelle est-elle différente de celle des *baby-boomers* en ce qui concerne le monde du travail ?

3. Formulez une hypothèse afin d'expliquer les origines des écarts entre les générations.

CONCEPT
Population

4. En quoi la composition de la population québécoise est-elle en pleine transformation ?

4 DES COÛTS CROISSANTS

« Le vieillissement rapide de la population aura un impact sur les finances publiques et sur l'équilibre budgétaire des gouvernements. Le ratio de la population qui supporte la majorité des charges sociales, à savoir les gens de 20 à 64 ans, passera de cinq pour un à deux pour un d'ici le milieu du 21e siècle. La base fiscale de l'État se trouvera réduite d'autant, avec des conséquences pour les services sociaux. […]

Au Québec, […] la proportion du produit intérieur brut consacrée à la santé et aux services sociaux pourrait passer de 7 % en 1998 à 15 % en 2050. Ce poids sur le système de santé ira en s'accroissant au fur et à mesure que la génération des *baby-boomers* deviendra, elle aussi, âgée. »

Florence Meney, « Le Canada prend des rides », Radio-Canada, février 2002.

5 LE TRANSFERT DES COMPÉTENCES ENTRE LES GÉNÉRATIONS : UN ENJEU MAJEUR POUR LE QUÉBEC

« Pour mieux comprendre la portée sociale et économique du phénomène, Michel Audet, professeur en relations industrielles à l'Université Laval, et directeur scientifique au CEFRIO, soutient qu'il faut d'abord saisir les divergences qui existent entre les différentes générations sur le plan des attentes. Hormis le fait que les vétérans soient déjà sur le déclin, et que les *baby-boomers* aspirent tous à une retraite dorée, le chercheur attire l'attention sur la génération X (30-40 ans), les sacrifiés du marché du travail vivant des situations d'emploi atypiques (temps partiel, travail autonome obligatoire, double emploi) et la génération Y, les moins de 30 ans qui n'acceptent pas de sacrifier leur avenir personnel pour leur carrière et qui veulent que leur environnement de travail soit valorisant. "Les moins de 30 ans réclament des organisations et de la société davantage de mesures tant en matière de conciliation travail / famille que d'aménagement de temps sociaux (congés parentaux, sans solde, de perfectionnement, etc.)". »

Raymond Morin, *Le transfert intergénérationnel : un enjeu majeur pour le Québec*, Centre francophone d'informatisation des organisations (CEFRIO), juin 2003.

DES ENJEUX DÉMOGRAPHIQUES

1.4 DES PISTES DE SOLUTION POUR BÂTIR UN PONT ENTRE LES GÉNÉRATIONS

Devant le « choc des générations », des institutions et des initiatives citoyennes s'organisent pour s'assurer que les connaissances, l'expertise et l'expérience soient transmises d'une génération à l'autre et que ces générations contribuent en parts égales à l'élaboration du projet de société.

Enquête

Vous participez au Parlement intergénérationnel. Proposez des solutions pour assurer la participation des différentes générations à l'élaboration du projet de société.

1 **LA CHARTE DU PARLEMENT INTERGÉNÉRATIONNEL**

« Créé à l'occasion du 400ᵉ anniversaire de la ville de Québec, le Parlement intergénérationnel avait pour mandat l'élaboration d'une Charte intergénérationnelle. En septembre 2008, des représentants de toutes les générations provenant de plusieurs régions du Québec se sont réunis pendant trois jours à l'hôtel du Parlement dans le cadre de cette simulation parlementaire pour échanger sur les thèmes suivants : les droits et les devoirs des citoyens ; la santé, la sécurité et la protection ; l'environnement et le milieu de vie ; l'éducation, la socialisation et l'emploi. Les travaux parlementaires se sont terminés avec l'adoption finale de la Charte destinée à orienter le Québec du XXIᵉ siècle. »

Direction des communications, Assemblée nationale du Québec, 2008.

2 **FAVORISER LE RENFORCEMENT DES LIENS INTERGÉNÉRATIONNELS**

« Compte tenu du vieillissement de la population, la démographie québécoise connaîtra d'importantes transformations. À ce sujet, les prévisions [gouvernementales] font état d'une diminution de la population en âge de travailler dès 2011. Ce pronostic soulève notamment deux préoccupations majeures qui interpellent l'ensemble de la société québécoise, soit le transfert des connaissances entre les générations et le remboursement de la dette publique.

Le Québec risque de faire face à une perte de savoir-faire après le départ massif à la retraite du personnel plus âgé. Pour le gouvernement, il s'agit là d'une occasion pour inviter les personnes actives, particulièrement celles qui prendront bientôt leur retraite, à s'impliquer davantage dans le développement des jeunes et à les épauler dans la réalisation de leurs projets. […]

Ainsi, le mentorat apparaît comme l'une des formules à privilégier. Les relations dans lesquelles une personne expérimentée met sa sagesse et son expérience au service d'une autre qui débute favorisent en effet l'acquisition des compétences et l'atteinte d'objectifs. […]

Le poids de la dette sur les finances publiques du Québec et la croissance des coûts des programmes gouvernementaux soulèvent des questions et imposent des choix sociaux qui devront se faire de façon responsable et équitable pour l'ensemble des générations. »

Secrétariat à la jeunesse, *Favoriser le renforcement des liens intergénérationnels*, gouvernement du Québec, 2008. Reproduction autorisée par Les Publications du Québec.

Une rencontre du Pont entre les générations, en avril 2005.

COMPÉTENCE 3
Exercer sa citoyenneté.

1. Qu'ont en commun les pistes de solution présentées ?

2. Comment votre génération peut-elle participer à résoudre l'écart des générations ?

COMPÉTENCE 1
Interroger le présent.

3. Les hypothèses que vous avez formulées sur l'évolution des grands enjeux démographiques du Québec sont-elles toujours valides ? Au besoin, reformulez-les ou complétez-les.

CONCEPT
Espace public

4. Quelles institutions sont sollicitées pour relever le défi des écarts entre les générations ?

« [Mandat :] Fondé en 1997, le Pont entre les générations est un groupe de réflexion formé d'une vingtaine de jeunes adultes et d'aînés dont le mandat est de favoriser un dialogue riche et fructueux entre les générations en dépassant l'obsession du quotidien qui sape les principes mêmes du vivre-ensemble québécois.

[…] Le Québec est une communauté de destin qui s'est construite grâce à la transmission d'un patrimoine culturel, grâce également à l'entraide consciente entre les générations. À l'époque du Canada français, cette entraide prenait essentiellement place au sein de la famille, de l'Église catholique et des Caisses populaires. Au cours des années 1950, les générations décidèrent progressivement que le temps était venu de doter cette société d'un État moderne. Un nouveau pacte social allait s'instaurer entre les générations. Le système d'éducation actuel, les allocations familiales, le réseau public de santé, la Régie des rentes du Québec, les pensions de vieillesse sont autant d'institutions publiques conçues, élaborées puis développées dans le but d'assurer aux générations présentes et futures de meilleures conditions d'existence et d'épanouissement. Le Québec d'aujourd'hui est le résultat de ce pacte entre les générations qui ne s'est pas construit sans résistance, sans débats, sans méfiance. C'est ainsi qu'est né un espace de solidarité permettant au Québec de se doter de politiques sociales qui le distinguent de ses voisins ontariens et américains [*sic*]. »

Le Pont entre les générations, janvier 2003.

4 | **LE FONDS DES GÉNÉRATIONS**

« Le Fonds des générations avait été créé il y a deux ans par l'ancien ministre des Finances, Michel Audet. Son objectif est d'accumuler de l'argent provenant de l'exploitation de l'eau afin de contreba-lancer dans les livres du gouvernement l'accroissement de la dette publique. […]

L'an dernier, en raison des gains exception-nels d'Hydro-Québec tirés de la vente de filiales à l'étranger, le ministre Audet avait déjà versé une somme forfaitaire de 500 M$ au Fonds, en portant ainsi le solde à 578 M$ au 31 mars dernier.

Puisque Hydro-Québec a aussi été plus profitable que prévu, la ministre ajoute en 2007-2008 une somme additionnelle de 200 M$. Avec les redevances hydrauliques et les revenus de placement (les sommes sont gérées par la Caisse de dépôt), le Fonds devrait avoir 1,2 G$ dans ses coffres et tout près de 2,0 G$ à la fin de l'exercice 2008-2009. »

Michel Van de Walle, « Hydro-Québec au secours du Fonds des générations », *Journal de Montréal*, 25 mai 2007.

DES ENJEUX DÉMOGRAPHIQUES

Dans le résumé qui suit, vous trouverez les grandes lignes du thème Économie et développement qui vous permettront d'ancrer votre questionnement, votre interprétation du passé ainsi que votre prise de position sur les enjeux économiques au Québec.

2. DES ENJEUX ÉCONOMIQUES:
ÉCONOMIE ET DÉVELOPPEMENT AU QUÉBEC

RÉSUMÉ

LES PREMIERS OCCUPANTS (v. -30 000 - v. 1500)

Avant l'arrivée des Européens, les sociétés autochtones entretiennent un réseau d'échanges structuré. Au tournant du XVIe siècle, des activités économiques sont générées par la présence de pêcheurs européens dans les eaux poissonneuses du golfe du Saint-Laurent. Des Européens tentent alors de s'établir sur le continent pour en exploiter les ressources avec plus ou moins de succès.

LE RÉGIME FRANÇAIS (1608-1760)

Différentes compagnies françaises obtiennent successivement un monopole⊙ commercial et investissent leurs capitaux dans la traite des fourrures, devenue le moteur de l'économie en Nouvelle-France. Les premiers colons s'y établissent et on voit apparaître le développement d'une économie agricole. Toutefois, la politique mercantiliste de la métropole nuit à la diversification économique, qui demeure embryonnaire.

LE RÉGIME BRITANNIQUE (1760-1867)

La fourrure demeure le produit le plus exporté jusqu'au début du XIXe siècle. Toutefois, les besoins de la nouvelle métropole changent et une politique protectionniste anglaise soutient le commerce du bois, qui finit par éclipser celui de la fourrure. La population sans cesse croissante nécessite le développement d'un marché interne, la création des premières institutions financières et la construction de canaux maritimes et de chemins de fer. Délaissée dès les premiers soubresauts de l'industrialisation, l'agriculture est en difficulté au milieu du XIXe siècle.

LA PÉRIODE CONTEMPORAINE
(1867 à nos jours)

Dès 1850, grâce aux capitaux britanniques, la première phase d'industrialisation s'installe, créant de nouvelles réalités sociales comme l'urbanisation et l'apparition des quartiers ouvriers. On assiste au commencement de l'industrie laitière et au développement d'une économie agroforestière dans les nouvelles régions de colonisation. Au tournant du XXe siècle, le Québec entre dans une deuxième phase d'industrialisation axée sur l'exploitation des ressources naturelles (mines, forêts) et les États-Unis sont les principaux investisseurs. C'est aussi à ce moment que naît le syndicalisme québécois.

LA NAISSANCE DU SYNDICALISME QUÉBÉCOIS

« La période 1818 à 1900 correspond selon l'auteur à la naissance et à l'affirmation du syndicalisme québécois. Il situe en 1818 l'origine du syndicalisme organisé au Québec, avec la création de la Société amicale des charpentiers et menuisiers de Montréal. [...] En 1833, le Syndicat des charpentiers de Montréal déclenche une grève pour obtenir la réduction de douze à dix heures de la journée de travail. Après un premier échec, il obtient gain de cause l'année suivante. [...] Malgré ces premiers succès, l'essor du mouvement syndical québécois est lent et largement tributaire de l'expansion des syndicats "internationaux" basés aux États-Unis. L'adoption en 1872 par le gouvernement canadien d'une loi qui consacre la reconnaissance légale des syndicats accélère le mouvement de syndicalisation au Canada et au Québec. »

Jacques Rouillard, *Le syndicalisme québécois – Deux siècles d'histoire*, Boréal, 2004.

La structure industrielle est sérieusement secouée par la crise économique des années 1930 et l'État doit intervenir. La Seconde Guerre mondiale relance l'économie. De 1945 à 1960, le secteur tertiaire[☉] domine et la demande pour les matières premières est forte. De 1960 à 1980, la prospérité se poursuit. L'État québécois nationalise l'électricité et entreprend de grands travaux dans le nord du Québec.

Depuis 1980, le Québec a une économie ouverte sur le monde, stimulée par des accords de libre-échange comme l'ALÉNA. Ses exportations, dont le tiers provient d'entreprises de haute technologie, représentent près de 55 % de son PIB[☉]. Dans ce contexte, le Québec doit faire face à une concurrence étrangère, surtout asiatique, de plus en plus importante : des usines sont délocalisées et de nombreux travailleurs et travailleuses perdent leur emploi.

Les débuts des années 1980 et 1990 sont marqués par de graves récessions[☉] économiques. Le taux de chômage grimpe en flèche et les gouvernements canadien et provinciaux, dont le Québec, sont endettés. On compte aussi de nombreuses disparités de richesse entre les régions : les régions ressources survivent difficilement et leurs jeunes sont attirés vers les villes, plus industrialisées.

Le marché du travail subit de profondes transformations : les femmes y accèdent en masse et, dans une optique de néolibéralisme[☉] économique, les employeurs cherchent par tous les moyens à réduire leurs coûts de production et hausser leurs profits. Cela occasionne des délocalisations d'entreprises et le recours de plus en plus fréquent à des travailleurs et travailleuses autonomes, lesquels n'ont ni liens d'emploi ni sécurité.

COMPÉTENCE 2
Interpréter le passé.

1. L'économie québécoise a longtemps été tributaire des ressources naturelles. Expliquez cette affirmation à l'aide des informations accumulées lors de l'étude du thème *Économie et développement*, et classez-les selon les quatre périodes historiques.

2. Dans les deux phases d'industrialisation de l'économie québécoise, quel phénomène modifie le mode de vie de la majorité des travailleurs et travailleuses ? Comment ?

3. Quel important phénomène économique mondial affecte l'économie québécoise depuis 1980 ? Comment ?

4. Comment les femmes peuvent-elles être affectées par la nécessité de réduire les coûts de production ?

COMPÉTENCE 1
Interroger le présent.

5. À la lumière de vos réponses aux questions précédentes, formulez une hypothèse sur l'évolution des grands enjeux économiques du Québec que vous validerez à l'aide des pages 162 à 173.

Enquête

2 À l'aide des documents de ces pages, des chapitres précédents et de toute autre source fiable, dressez une carte thématique du Québec en indiquant les principaux défis économiques. Accompagnez votre carte d'une légende représentant ces défis.

LEXIQUE

Travailleur ou travailleuse autonome – Personne qui exerce une activité professionnelle à son compte et qui n'a pas de lien de subordination avec un employeur.

Une économie favorable au Québec

2.1 LES DÉFIS D'UNE ÉCONOMIE EN MUTATION

Mondialisation⊚ des marchés, déclin de certaines industries du secteur primaire⊚ et désengagement de l'État : de sérieux défis à relever pour le développement économique du Québec.

1 **LES DÉFIS DE LA RECONVERSION ÉCONOMIQUE DES MUNICIPALITÉS**

Lors de la parution de ce texte, l'auteure est présidente de la commission de développement économique de l'Union des municipalités du Québec et mairesse de New Richmond. Depuis la fermeture de l'usine Smurfit-Stone, cette ville de la Gaspésie tente de convertir son économie monoindustrielle en une économie diversifiée.

L'usine d'emballage de carton Smurfit-Stone, à New Richmond en Gaspésie.

« En ce début de XXIᵉ siècle, alors que les gouvernements délestent leurs responsabilités, qu'ils ne veulent plus et ne peuvent plus être l'État providence, les municipalités doivent donc s'adapter à des nouveaux rôles, assumer de nouvelles responsabilités et elles deviennent ainsi des acteurs incontournables dans le développement de leur communauté et, par ricochet, de leur région.

L'administration municipale n'est plus seulement une affaire de gestion de réseaux, d'aqueduc, d'égout, de voirie ou d'urbanisme, mais maintenant les dossiers de démographie, création d'emplois, création de richesse, qualité de vie et j'en passe font également partie de notre quotidien. Si nous voulons garder l'école ouverte, il nous faut des étudiants ; nous n'aurons pas d'étudiants sans emplois pour les parents, et pour créer des emplois, les employeurs devront trouver des conditions gagnantes sur le territoire et une qualité de vie pour leurs travailleurs. C'est la vraie réalité dans notre gestion municipale quotidienne en 2006. »

Nicole Appleby, *New Richmond et les défis de la diversification économique*, 14ᵉ Conférence nationale de la solidarité rurale du Québec, 2006.

2 **LE TRAVAIL AUTONOME SANS FILET DE SÉCURITÉ**

Les **travailleurs et travailleuses autonomes** assument leurs propres dépenses et disposent généralement de leur propre lieu de travail. Ce type de travail comporte de nombreux désavantages comme la précarité et l'absence d'avantages sociaux.

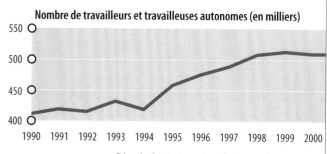

Nombre de travailleurs et travailleuses autonomes (en milliers)

550
500
450
400

1990 1991 1992 1993 1994 1995 1996 1997 1998 1999 2000

D'après Statistique Canada, *Revue chronologique de la population active*, 2000.

3 · LES DÉLOCALISATIONS PROVOQUENT LA PERTE D'EMPLOIS : L'EXEMPLE DE CROCS.

« L'annonce concernant l'usine de Crocs à Québec réunit tous les ingrédients d'un scénario crève-cœur : la fermeture par une entreprise étrangère d'un fleuron local dont la mise en marché d'une sandale colorée a fait un heureux malheur dans les boutiques, tant en Amérique du Nord qu'ailleurs dans le monde.

La poussière n'était pas encore retombée hier qu'on cherchait déjà à comprendre pourquoi diable une entreprise en pleine croissance voudrait fermer une usine. Trois mots : réduire les coûts. Le verdict du ministre du Développement économique a été tout aussi brutal que l'annonce de la société mère, liée à la vigueur du dollar canadien.

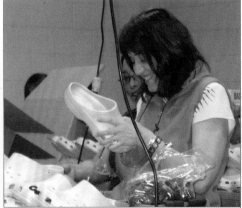

Une employée à l'usine Création Foam, fabricant des sandales Crocs, à Québec.

"C'est un beau cas de capitalisme sauvage", a tranché Raymond Bachand lors d'un point de presse, reconnaissant la marge de manœuvre limitée du gouvernement. [...]

La petite société de Québec qui a inventé ces sandales, Créations Foam, a vu le jour en 1995. Elle est passée aux mains d'un groupe d'investisseurs américains en 2004, qui ont installé le siège social au Colorado. L'usine de Québec, d'ailleurs, n'est pas la seule dans le monde. La production qui prendra fin sera délocalisée vers un des sept autres établissements de l'entreprise : au Mexique, en Italie, en Roumanie, en Bosnie, en Chine, au Brésil ou au Vietnam. La décision est purement économique, a indiqué lundi soir le président de la compagnie américaine, Ron Snyder. »

François Desjardins, « Après le rêve québécois, le choc », *Le Devoir*, 16 avril 2008.

---

4 · LES AGRICULTEURS ET LES FERMES FAMILIALES MENACÉS

« La dernière politique agricole chargée de moderniser l'agriculture au Québec a été adoptée en 1955, soit 20 ans avant ma propre naissance. Les objectifs de la commission Héon étaient de faire passer le nombre de fermes de 150 000 à 40 000 pour garder les plus productives, chose surpassée depuis. On ne peut pas arrêter le progrès ! Au terme de cette politique, 75 % des fermes de 2007 ne peuvent subvenir aux besoins d'une famille de deux enfants, une première dans toute l'histoire du Québec ! Selon la Coop fédérée, d'ici 10 ans, il n'en restera que 18 000, retraite oblige, et, au moment où je vais être grand-papa, nous devrions être tout au plus 6 000 fermes, dont plus de la moitié seront sous le joug de conglomérats. Je pourrai donc affirmer, non sans amertume, à mes petits-enfants que j'étais de la dernière des 14 générations d'agriculteurs que la vallée du Saint-Laurent aura accueillies. La froideur de ce constat me glace le sang. Le *statu quo* actuel oriente ce déclin dans l'indifférence. »

Éric Proulx, de la Ferme Tourilli, Saint-Raymond-de-Portneuf, « L'agriculture : un enjeu de société pour le Québec », *Le Devoir*, Opinion, 10 mars 2008.

---

5 · LA PÉNURIE DE MAIN-D'ŒUVRE QUALIFIÉE DANS TOUS LES DOMAINES

« En 2001, la pénurie de main-d'œuvre a légèrement diminué comparativement à 2000. Or, elle reste encore à des niveaux élevés. Plus d'une entreprise québécoise sur trois (39 pour cent) a eu de la difficulté à trouver de la main-d'œuvre qualifiée en 2001. »

D'après Statistique Canada et Fédération canadienne de l'entreprise indépendante, 1989-2001.

COMPÉTENCE 3
Exercer sa citoyenneté.

1. Énumérez les défis économiques présentés dans ces pages.

2. En quoi les transformations économiques ont-elles un impact sur la société ?

COMPÉTENCE 2
Interpréter le passé.

3. Formulez une hypothèse afin d'expliquer l'origine des changements survenus sur les marchés du travail, des secteurs primaire et manufacturier et de l'agriculture.

CONCEPTS
Économie / Pouvoir

4. Qui détient le pouvoir économique dans les exemples présentés dans les documents de cette double page ?

DES ENJEUX ÉCONOMIQUES

2.2 DES PISTES DE SOLUTION POUR UN CONTEXTE ÉCONOMIQUE FAVORABLE AU QUÉBEC

Devant la férocité de la concurrence créée par la mondialisation◉, des Québécoises et Québécois ingénieux repensent le développement économique afin de diminuer les disparités et de relever les défis d'une économie en mutation.

Enquête

Vous êtes maire ou mairesse d'une petite ville monoindustrielle du Québec. L'industrie qui employait les travailleurs et travailleuses est relocalisée. Quel type d'intervention proposerez-vous à la population pour redresser la situation ?

◻ **LEXIQUE**

PME – Entreprise considérée comme étant de petite ou moyenne taille, en raison notamment de son chiffre d'affaires, du total de son actif ou du nombre de ses employés.

1 INVESTIR DANS LES **PME**

« Le Fonds de solidarité FTQ est une société de capital de développement qui fait appel à l'épargne et à la solidarité de l'ensemble de la population québécoise. Sa mission principale est de contribuer à créer et à maintenir des emplois au Québec, en investissant dans les moyennes et petites entreprises. L'un de ses objectifs consiste également à procurer à ses actionnaires un rendement équitable. Notre mission :

- Investir dans les entreprises québécoises et leur fournir des services en vue de contribuer à leur développement et de créer, maintenir ou sauvegarder des emplois au Québec.

- Favoriser la formation des travailleuses et travailleurs dans le domaine de l'économie afin de leur permettre d'accroître leur influence sur le développement économique du Québec.

- Stimuler l'économie québécoise par des investissements stratégiques qui profiteront autant aux employés qu'aux entreprises.

- Sensibiliser les travailleurs et les travailleuses à épargner pour leur retraite et à participer au développement de l'économie par la souscription des actions au Fonds. »

Site officiel du Fonds de solidarité FTQ, 2008.

2 TIRER PROFIT DES PRODUITS DU TERROIR

« [Le] *produit du terroir* doit nécessairement revêtir un caractère d'unicité, il doit donc être distinctif par rapport aux produits des autres régions. Il doit aussi être identitaire, c'est-à-dire relever du savoir-faire particulier des gens de cette portion de territoire qui a ses limites dans l'espace régional. Enfin, il doit être d'excellente qualité et être durable dans le temps […]. »

Yvon Pesant, *L'économie des terroirs*, ministère de l'Agriculture, des Pêcheries et de l'Alimentation, gouvernement du Québec.
Reproduction autorisée par Les Publications du Québec.

3 UNE PROMESSE D'AIDE AUX ENTREPRISES

Le programme de l'Action démocratique du Québec propose de créer la prospérité et la richesse en venant en aide aux entreprises.

« **Stimuler l'investissement privé.** Stimuler les investissements par l'offre d'avantages fiscaux aux entreprises qui investissent au Québec.

Alléger la réglementation. Alléger la réglementation du travail, particulièrement celle qui constitue une contrainte à l'emploi et à la productivité. »

Action démocratique du Québec (ADQ), *Plan d'action*, 2007.

4 FAVORISER L'AUTONOMIE DES ENTREPRISES

« Selon Yvon Gasse [titulaire de la chaire en entrepreneuriat et innovation de l'Université Laval], les raisons qui ont mené à l'adoption du modèle québécois étaient fondées et le résultat de cette approche demeure indéniable. "Lors de la Révolution tranquille⊙, l'État québécois s'est fait entrepreneur et il l'a fait pour suppléer au manque d'entrepreneurs puisqu'il n'y avait pas à l'époque de réelle tradition d'entrepreneuriat. Prenons le cas d'Hydro-Québec qui, grâce à la construction des barrages et centrales, a permis l'émergence des entreprises québécoises de génie. [...] Le soutien financier des entreprises par le gouvernement devrait être perçu comme une aide de dernier recours, mais ça ne devrait pas être un automatisme comme cela l'est devenu. En Ontario, par exemple, la participation du gouvernement dans le financement est autour de 20 %, tandis qu'au Québec, cela avoisine souvent 60 %. La présence du gouvernement serait justifiée lorsqu'il faut poser un acte de foi ou donner un second souffle à une entreprise. De plus, si le financement du gouvernement était plus restreint, les entrepreneurs seraient forcés de devenir plus dynamiques sur le marché du financement." »

Pierre Vallée, « Québec 2007 – Le modèle québécois favorise-t-il l'entrepreneuriat ? », *Le Devoir*, 17 octobre 2007.

⚜ COMPÉTENCE 3
Exercer sa citoyenneté.

1. Comment les défis du développement économique peuvent-ils être relevés ?

2. Parmi les solutions proposées dans cette double page, lesquelles partagent les mêmes fondements ? Quels sont ces fondements communs ?

5 FAIRE MOINS DE PROFITS

« [Kanuk, Not made in China, Genfoot, Blank,] quatre compagnies qui ont décidé de rester ou de s'établir ici, ont fait le choix d'employer des travailleurs dans le cadre réglementaire, social et économique du Québec et du Canada. Et ils ont accepté d'offrir des salaires plus élevés qu'en Chine, avec les contributions sociales qui y sont associées. Comme quoi, une telle chose est possible, encore en 2008. Oui, il est encore possible de fabriquer des vêtements au Québec. À deux conditions : faire mieux en apportant une valeur ajoutée ou encore accepter une marge de profits moins élevée. [...] Le cofondateur de Blank, Martin Delisle [...] : "Les commerçants et les fabricants n'ont qu'à prendre un peu moins de profits, disait-il. Ils sont habitués à des profits faramineux à cause de l'importation. Je crois que maintenant, il faut remettre les pendules à l'heure et dire que c'est normal de faire du 300-400 % de profits. Pas 800 ou 900 %". »

Gérald Fillion, « Fabriqué au Québec », Radio-Canada, 28 mars 2008.

6 LA MISE EN VALEUR DU PATRIMOINE NATUREL

L'auteur est professeur titulaire à l'École d'architecture de paysage et directeur scientifique de la chaire en paysage et environnement de l'Université de Montréal.

« Le paysage est une composante essentielle du développement des collectivités parce qu'il est lié d'abord à des enjeux économiques. En effet, le paysage est devenu une "ressource", un véritable outil de développement économique des collectivités, notamment au regard de l'industrie touristique. Le paysage est aussi rattaché à des enjeux écologiques puisque la configuration des paysages peut avoir une influence déterminante sur la capacité des milieux à supporter une biodiversité⊙. Mais, plus important encore, le paysage joue un rôle important dans la vitalité des collectivités et constitue un facteur déterminant des localisations résidentielles. »

Gérald Domon, *La prise en compte du paysage : nouvelle composante du développement durable des collectivités*, 14e Conférence nationale de la solidarité rurale du Québec, 2006.

Un exemple de développement économique ingénieux : le Parc marin du Saguenay–Saint-Laurent.

Un développement économique juste et équitable

2.3 LES DÉFIS D'UN DÉVELOPPEMENT ÉCONOMIQUE AXÉ SUR LA JUSTICE SOCIALE

Tous les Québécois et Québécoises ne bénéficient pas également du développement économique. La vulnérabilité financière diminue la participation active à la société d'une proportion importante de Québécoises et Québécois. Préoccupés par leur survie et celle de leur famille, ils sont souvent exclus des grands débats de société.

1 UN SALAIRE MINIMUM NETTEMENT INSUFFISANT

« Pour l'instant, les 129 000 salariés québécois travaillant au salaire minimum devront se contenter de la hausse de 3 %, ou 25 ¢ l'heure, consentie hier par le gouvernement Charest à l'occasion de la Journée internationale des travailleurs. À 8,00 $ l'heure, le taux horaire minimum au Québec est aujourd'hui le même qu'en Ontario et en Colombie-Britannique, s'est félicité le ministre du Travail, David Whissell. […] Bien sûr, à 3 %, la hausse "permettra de maintenir le pouvoir d'achat [des petits salariés] pour cette année", reconnaît la présidente de la centrale, Claudette Carbonneau, dans un communiqué. Néanmoins, l'augmentation "est loin d'être significative puisqu'elle maintient encore le salaire d'une personne travaillant 40 heures au taux minimum à plus de 20 % sous le seuil de faible revenu établi par Statistique Canada", fait-elle remarquer. »

D'après Presse canadienne, « Québec hausse le salaire minimum à 8 $ l'heure », *Le Devoir*, 2 mai 2007.

2 DES QUÉBÉCOIS ET QUÉBÉCOISES SOUS LE SEUIL DE LA PAUVRETÉ

PROPORTION DE LA POPULATION DU QUÉBEC VIVANT SOUS LE SEUIL DU FAIBLE REVENU SELON L'ÂGE, 2000	
0-5 ans	23,2 %
6-17 ans	18,9 %
18-24 ans	23,3 %
25-44 ans	17,4 %
45-64 ans	16,8 %
65 ans et +	22,8 %

D'après l'Institut national de la santé publique du Québec, 2006. Reproduction autorisée par Les Publications du Québec.

3 LE QUÉBEC INVESTIT MASSIVEMENT DANS LES ENTREPRISES.

« Le Québec s'avère la plus généreuse des 10 provinces canadiennes au chapitre des subventions et crédits de toutes sortes. Depuis 1995, sous un gouvernement qui s'affiche social-démocrate, les subventions et crédits aux entreprises sont passés de 2,078 milliards de dollars à 3,646 milliards, soit une augmentation de 75 %. […] Au total, pendant l'ensemble de la période, c'est 15,9 milliards de dollars que le Québec a donnés aux entreprises. »

« Le Québec, champion des subventions aux entreprises », Radio-Canada, 3 avril 2003.

4 DES REVENUS MOYENS PEU ÉLEVÉS POUR LES FEMMES ET LES JEUNES

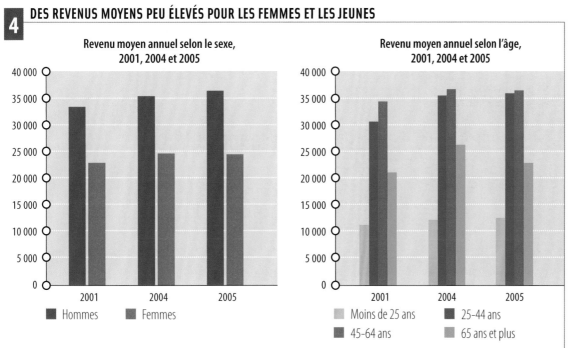

Revenu moyen annuel selon le sexe, 2001, 2004 et 2005

- ■ Hommes
- ■ Femmes

Revenu moyen annuel selon l'âge, 2001, 2004 et 2005

- Moins de 25 ans
- 25-44 ans
- 45-64 ans
- 65 ans et plus

D'après l'Institut de la statistique du Québec, *Le Québec chiffres en main*, édition 2008.
Reproduction autorisée par Les Publications du Québec.

COMPÉTENCE 2
Interpréter le passé.

1. Énumérez les défis économiques présentés dans les documents de ces pages.

2. En quoi ces défis nuisent-ils à la participation de tous et toutes à l'espace public ?

3. Formulez une hypothèse sur les causes des écarts sociaux et économiques observés au Québec.

CONCEPTS
Économie / Disparité

4. Comment les disparités sociales et économiques se manifestent-elles au Québec ?

5 LA SOUS-SCOLARISATION D'UNE FORTE PROPORTION DE LA POPULATION

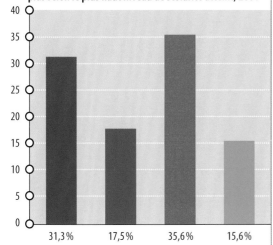

Répartition de la population québécoise de 25 ans et plus selon le plus haut niveau de scolarité atteint, 2001

31,3 %   17,5 %   35,6 %   15,6 %

- ■ Inférieur au certificat d'études secondaires
- ■ Certificat d'études secondaires (seulement)
- ■ Études postsecondaires partielles (inférieures au baccalauréat)
- Grade universitaire (au moins un baccalauréat)

D'après l'Institut national de santé publique du Québec,
Portrait de santé du Québec et de ses régions,
gouvernement du Québec, 2006.
Reproduction autorisée par Les Publications du Québec.

6 LES CONDITIONS DE VIE DES AUTOCHTONES, 2006

REVENUS ET AIDE SOCIALE			
	POPULATION AUTOCHTONE DU QUÉBEC	POPULATION QUÉBÉCOISE	COEFFICIENT (RAPPORT)
Revenu d'emploi (moyenne)	21 231 $	29 385 $	– 8 000 $
Revenu total (moyenne)	22 332 $	33 117 $	– 11 000 $
Dépendance à l'aide sociale	28 %	7,4 %	4 x
Taux de chômage	20 %	6,9 %	3 x

« **La faim**

Les Autochtones du Canada ont un taux d'insécurité alimentaire 4 fois supérieur à celui de la population canadienne (33 % contre 8,8 %). Un enfant qui a faim risque de souffrir de problèmes de concentration à l'école, ce qui nuit grandement à son développement social.

Le logement

Au Québec, 4 200 maisons des Premières Nations sur un total de 12 500 sont surpeuplées (2006) ;

Au Québec, près de 6 700 maisons des Premières Nations doivent être rénovées et/ou décontaminées (2006). »

D'après la Commission de la santé et des services sociaux des Premières Nations du Québec et du Labrador, *Portrait de la pauvreté autochtone*, 2008.

DES ENJEUX ÉCONOMIQUES

2.4 DES PISTES DE SOLUTION POUR UN DÉVELOPPEMENT ÉCONOMIQUE JUSTE ET ÉQUITABLE

Devant les disparités économiques évidentes au Québec, l'heure est au choix. Comment combler ces écarts tout en s'assurant que le Québec reste compétitif sur le plan économique ?

1 FAIRE PAYER PLUS

« Les quelque 800 membres de la Commission-Jeunesse du Parti libéral du Québec (PLQ) réunis en congrès annuel […]. Plusieurs propositions sont à l'ordre du jour, dont celle de tripler les droits de scolarité dans les universités, afin de rejoindre la moyenne canadienne, deux fois plus élevée. Les jeunes libéraux proposent que les étudiants déboursent ainsi environ 6 000 $ pour une année universitaire, au lieu d'environ 2 000 $ actuellement. […]

Une autre mesure à l'étude est la réforme du financement des programmes gouvernementaux en augmentant les tarifs d'électricité et les taxes à la consommation telles que la TVQ. Une baisse des impôts est également envisagée afin d'inciter les Québécois à épargner davantage.

Les syndicats sont aussi dans la mire des jeunes libéraux du Québec. Ils souhaitent revoir le mode de fonctionnement des organisations syndicales, notamment pour faciliter les recours pour les travailleurs mécontents de leur syndicat. »

« Des changements majeurs en éducation », Radio-Canada, 2 août 2008.

2 CONTRIBUER À L'ÉCONOMIE SOCIALE

La Fiducie du Chantier de l'économie sociale investit exclusivement dans des entreprises d'économie sociale de moins de 200 employés, notamment des organismes à but non lucratif et des coopératives.

« Pour la Fiducie, une entreprise d'économie sociale se définit comme une entreprise œuvrant dans le secteur marchand et revêtant un caractère entrepreneurial qui s'articule autour d'une finalité sociale. Une telle entreprise présente les caractéristiques suivantes :

• Sa finalité première est de produire des biens et services répondant à des besoins économiques et sociaux, individuels et collectifs ;

• Centrée sur la personne, ses principes et ses règles de fonctionnement reposent sur : un cadre réglementaire qui vise à assurer un processus de gestion démocratique ; des activités favorisant chez les membres ou les clients la participation et la prise en charge individuelle et collective ; la primauté de la personne et du travail sur le capital, notamment dans la répartition des surplus et des revenus ; une propriété collective des capitaux et des moyens de production ;

• Sa contribution se mesure en fonction de son incidence sur le développement local et des collectivités, notamment par la création d'emplois durables, le développement de l'offre de nouveaux services et l'amélioration de la qualité de vie ; […] »

Fiducie du Chantier de l'économie sociale, 2008.

3 DES ENTREPRISES AUTOCHTONES

Les communautés autochtones développent des entreprises touristiques dont le but principal est de faire connaître leur mode de vie et leurs richesses naturelles. Par exemple, la communauté huronne-wendate de Wendake, près de Québec, a développé l'Hôtel-Musée Premières Nations, une entreprise qui conjugue une mission éducative aux services touristiques.

« [On] retrouve des entreprises [autochtones] dans le domaine des exploitations minières, des communications, de la pêche commerciale, du service d'entretien, des services financiers et publics, et dans le secteur de l'informatique.

Les entreprises autochtones s'approvisionnent dans 55 % des cas auprès d'autres entreprises autochtones. Leurs clients sont les entreprises autochtones, la collectivité et les entreprises québécoises.

Les entreprises desservent dans la majorité des cas la localité ou la région qu'elles occupent. Peu d'entreprises exportent à l'extérieur de leur région, au national ou à l'international. »

Rémy Kurtness (dir.), *L'économie des collectivités autochtones*, 27 février 2004.

COMPÉTENCE 2
Interpréter le passé.

1. Quels principes démocratiques sous-tendent les solutions présentées dans cette double page ?

2. Quelles sont les origines de ces principes au Québec ?

COMPÉTENCE 3
Exercer sa citoyenneté.

3. Quels seraient les avantages et les inconvénients de la gratuité scolaire ?

---

4 LA GRATUITÉ SCOLAIRE

« La tarification des études postsecondaires entraîne plusieurs problèmes économiques et sociaux liés à l'endettement étudiant et l'accessibilité pour les moins nantis.

- L'augmentation des frais assumés par les étudiants est utilisée par les gouvernements comme un substitut au financement public, en chute libre ces dernières décennies ;

- L'abolition des droits de scolarité apparaît économiquement viable et socialement plus équitable que la tarification ;

- La gratuité scolaire est un incitatif à la poursuite d'études supérieures ;

- Abolir les droits de scolarité au Québec et instaurer la gratuité des études postsecondaires ne coûterait que 550 M$, ce qui représente un peu moins de 1 % du budget du gouvernement.

Ainsi, plutôt que d'étudier des hausses de frais de scolarité qui ne règlent pas les problèmes pour lesquels elles sont mises en place en plus d'entraîner des coûts sociaux majeurs, le gouvernement du Québec devrait s'interroger sur la pertinence de maintenir la tarification de l'éducation et étudier des perspectives d'abolition des frais de scolarité. »

Philippe Hurteau et Éric Martin, « Tarification de l'éducation postsecondaire ou gratuité scolaire ? », *Institut de recherche et d'informations socioéconomiques*, janvier 2007.

Le 29 mars 2007 à Montréal, des milliers d'étudiants marchent pour la gratuité scolaire.

---

5 REHAUSSER LE FILET SOCIAL

« [Les] signataires demandent à l'Assemblée nationale, pour mettre en œuvre l'esprit de la *Loi visant à lutter contre la pauvreté et l'exclusion sociale*, de veiller à ce que le gouvernement prenne les mesures nécessaires pour :

- que toutes les citoyennes et tous les citoyens aient accès, sans discrimination, à des services publics universels de qualité ;

- que le salaire minimum soit fixé à 10,16 $/heure (2007) et révisé annuellement afin qu'une personne seule travaillant 40 heures/semaine sorte de la pauvreté ;

- que les protections publiques soient haussées et ajustées annuellement pour assurer à toute personne un revenu au moins égal à la mesure du panier de consommation, soit 13 267 $/an (2007), afin de préserver sa santé et sa dignité. »

Collectif pour un Québec sans pauvreté, *Lancement d'une campagne de signatures – Mission collective : bâtir un Québec sans pauvreté*, 28 novembre 2007.

Un développement durable

2.5 LES DÉFIS D'UN DÉVELOPPEMENT DURABLE

Le développement économique rapide qu'a connu le Québec depuis le XIXe siècle a un impact important sur le territoire. Les besoins énergétiques croissants, le désir de produire plus, plus vite et à moindre coût se répercutent sur le patrimoine naturel du Québec et sur la santé de sa population.

Enquête

À l'aide des documents présentés dans cette double page et dans les chapitres précédents, montrez dans un tableau les conséquences des défis liés au développement durable pour le Québec et sa population.

LEXIQUE

Empreinte écologique – Outil qui évalue la surface productive nécessaire à une population pour répondre à sa consommation de ressources et à ses besoins d'absorption de déchets.

1 DES INDUSTRIES POLLUANTES

« [En 2002], le Québec compte quelque 65 sites miniers, 400 carrières, 5 000 sablières, 130 usines de béton bitumineux, 1 200 scieries et 2 200 autres établissements manufacturiers (papetières, raffineries, cimenteries, usines de placage, industries chimiques et établissements des secteurs de la plasturgie, du textile, de l'agroalimentaire, etc.) ayant des rejets d'eaux usées importants et contrôlés. »

Développement durable, Environnement et Parcs, *Milieu industriel*, gouvernement du Québec, 2002. Reproduction autorisée par Les Publications du Québec.

2 QUI CONTRÔLE LES RESSOURCES ÉNERGÉTIQUES ?

« En 1962, le gouvernement libéral de Jean Lesage, sous la direction de René Lévesque, a lancé le projet "Maîtres chez nous" de nationalisation de l'hydroélectricité afin que le Québec prenne le contrôle de ses ressources naturelles et, du fait même, de son économie. Ce projet est devenu le premier grand vecteur d'émancipation des gens du Québec et nous a collectivement aidés à nous sortir de cet état de colonie économique dans lequel nous croupissions depuis trop longtemps.

Avec les projets de ports méthaniers, notre gouvernement fait exactement l'inverse. Pour satisfaire des intérêts particuliers, ces élus sont en train de collaborer à la reprivatisation de notre énergie, la perte de contrôle sur nos ressources naturelles et notre économie. Pire, ils contribuent à augmenter notre dépendance envers des ressources fossiles importées pour lesquelles nous n'avons de contrôle ni sur le prix ni sur la distribution.

Pendant que les Américains font tout pour diminuer leur dépendance extérieure, nous augmenterons la nôtre pour les alimenter ! »

Yves St-Laurent, Collectif Stop au méthanier, André Bélisle, Association québécoise de lutte contre la pollution atmosphérique, Daniel Breton, Québeckyoto, « De maîtres chez nous à... Rabaska ? », *Le Devoir*, Opinion, 11 février 2008.

Le 28 octobre 2007, des opposants au projet de port méthanier Rabaska, à Lévis, manifestent devant l'Assemblée nationale, à Québec.

3 CHOISIR ENTRE L'ÉCONOMIE ET L'ENVIRONNEMENT

« Le chef de l'Action démocratique du Québec, Mario Dumont, juge que le respect de l'environnement ne doit pas être un frein à la réalisation de grands projets et préconise le développement tous azimuts du potentiel hydroélectrique du Québec. "Il ne devrait pas y avoir à notre développement hydroélectrique d'autre limite que notre capacité de construire", a déclaré, hier, Mario Dumont […].

Selon le chef adéquiste, le Québec ne peut se permettre d'étouffer son économie sous prétexte de protéger l'environnement. "Le Québec doit réaliser le défi environnemental tout en faisant son rattrapage économique", a-t-il lancé. "Il faut être capable d'amener le Québec [à atteindre] des objectifs environnementaux ambitieux, mais de réaliser comme parti politique le tour de force de faire ça tout en redonnant aux Québécois le goût de réaliser des projets." »

Robert Dutrisac, « L'environnement ne doit pas être un frein aux grands projets, dit Dumont », *Le Devoir*, 1er octobre 2007.

5 UNE UTILISATION EXCESSIVE DES RESSOURCES

« Selon Harvey Mead, commissaire au développement durable, le Québec se classe au huitième rang des plus grands gaspilleurs de ressources de la planète. […] Le résultat du calcul de Harvey Mead est troublant. L'empreinte écologique du Québec est de six hectares par personne. La province se retrouve dans le top 10 des États "surdéveloppés", dont la consommation et la production de ressources vont à l'encontre du développement durable. Les Émirats arabes unis et les États-Unis caracolent en tête de ce palmarès. Le Canada, dont l'empreinte est de 7,6 hectares, se classe au quatrième rang. Le Québec fait donc mieux que l'Alberta et les provinces maritimes, par exemple.

Mais les Québécois dégradent plus l'environnement que les Français, les Anglais, les Allemands, les Russes et les Japonais. L'empreinte écologique moyenne de l'humanité est de 2,2 hectares. Pour respecter la capacité de la planète à soutenir notre mode de vie, l'empreinte écologique devrait atteindre 1,8 hectare. »

Tommy Chouinard, « Le mythe du Québec vert déboulonné », *La Presse*, 14 décembre 2007.

COMPÉTENCE 2
Interpréter le passé.

1. Énumérez les défis du développement durable au Québec.

2. (*doc.* **1**) À l'aide de ce document et de toute autre source fiable, citez des exemples tirés de l'histoire du Québec où l'environnement a été affecté par le développement économique. Comment ces défis ont-ils été réglés ?

3. (*doc.* **2**) À quoi les auteurs de ce document font-ils référence dans le premier paragraphe ?

4. Formulez une hypothèse afin d'expliquer l'ampleur de l'impact du développement économique sur l'environnement.

CONCEPTS
Économie / Ressources

5. Les ressources naturelles du Québec sont-elles exploitées dans le respect de l'environnement ?

4 DES CONSÉQUENCES ENVIRONNEMENTALES DU DÉVELOPPEMENT ÉCONOMIQUE DU QUÉBEC

	2001	2006	2007
Proportion du territoire québécois consacrée aux aires protégées (en %)	2,91	5,81	4,91

	2001	2004	2005
Émissions de gaz à effet de serre (Mt éq. CO_2)*	84,9	92,8	91,4
Émissions de gaz à effet de serre par habitant (Mt éq. CO_2)*	11,5	12,3	12,2

* Mégatonnes d'équivalent de dioxyde de carbone.

D'après l'Institut de la statistique du Québec, *Le Québec chiffres en main*, édition 2008. Reproduction autorisée par Les Publications du Québec.

Le smog hivernal à Montréal en février 2005.

2.6 DES PISTES DE SOLUTION POUR UN DÉVELOPPEMENT RESPECTUEUX DE L'ENVIRONNEMENT

L'environnement est au cœur des préoccupations actuelles des Québécoises et Québécois. Devant les impacts dévastateurs du développement, certaines personnes proposent des pistes de solution qui entraînent le Québec dans un virage « vert ».

LEXIQUE

Biodiversité – Ensemble des espèces d'une région ou d'un milieu naturel donnés. Désigne également l'ensemble des gènes au sein d'une même espèce, ou l'ensemble des écosystèmes présents sur Terre.

LEED – Système d'évaluation qui attribue des certificats aux bâtiments répondant à certaines normes environnementales. Les critères évalués incluent l'efficacité énergétique, la gestion de la consommation de l'eau et du chauffage, l'utilisation de matériaux de provenance locale et la réutilisation de leurs surplus.

---

1 UNE AGRICULTURE BIOLOGIQUE POUR ASSURER UN DÉVELOPPEMENT DURABLE

Jardin des Anges est un producteur et distributeur de fruits et légumes certifiés biologiques, qui fait la livraison de paniers à domicile toute l'année.

« La certification biologique […] assure que les produits que vous mangez rencontrent les normes de production sans intrants chimiques. De plus, le producteur certifié biologique doit respecter un cahier des charges précis et des normes contrôlées par des certificateurs eux-mêmes encadrés par une loi de l'Assemblée nationale du Québec.

Elle protège contre plusieurs cancers et autres maladies causés par des produits chimiques dont on se sert en agriculture depuis 50 ans, ainsi que certaines allergies alimentaires liées à l'ingestion de résidus de pesticides et de certains additifs alimentaires. Elle protège également les ouvriers agricoles contre les maladies industrielles liées aux produits chimiques toxiques.

Elle régénère le sol en remplaçant les produits chimiques qui érodent et appauvrissent les sols par des pratiques basées sur la diversité des cultures et les procédés naturels de fertilisation comme l'usage des composts pour bâtir et maintenir la fertilité du sol et protège l'eau en éliminant l'utilisation des produits chimiques de synthèse qui polluent les cours d'eau et les nappes phréatiques.

Elle préserve la biodiversité par les brise-vent, les rotations, la préservation des terres humides, la pollinisation par les insectes.

Elle contribue à la sauvegarde des communautés rurales, car la majorité des fermes biologiques sont indépendantes et de petite taille.

Au Québec, six organismes sont reconnus comme accréditeurs de production biologique. »

Adapté du site de Jardin des Anges, 2008.

Il existe divers organismes de certification pour les exploitations agricoles et les aliments biologiques.

2 UNE VOITURE SANS ÉMISSIONS DE GAZ CARBONIQUE (CO₂)

« Le jour où les Québécois se déplaceront au volant de voitures électriques n'est peut-être plus très loin. Hydro-Québec a en effet récemment produit quatre prototypes d'un tel véhicule dont l'autonomie est d'environ 500 kilomètres et la vitesse de pointe 130 km/h. »

Pascal Morin, « Une voiture électrique signée Hydro-Québec ? », *La Tribune*, 30 juin 2008.

3 L'INTERVENTION DE L'ÉTAT

« Dès 1997, le Québec [crée] l'Agence de l'efficacité énergétique. Cet organisme québécois assure […] la promotion de l'efficacité énergétique pour toutes les formes d'énergie, dans tous les secteurs d'activité, et ce, au bénéfice de l'ensemble des régions du Québec.

En 2005, le gouvernement du Québec poursuit sa lancée en demandant à Hydro-Québec de réaliser des économies d'électricité de 4,1 TWh par l'intermédiaire d'un plan d'efficacité énergétique ambitieux. Cette nouvelle cible équivaut à la consommation électrique d'une ville comme Laval, la deuxième en importance au Québec. Ce plan donnera lieu à des investissements de près de 2 milliards $ et soutiendra quelque 18 000 emplois. »

Développement durable, Environnement et Parcs, *Le Québec en action contre les changements climatiques*, gouvernement du Québec, 2005.
Reproduction autorisée par Les Publications du Québec.

4 DES ÉDIFICES INDUSTRIELS ET RÉSIDENTIELS VERTS

« Le centre de distribution Sobey's de Trois-Rivières a été construit selon le programme LEED® (*Leadership in Energy and Environmental Design*), une référence incontournable en matière de construction durable et de protection de l'environnement. Les critères qui ont modelé la conception et la construction de ce projet sont répartis en six grandes catégories : aménagement écologique des sites, gestion efficace de l'eau, énergie et atmosphère, matériaux et ressources, qualité des environnements intérieurs, innovation et processus de design. Ce parcours rigoureux et innovateur mènera fort probablement à la très prisée certification canadienne du programme LEED®.

À noter que le 27 novembre 2007, le supermarché IGA de Saint-Pascal de Kamouraska était le tout premier supermarché au Canada à obtenir la certification LEED®. »

Groupe CNW, Communiqué, mai 2008.

5 UNE CONSTRUCTION ÉCOLOGIQUE

« Une maison à Victoriaville est entièrement construite à partir de matériaux qui auraient autrement fini au dépotoir.

[…] Avec des contraintes étonnantes : un budget de 15 000 $, un échéancier de 15 semaines et surtout l'obligation d'utiliser uniquement des matières premières de deuxième main, normalement condamnées, dans nos sociétés, à finir leurs jours au dépotoir. »

Fabien Deglise, « Rebut global », *Le Devoir*, 27 août 2004.

La maison construite par les Artisans du rebut global, au sommet du mont Arthabaska dans la région du Centre-du-Québec.

COMPÉTENCE 3
Exercer sa citoyenneté.

1. Pensez-vous que le respect de l'environnement soit un handicap sur le plan de l'économie ?

2. Sur quels principes démocratiques certaines des solutions proposées dans cette double page sont-elles fondées ?

3. Les efforts présentés dans cette double page sont-ils d'ordre collectif ou individuel ?

4. Quelles institutions publiques peuvent veiller à changer les habitudes des plus grands pollueurs ?

COMPÉTENCE 1
Interroger le présent.

5. Les hypothèses que vous avez formulées sur l'évolution des grands enjeux économiques du Québec sont-elles toujours valides ? Au besoin, reformulez-les ou complétez-les.

CONCEPTS
Économie / Production

6. Comment les modes de production peuvent-ils devenir plus écologiques ?

Dans le résumé qui suit, vous trouverez les grandes lignes du thème Culture et mouvements de pensée qui vous permettront d'ancrer votre questionnement, votre interprétation du passé ainsi que votre prise de position sur les enjeux liés à la culture et à l'identité québécoises.

3. DES ENJEUX CULTURELS :

CULTURE ET MOUVEMENTS DE PENSÉE AU QUÉBEC

RÉSUMÉ

LES PREMIERS OCCUPANTS
(v. 1500)

La culture et le mode de vie des Premiers occupants sont influencés par leur environnement. Le Cercle de vie est une forme de représentation du monde commune à la plupart des peuples autochtones de l'est de l'Amérique du Nord.

LE RÉGIME FRANÇAIS
(1608-1760)

Sous le Régime français, des colons français s'installent en Nouvelle-France et la culture de la métropole a un impact sur de nombreux aspects de la vie dans la colonie. L'éducation, contrôlée par l'Église catholique, transmet des valeurs morales religieuses et la culture française. Les échanges culturels entre les Autochtones et les colons contribuent au développement d'une culture originale caractérisée notamment par l'esprit d'indépendance des Canadiens français et Canadiennes françaises.

LE RÉGIME BRITANNIQUE
(1760-1867)

Après la Conquête, les autorités britanniques importent dans la colonie leurs institutions et leurs valeurs culturelles anglaises, soit la religion protestante et la langue anglaise, mais également le libéralisme⊙ politique et économique. Celui-ci a un impact important sur le développement d'un nationalisme⊙ libéral incarné par les Patriotes. L'échec des Rébellions de 1837 et l'Acte d'Union de 1840 incitent les Canadiens français à se replier sur leurs institutions culturelles et à défendre leur identité nationale. La valorisation des ancêtres de l'époque de la Nouvelle-France et de leur mode de vie renforce cette identité. La France redevient un modèle de référence culturelle. L'Église, qui au XIXe siècle contrôle toujours l'éducation, contribue à la préservation et à la transmission de la culture canadienne-française. Elle exerce une grande influence sur la société et la culture de la colonie.

LA PÉRIODE CONTEMPORAINE
(1867 à nos jours)

L'industrialisation et l'urbanisation de la fin du XIXe siècle et du début du XXe transforment la société québécoise dominée par la bourgeoisie anglophone. Sous l'influence des États-Unis, une nouvelle culture populaire se développe dans les grands centres urbains.

Dans la seconde moitié du XXe siècle, la modernisation de la culture, à laquelle contribue l'instauration d'un système d'éducation public, atteint son apogée avec la Révolution tranquille⊙ et la laïcisation des institutions d'enseignement et de santé. Une nouvelle identité québécoise émerge des mouvements d'émancipation nationale.

L'IDENTITÉ ET LA CULTURE

« Le Québec moderne dispose d'un héritage canadien-français qu'il choisira de préserver ou non : le désir d'indépendance et la primauté de sa langue française. L'identité québécoise en jeu aujourd'hui dépasse toutefois les contours de ses premières origines. Le Québec des années 1950, 1960 s'est réinventé de fond en comble. Il s'est doté d'une littérature, d'un cinéma, d'une politique et d'une économie qui lui sont propres. Les figures mythiques abondent : Ferron, Victor-Lévy Beaulieu, Brault, René Lévesque, pour ne nommer que ceux-là. L'identité québécoise telle que nous la concevons est une notion jeune dans l'Histoire du Québec. Il nous appartient donc plus qu'à quiconque – nous, les enfants des *baby-boomers*⊙ et les gens issus de l'immigration récente ou passée – d'en prendre conscience, de s'approprier cette identité et de la mettre en action. »

Philippe Jean Poirier, Simon Beaudry et Pascal Beauchesne, « Être, agir : deux nécessités pour le Québec », revue électronique *L'Action nationale*, 19 décembre 2006.

L'ouverture sur le monde, l'immigration et la mondialisation⊙ des échanges économiques entraînent l'évolution constante de la culture québécoise. Elle subit l'influence des mouvements de pensée dominants, des mouvements de contestation et de la quête d'une identité commune à tous les Québécois et à toutes les Québécoises.

COMPÉTENCE 2
Interpréter le passé.

1. Nommez deux caractéristiques culturelles qui ont longtemps marqué la société québécoise et dont l'origine remonte au Régime français.

2. Quelles caractéristiques de l'identité québécoise sont menacées sous le Régime britannique ? Comment ? Quelles institutions les ont défendues ?

3. Dans la seconde moitié du XXe siècle, une des deux principales caractéristiques de l'identité canadienne-française est mise de côté. Laquelle ? Comment ?

4. Nommez trois phénomènes sociaux qui influencent l'identité québécoise au début du XXIe siècle. Expliquez comment se présente cette influence.

COMPÉTENCE 1
Interroger le présent.

5. À la lumière de vos réponses aux questions précédentes, formulez une hypothèse sur l'évolution de l'identité et de la culture québécoises que vous validerez à l'aide des pages 176 à 179.

Une culture commune dynamique

3.1 LES DÉFIS D'UNE IDENTITÉ CULTURELLE DYNAMIQUE

La culture québécoise est en pleine mutation. Sous l'influence de la mondialisation⊙ et de la modernité, ses repères traditionnels sont remis en question. Les œuvres et le patrimoine culturels du Québec sont menacés par le développement économique et la position minoritaire du Québec en Amérique du Nord.

Les doubles pages qui suivent vous permettront d'explorer les défis d'une identité culturelle et vous aideront à mieux comprendre la gestion de cet enjeu au regard des choix de société.

Enquête

Le gouvernement du Québec annonce qu'il accorde des sommes additionnelles à la culture afin de renforcer l'identité culturelle des Québécois et Québécoises. Il désire ainsi écarter les menaces les plus importantes qui pèsent sur cette identité. Établissez une liste des principaux problèmes à combattre et expliquez vos choix.

1 UN MALAISE IDENTITAIRE

« La "vague" des accommodements a manifestement heurté plusieurs cordes sensibles des Québécois canadiens-français de telle sorte que les demandes d'ajustement religieux ont fait craindre pour l'héritage le plus précieux de la Révolution tranquille⊙ (tout spécialement l'égalité hommes-femmes et la laïcité⊙). Il en a résulté un mouvement de braquage identitaire, qui s'est exprimé par un rejet des pratiques d'harmonisation. Chez une partie de la population, cette crispation a pris pour cible l'immigrant qui est devenu en quelque sorte un bouc émissaire. Ce qui vient de se passer au Québec donne l'impression d'un face-à-face entre deux formations minoritaires dont chacune demande à l'autre de l'accommoder. Les membres de la majorité ethnoculturelle craignent d'être submergés par des minorités elles-mêmes fragiles et inquiètes de leur avenir. La conjonction de ces deux inquiétudes n'est évidemment pas de nature à favoriser l'intégration dans l'égalité et la réciprocité.

Nous pouvons en conclure que les Québécois d'ascendance canadienne-française ne sont pas encore bien à l'aise avec le cumul de leurs deux statuts (majoritaires au Québec, minoritaires au Canada et en Amérique). »

Gérard Bouchard et Charles Taylor, Commission sur les pratiques d'accommodement reliées aux différences culturelles⊙, *Fonder l'avenir – Le temps de la conciliation*, Rapport abrégé, gouvernement du Québec, 2008.

2 LES QUÉBÉCOIS NE PARTAGENT PAS LES MÊMES VALEURS QUE LE RESTE DU CANADA.

« L'opposition à la mission afghane demeure élevée au Québec (77 %), suivie des provinces atlantiques et l'Ontario (tous deux 58 %), et de la Colombie-Britannique (53 %). Le soutien à la présence canadienne en Afghanistan demeure très haut auprès de l'électorat conservateur comparativement à ceux et celles qui voteraient pour un autre parti politique le 14 octobre [2008] (moins de 28 %). »

Note : Sondage d'opinion⊙ réalisé auprès de 1 011 adultes de toutes les provinces canadiennes les 9 et 10 septembre 2008.

Tim Olafson et Mario Canseco, « Seulement le tiers des Canadiens approuvent la mission en Afghanistan », *Angus Reid Strategies*, 2008.

(Ygreck, caricature parue dans le *Journal de Québec*, novembre 2007.)

3 LA CULTURE QUÉBÉCOISE EST-ELLE DYNAMIQUE OU PAS ?

Fondé en 2004, l'Institut du Nouveau Monde est un organisme non partisan dont la mission est de développer la participation citoyenne et de renouveler les idées au Québec.

« On parle tantôt d'une grande effervescence, d'une créativité sans précédent, et tantôt de tape-à-l'œil, de médiocrité, de marchandisation. Par ailleurs, si l'offre d'activités et de biens culturels semble intense en zone montréalaise, on parle parfois de "désert" dans certaines régions. De même, si quelques productions culturelles bien intégrées au marché de masse jouissent d'un ample appui financier, la plupart des autres sont réduites à la portion congrue, ou tout simplement laissées à elles-mêmes, par suite du désengagement progressif de l'État et d'autres institutions publiques ou privées. Enfin, de nombreux créateurs constatent que leurs œuvres suscitent peu d'intérêt auprès de la population – on pense ici d'abord aux avant-gardes et aux poètes, mais [aussi] à la plupart des romanciers dont les ouvrages souffrent de chiffres de vente anémiques (moins d'un millier d'exemplaires en moyenne). Ceci, sans parler des petits groupes de création, des acteurs marginaux qui œuvrent à contre-courant à l'insu des médias, sinon des publics. »

Comité directeur du Rendez-vous stratégique sur la culture, « Présence, avenir de la culture québécoise », *Cahier spécial sur la culture,* Institut du Nouveau Monde, 20 janvier 2007.

4 LA REPRODUCTION DE SUCCÈS ÉTRANGERS À LA TÉLÉVISION QUÉBÉCOISE

Loft Story, version québécoise de la populaire émission américaine *Big Brother,* elle-même inspirée d'un succès des Pays-Bas, est diffusée au réseau TQS. De nombreuses émissions québécoises sont en fait des reprises de succès populaires américains.

5 LE FRANÇAIS DISPARAÎTRA-T-IL À MONTRÉAL ?

« Selon [une] étude réalisée par le démographe Marc Termote [pour le compte de l'Office québécois de la langue française], ceux qui parlent le français à la maison seront minoritaires vers 2021 sur l'île de Montréal. Déjà, selon les données du recensement de 2006 effectué par Statistique Canada, les personnes ayant le français comme langue maternelle sont minoritaires sur l'île. »

« Office de la langue française : le PQ s'interroge », Radio-Canada, 26 janvier 2008.

ANNÉE	TAUX DE LA POPULATION MONTRÉALAISE DONT LA LANGUE MATERNELLE EST LE FRANÇAIS
1996	53,4 %
2001	53,2 %
2006	49,8 %

D'après Statistique Canada, recensements de la population, 1996 à 2006.

6 L'HOMOGÉNÉISATION DE LA CULTURE

L'anglais est-il la langue de la place publique ? MTV, Mc Donald's, fast-food… la mondialisation est-elle en train d'américaniser le monde entier ? Même les jeux vidéo et Internet contribuent à l'omniprésence de l'anglais et de la vision américaine du monde.

« Dans une conférence qu'il donnait récemment à Montréal, le philosophe Georges Leroux indiquait que la mondialisation de la culture constitue une menace claire d'hégémonie sous l'emblème américain. Il donnait en exemple le cinéma qui est devenu uniforme d'un bout à l'autre de la planète. "Aujourd'hui, lorsque les Japonais, les Brésiliens ou les Latino-Américains font des films, ils reproduisent le modèle américain avec les mêmes thèmes, les mêmes rêves… Quel que soit le domaine, les œuvres ne résistent plus à l'homogénéisation, dit-il. Nous sommes en train de perdre des grandes formes culturelles du passé, le théâtre et l'opéra qui disparaissent au profit de la culture de masse." »

« La mondialisation culturelle », *Chasseurs d'idées,* Télé-Québec, 11 octobre 1999.

COMPÉTENCE 3
Exercer sa citoyenneté.

1. Énumérez les défis culturels présentés dans cette double page.

2. La population québécoise agit-elle en faveur d'une culture québécoise dynamique ? Expliquez votre réponse.

COMPÉTENCE 2
Interpréter le passé.

3. Selon vous, quelles caractéristiques historiques du Québec expliqueraient certains des défis liés à l'identité culturelle ?

CONCEPTS
Culture / Identité

4. Quelles sont les composantes de l'identité culturelle des Québécois et Québécoises ?

DES ENJEUX CULTURELS

3.2 DES PISTES DE SOLUTION POUR UNE CULTURE COMMUNE DYNAMIQUE

Afin de rester dynamique et de protéger les éléments qui la distinguent, la culture québécoise doit sans cesse se renouveler.

Enquête

À l'aide d'un tableau, expliquez le rôle que chacun des groupes suivants peut jouer dans la protection et le renouvellement de la culture québécoise : les citoyens et citoyennes, les institutions publiques, les artistes, les communautés culturelles.

1 LA PLURICULTURALITÉ DE LA CULTURE QUÉBÉCOISE

Né à Port-au-Prince en Haïti, Dany Laferrière est aujourd'hui un des auteurs et intellectuels québécois les plus appréciés. Également cinéaste et chroniqueur dans les médias, Laferrière connaît un succès critique. Il est lauréat, notamment, du prix Carbet (1991), de la première édition du prix Carbet des lycéens (2000) et du Prix du livre Réseau France Outre-mer (2002) pour son roman *Cette grenade dans la main du jeune Nègre est-elle une arme ou un fruit ?*

Dany Laferrière au festival Étonnants Voyageurs de Saint-Malo, en 2002.

2 LA DIVERSIFICATION CULTURELLE

« Le paysage culturel québécois s'est beaucoup diversifié au cours des dernières décennies et cette tendance semble s'accélérer. Elle est le fait d'une nouvelle génération porteuse d'une sensibilité, d'une esthétique⊚ différente. Elle est due également à de jeunes néo-Québécois qui investissent leur culture d'origine, leur "différence", dans la vie des arts et des lettres. Elle est l'effet de l'Internet et des autres moyens de communication récents qui permettent à tout individu de construire son univers de référence. Elle véhicule de nouveaux produits culturels (comme la télé-réalité). Elle porte la marque des dynamismes qui se manifestent en région, souvent coupés et ignorés de la métropole. Elle résulte, enfin, de nouvelles pratiques de création qui s'exercent un peu partout et se diffusent à travers des canaux secondaires auprès de publics segmentés. Il en découle une grande diversification de la vie culturelle avec des références, des identités, des sensibilités fragmentées, des modes de production (et de consommation) parfois très individualisés. Par ailleurs, c'est dans ce contexte également que prennent forme de nouvelles appartenances et solidarités.

Faut-il voir dans ces changements un signe, une promesse d'enrichissement, un bouillonnement salutaire ? »

Comité directeur du Rendez-vous stratégique sur la culture, « Présence, avenir de la culture québécoise », *Cahier spécial sur la culture*, Institut du Nouveau Monde, 20 janvier 2007.

3 UN PROJET DE LOI SUR L'IDENTITÉ QUÉBÉCOISE

« Le Parti québécois souhaite que soit instituée une citoyenneté québécoise. Cette citoyenneté serait offerte à tous les citoyens nés et domiciliés actuellement au Québec et détenant la citoyenneté canadienne. Cette citoyenneté serait également attribuée à tout immigrant qui serait en mesure de démontrer une connaissance appropriée de la langue française et du Québec. [...]

Pour mieux interpréter les droits individuels et afin de mieux baliser le débat sur les accommodements raisonnables, le Parti québécois propose d'inclure le texte suivant dans la Charte des droits et libertés de la personne :

"Dans l'interprétation et l'application de la présente Charte, il doit être tenu compte du patrimoine historique et des valeurs fondamentales de la nation québécoise, notamment de l'importance d'assurer la prédominance de la langue française, de protéger et promouvoir la culture québécoise, de garantir l'égalité entre les femmes et les hommes et de préserver la laïcité⊕ des institutions publiques."

Par ailleurs, il est proposé que la Charte soit modifiée pour prévoir explicitement que toute personne a le droit à l'apprentissage de la langue française. »

Pauline Marois, « Communiqué : Pour donner des assises solides et durables à l'identité québécoise », 18 octobre 2007.

4 LE FINANCEMENT DU CINÉMA QUÉBÉCOIS

En 2006, l'auteur est député de Mercier, vice-président de la Commission de la culture de l'Assemblée nationale du Québec et porte-parole de l'opposition officielle en matière de culture et de communications.

« La redevance prélevée sur le billet de cinéma en France a sans doute contribué à l'essor du cinéma français, qui demeure un des cinémas nationaux les plus attractifs. Une redevance sur le billet de cinéma, fixée à un taux analogue au taux français de 10,88 % et appliquée sur des recettes de billetterie de cinémas et de ciné-parcs en 2005, qui se sont élevées à 175 052 500 $, correspondrait à une somme de 19 045 712 $. [...] Cela devrait amener à envisager l'institution d'une redevance plus globale qui porterait également sur la vente et la location de vidéogrammes, l'abonnement à la télédistribution et à Internet ainsi que la vente de matériel audiovisuel.

Il y a lieu de débattre également d'autres propositions, comme celle visant à demander à Loto-Québec de financer le cinéma québécois, comme la National Lottery soutient le cinéma britannique. »

Daniel Turp, « Le financement du cinéma québécois – Des solutions », *Le Devoir*, Opinion, 30 août 2006.

COMPÉTENCE 2
Interpréter le passé.

1. Quel rôle la langue joue-t-elle dans l'élaboration de la culture québécoise depuis 1960 ?

COMPÉTENCE 3
Exercer sa citoyenneté.

2. Les projets culturels doivent-ils nécessairement être économiquement rentables ?

3. Quel est le rôle de la langue dans la société québécoise ?

COMPÉTENCE 1
Interroger le présent.

4. L'hypothèse que vous avez formulée sur l'évolution de la culture et de l'identité québécoises est-elle toujours valide ? Au besoin, reformulez-la ou complétez-la.

5 LE SUCCÈS D'ARTISTES QUÉBÉCOIS

La Bottine souriante est formée en 1976 dans Lanaudière. Ce groupe de musique québécois marie les traditions musicales celtiques, acadiennes et québécoises. Preuve du dynamisme de la culture québécoise, plus de 850 000 albums de ce groupe ont été vendus au Québec.

La Bottine souriante en 2005.

DES ENJEUX CULTURELS

1. CONCEPTS

Les réseaux ci-dessous mettent en relation les concepts liés au thème Un enjeu de société du présent. *Il peut être intéressant de réfléchir aux liens qui existent entre ces concepts.*

LES ENJEUX DE SOCIÉTÉ

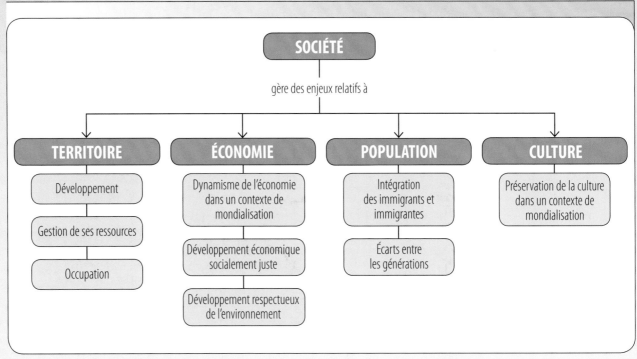

LES CHOIX DE SOCIÉTÉ

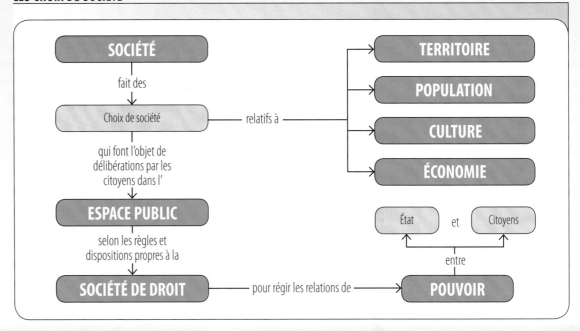

2. RETOUR SUR L'ANGLE D'ENTRÉE

ANGLE D'ENTRÉE
Gestion d'un enjeu et choix de société.

1 **TENSIONS ET ÉMEUTES À MONTRÉAL-NORD (AOÛT 2008)**

Les émeutes à Montréal-Nord le 10 août 2008.

« On sait encore relativement peu de choses sur ce qui s'est réellement passé samedi soir dernier. Pour le bien de l'enquête, la version de la Sûreté du Québec ne révèle que très peu de détails. On sait maintenant que deux officiers de police, un homme et une femme – de quatre ans et demi et un an et demi d'expérience respectivement –, effectuaient une patrouille vers 19 h derrière l'aréna dans le parc Henri-Bourassa. S'adressant à un groupe de jeunes qui jouaient aux dés, ils auraient interpellé Dany Villanueva, en instance de procès et qui était soupçonné d'avoir des liens avec des gangs de rue. L'intervention aurait ensuite dégénéré en altercation, sur laquelle on a encore peu de détails. La femme policière aurait tenté de maîtriser celui qu'elle interpellait et Freddy Villanueva, pour défendre son frère, serait intervenu, aidé de deux de ses amis et sous les yeux de plusieurs témoins. Quatre coups de feu ont été tirés, dont trois furent fatals pour le jeune Freddy Villanueva. Denis Méas et Jeffrey Sagor Metelus ont été blessés. [...]

Exclusion, chômage, immigration récente, présence de gangs de rue. Bien sûr, le contexte socioéconomique de l'arrondissement de Montréal-Nord apporte des éléments de réponse pour expliquer le conflit fatal de samedi et les émeutes. Dans ce "Bronx" québécois, 40 % des 85 000 résidants vivent sous le seuil de la pauvreté[⊕]. Près de 45 % des jeunes de 20 ans et plus n'ont pas de 5e secondaire et le taux de chômage y est de 11,9 % comparativement à 8,4 % dans le reste de l'île. Près du quart de la population est issue d'une minorité visible, presque deux fois plus qu'ailleurs à Montréal. »

Lisa-Marie Gervais, « Un prévisible cri d'alarme », *Le Devoir*, 16 août 2008.

2 **DES INÉGALITÉS SOCIALES ET ÉCONOMIQUES**

L'auteur est président de la Commission des droits de la personne et des droits de la jeunesse du Québec.

« De l'avis de la Commission [des droits de la personne et des droits de la jeunesse du Québec], les réactions populaires et les tensions observées ne peuvent être dissociées des conditions socioéconomiques difficiles présentes dans ce secteur. La pauvreté et les inégalités, à plus forte raison lorsqu'elles sont alimentées par la discrimination, offrent un terreau fertile aux frustrations et au sentiment d'injustice. Les événements survenus à Montréal-Nord peuvent difficilement être compris sans un tel éclairage.

Quelques données du dernier recensement suffisent à illustrer la précarité socio-économique du secteur sensible de Montréal-Nord qui fut le théâtre des émeutes. Précisons d'abord que ce secteur est particulièrement exigu avec une densité de population deux fois supérieure à l'arrondissement et 19 fois supérieure à celle de la région métropolitaine de Montréal. La proportion de minorités visibles y est de 46 % contre 17 % à Montréal. »

Gaétan Cousineau, « La lutte contre les inégalités doit prévaloir », *Le Devoir*, Opinion, 8 septembre 2008.

Danemark

‹ p. 182 à 191 ›

(Construit à Copenhague dans les années 1670, le port de Nyhavn, ancien quartier marin, attire aujourd'hui les visiteurs et les touristes dans ses cafés et restaurants.)

Pays des Vikings, le Royaume du Danemark est le plus petit des pays scandinaves et la plus ancienne monarchie d'Europe. Au carrefour de l'Europe occidentale et de la Scandinavie, sa position géographique lui assure un rôle important au sein de l'Union européenne, tant sur le plan économique que politique. En 2008, le Danemark compte 5 484 723 habitants.

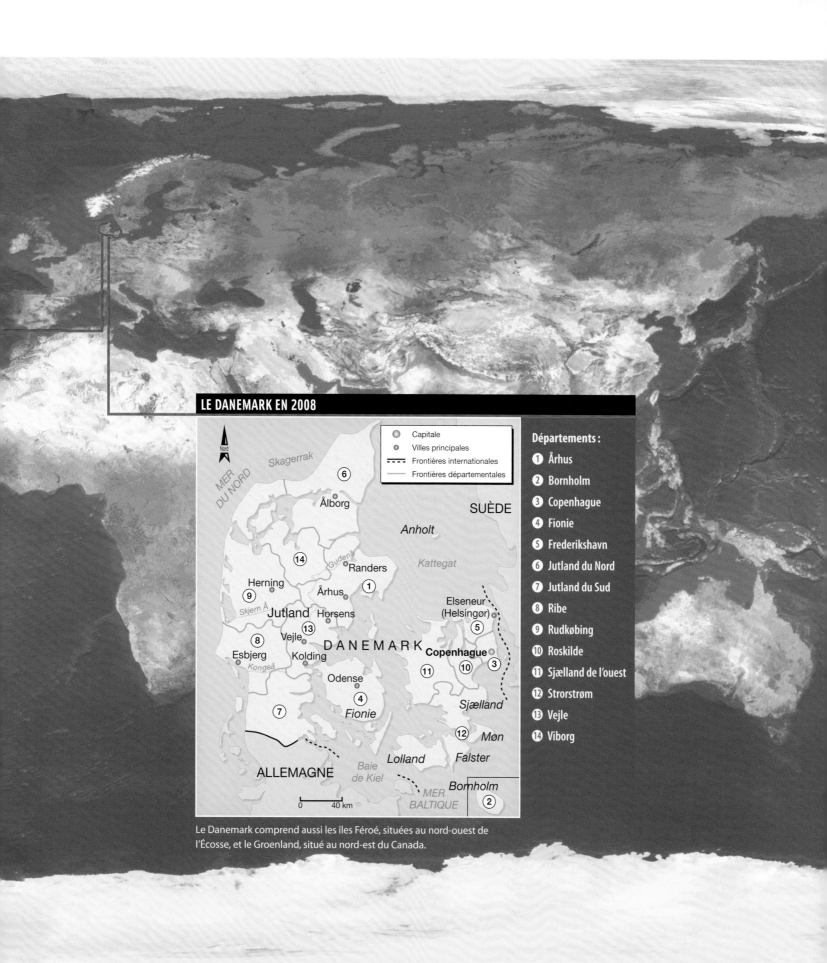

LE DANEMARK EN 2008

Capitale
Villes principales
Frontières internationales
Frontières départementales

MER DU NORD

Skagerrak

Nord

Ålborg

Anholt

SUÈDE

Kattegat

Randers

Herning

Århus

Jutland

Horsens

DANEMARK

Vejle

Esbjerg

Kolding

Odense

Fionie

Elseneur
(Helsingør)

Copenhague

Sjælland

Møn

Falster

Lolland

ALLEMAGNE

Baie de Kiel

MER BALTIQUE

Bornholm

Gudenå

Skjern Å

Kongeå

0   40 km

Départements :

1 Århus
2 Bornholm
3 Copenhague
4 Fionie
5 Frederikshavn
6 Jutland du Nord
7 Jutland du Sud
8 Ribe
9 Rudkøbing
10 Roskilde
11 Sjælland de l'ouest
12 Strorstrøm
13 Vejle
14 Viborg

Le Danemark comprend aussi les îles Féroé, situées au nord-ouest de
l'Écosse, et le Groenland, situé au nord-est du Canada.

Dans les pages 184 à 191, vous prendrez connaissance de textes explicatifs et de documents qui vous permettront de comparer la gestion des enjeux démographiques, économiques, culturels et politiques du Québec avec celle du Danemark.

LEXIQUE

Église évangélique luthérienne – Église protestante fondée sur les écrits et les pensées de Martin Luther, à la suite de la Réforme protestante au XVIe siècle. Au Danemark, cette confession est la religion officielle.

LA GESTION DES ENJEUX DÉMOGRAPHIQUES AU DANEMARK

Le Danemark connaît les mêmes problèmes démographiques qu'ailleurs en Occident : population vieillissante et faible natalité. À cela s'ajoutent les relations parfois difficiles avec les communautés culturelles et les immigrants et immigrantes.

1 TRAVAILLER PLUS LONGTEMPS ?

« Grâce à la vigueur actuelle des recettes fiscales et aux réformes récentes, le Danemark se prépare mieux au vieillissement que la plupart des autres pays de l'OCDE. Dans le cadre de l'Accord de 2006 sur la protection sociale, tous les seuils d'âge pour la préretraite volontaire et le versement de la pension régulière seront relevés de deux ans entre 2019 et 2027. Par la suite, les seuils d'âge pour le départ à la retraite augmenteront en fonction de la longévité, de sorte que l'espérance de vie moyenne au moment de la retraite sera maintenue constante à 19½ années. »

Stefano Scarpetta (dir.), « Étude économique du Danemark 2008 : Principaux enjeux de la politique économique danoise », *Organisation de coopération et de développement économiques (OCDE)*, 19 février 2008.

2 LES RELIGIONS PRATIQUÉES AU DANEMARK

« En vertu de la constitution danoise, l'église nationale danoise est **évangélique luthérienne**. La majorité de la population – environ 85 % – est membre de cette église. […] On estime à environ 150 le nombre de communautés religieuses d'envergure plus ou moins grande au Danemark. […] Il existe environ 90 communautés religieuses officielles [dont la religion catholique (0,6 %) qui compte environ 35 000 fidèles], y compris les cultes musulman (3,6 %), bouddhiste[G], hindouiste[G]. »

D'après le ministère des Réfugiés, de l'Immigration et de l'Intégration, gouvernement du Danemark, 2008.

3 LES PRINCIPALES ORIGINES CULTURELLES DES IMMIGRANTS ET IMMIGRANTES AU DANEMARK, 2004

PAYS D'ORIGINE	IMMIGRANTS ET IMMIGRANTES
Turquie	30 887
Irak	20 701
Allemagne	22 484
Liban	12 101
Bosnie-Herzégovine	18 153
Pakistan	10 689
Yougoslavie	12 263
Somalie	11 774
Norvège	13 862
Suède	12 199
Iran	11 730
Pologne	10 877
Vietnam	8 643
Grande-Bretagne	10 682
Sri Lanka	6 815
Afghanistan	8 986
Maroc	4 948
Autres pays	110 008
Tous les pays	337 802
Population totale	5 397 640

D'après Karen Bjerg Petersen, *Country Report 2004*, gouvernement du Danemark, janvier 2004.

4 LES PRINCIPALES DONNÉES LINGUISTIQUES DU DANEMARK

« Au Danemark, la population présente une homogénéité linguistique car 92 % des citoyens du pays parlent la langue officielle du pays, le danois, comme langue maternelle. […] Les îles Féroé et le Groenland, deux territoires bénéficiant d'un statut d'autonomie et possédant leur propre parlement, ont leurs langues majoritaires. […] Aux îles Féroé, les insulaires parlent le féroïen, une autre langue germanique, alors qu'au Groenland les autochtones parlent le groenlandais (appelé kalaallisut), une langue eskimo-aléoute apparentée à l'inuktitut utilisé par les Inuits du Canada. […] Le Danemark compte une minorité nationale de germanophones de langue allemande au sud du pays. »

Adapté de Jacques Leclerc, « L'aménagement linguistique dans le monde », *Université Laval*, 2007.

5 UNE POPULATION VIEILLISSANTE, UN TAUX DE CROISSANCE STAGNANT

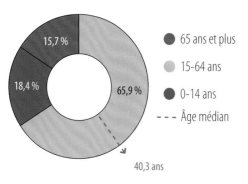

La distribution de la population selon l'âge en 2008

- 15,7 % — 65 ans et plus
- 18,4 % — 15-64 ans
- 65,9 % — 0-14 ans
- - - Âge médian

40,3 ans

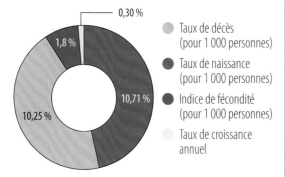

Les indicateurs de population en 2008

- 0,30 %
- 1,8 %
- 10,71 %
- 10,25 %

- Taux de décès (pour 1 000 personnes)
- Taux de naissance (pour 1 000 personnes)
- Indice de fécondité (pour 1 000 personnes)
- Taux de croissance annuel

D'après le U.S. Census Bureau, 2008.

6 DES POLITIQUES FAMILIALES GÉNÉREUSES

« À la venue d'un enfant, les parents disposent de 52 semaines de congé de maternité et de paternité : 4 semaines avant la naissance et 14 semaines après pour la mère et 2 semaines après pour le père. Les 32 autres semaines sont à répartir entre eux selon leur volonté, avant les 9 ans de l'enfant. […] En général, dans le secteur privé⊙, les parents reçoivent leur plein salaire pendant les semaines auxquelles ils ont droit. De plus en plus d'accords prévoient le plein salaire pendant 52 semaines, comme c'est le cas dans le secteur public⊙. »

Alain Lefebvre, « Sociétés nordiques », *Politiques sociales*, 29 août 2006.

7 LA DIFFICILE INTÉGRATION DES IMMIGRANTS ET IMMIGRANTES

« Les mesures visant à promouvoir l'immigration de travailleurs, qui sont un autre élément essentiel du plan gouvernemental pour l'emploi, devraient contribuer à atténuer les pénuries actuelles de main-d'œuvre. Cependant, le Danemark ne présente pas un très bon bilan en matière d'intégration des immigrants dans le marché du travail, surtout pour ceux qui viennent de pays non occidentaux. L'écart de taux d'emploi entre les personnes nées au Danemark et les personnes nées à l'étranger est le plus important de la zone OCDE, en partie à cause des caractéristiques des immigrants, notamment leur pays d'origine. »

« Étude économique du Danemark, 2008 », *Organisation de coopération et de développement économiques (OCDE)*, février 2008.

⚜ COMPÉTENCE 1
Interroger le présent.

5 Comparez la gestion des enjeux démographiques du Danemark avec celle du Québec. Relevez des similitudes et des différences.

LA GESTION DES ENJEUX ÉCONOMIQUES AU DANEMARK

L'économie danoise est forte : le Danemark est le deuxième pays le plus riche parmi les pays européens. La qualité de vie y est élevée, assurée en outre par un État providence auquel tiennent les Danois. Toutefois, en 2008, le Danemark est le premier pays européen à être touché par une récession⊙ économique.

☐ **LEXIQUE**

Couronne – La couronne danoise est la monnaie officielle du Danemark depuis 1873. Au début de novembre 2008, un dollar canadien vaut 4,94 couronnes.

1 LES CONSÉQUENCES DE LA MONDIALISATION⊙ AU DANEMARK

Les briques Lego sont inventées au Danemark dans les années 1940. Pour la première fois depuis sa création, l'entreprise enregistre des milliards de couronnes de pertes, en 1998, 2000, 2003 et 2004.

« L'entreprise est l'un des fabricants de jouets qui a le mieux réussi dans le monde et emploie 5 600 personnes au total. Mais même Lego n'est pas immunisé contre les bouleversements liés à la mondialisation. Ces dernières années, des centaines de travailleurs ont été licenciés et il y en aura davantage encore en 2006, Lego délocalisant sa distribution en République tchèque. […]

Lego a signé un accord avec les syndicats et le bureau local de l'emploi pour recycler les travailleurs dans des emplois de service. L'accord "De l'industrie aux services", conclu avec le principal syndicat danois en novembre 2005, a pour but de reconvertir les agents de production afin qu'ils occupent des postes dans le parc à thème "Legoland" et à l'aéroport de Billund. Beaucoup des 200 employés concernés se sont déjà inscrits pour les programmes d'éducation et de formation. »

Un modèle réduit du port de Nyhavn fabriqué avec des briques Lego, au parc d'attractions Legoland de Billund, au Danemark.

Communiqué, « L'expérience Lego : Conjuguer flexibilité et sécurité », *Organisation mondiale du travail*, 2006.

2 LA GRATUITÉ SCOLAIRE POUR ASSURER LA RELÈVE

« Les institutions d'enseignement supérieur sont financées par l'État et sont, en grande majorité, publiques. […] La plupart des établissements d'enseignement supérieur danois sont gratuits. […]

Depuis le *Statens Uddannelsesstøtte* [Aide financière aux études par l'État] de 2002, chaque étudiant âgé d'au moins 18 ans et poursuivant des études dans l'enseignement supérieur peut bénéficier d'une aide publique directe, quels que soient les revenus de ses parents. Les bourses ont donc principalement vocation à aider les étudiants à financer la vie quotidienne. [Les étudiants] bénéficient, enfin, de réductions importantes sur le prix des transports publics. »

Justine Martin, « Le système universitaire au Danemark », *Observatoire européen des politiques universitaires*, 19 mai 2008.

3 · UNE RICHESSE MENACÉE ?

« Ces dernières années, le Danemark a connu un cycle de forte croissance qui fait de lui un des pays les plus riches d'Europe. Cette prospérité lui a permis de réduire l'endettement public, de connaître de forts excédents budgétaires et de ramener le chômage sous la barre des 4 % en 2006. Cette réussite est attribuée au système danois de "flexsécurité", qui allie souplesse du marché du travail et système efficace d'insertion et de formation des demandeurs d'emploi. Après un ralentissement économique en 2003, la reprise, amorcée en 2004, s'est confirmée en 2005 et 2006 : croissance de 3,4 et 3,3 %, chômage contenu (3,8 %), excédent budgétaire (6 % du PIB en 2006). Depuis mars 2006, et pour la première fois depuis la fin de la Deuxième Guerre mondiale, le Danemark a entièrement résorbé sa dette extérieure. Très dépendant du commerce extérieur en raison de la taille de son propre marché, le pays tire une partie importante de sa croissance de ses exportations (32 % de son PIB), concentrées sur certains produits (produits pharmaceutiques, biens d'équipements industriels, mais aussi pétrole et gaz naturel).

L'économie danoise connaît toutefois, depuis le début de l'année, un ralentissement dû notamment au manque de main-d'œuvre causé par le tassement de la consommation privée (niveau élevé de l'endettement des ménages). Le Danemark est ainsi le premier pays de l'UE à entrer officiellement en récession, après deux trimestres consécutifs de baisse du PIB. »

Site de France Diplomatie, ministère des Affaires étrangères, 2008.

COMPÉTENCE 1
Interroger le présent.

5 Comparez la gestion des enjeux économiques du Danemark avec celle du Québec. Relevez des similitudes et des différences.

4 · L'UTILISATION DES SOURCES D'ÉNERGIE RENOUVELABLE

Fondé en 2003, Actu-Environnement est un titre de presse d'information professionnelle sur Internet spécialisé dans l'environnement et le développement durable.

« Aujourd'hui, plus de 20 % de l'énergie consommée par les 5,3 millions de Danois proviennent de sources renouvelables. [...] Avec 20 % de la puissance totale installée en 2005 et une perspective de 29 % en 2010, ce pays occupe en effet la première place en matière de consommation d'énergie renouvelable. [...] En 1984, le Danemark importait 100 % de son pétrole, alors que cette énergie ne représente plus que 5 % à l'heure actuelle ! C'est aussi le premier exportateur mondial d'éoliennes, fournissant près de la moitié de la puissance totale installée dans le monde. [...] Outre le vent, les autres sources d'ENR [énergie renouvelable] les plus utilisées sont l'incinération des déchets, le bois, la paille et le biogaz, dont 24 % sont utilisées dans l'alimentation en électricité et 13 % pour le chauffage. »

Actu-Environnement, *Énergie renouvelable, le Danemark montre l'exemple*, 17 mai 2005.

5 · L'IMPACT DE L'ACTIVITÉ ÉCONOMIQUE

« Forte de sa situation géographique au sein de l'Union européenne et de l'exportation (32 % de son PIB selon le ministère des Affaires étrangères et européennes) de ses ressources naturelles lui apportant une activité économique dynamique et prospère (parc éolien considérable, pétrole et gaz naturel, ressources halieutiques⁰, chaînes haute fidélité, fenêtres de toit, composants pour le chauffage et la climatisation, transport maritime, bière, jouets, etc.), le Danemark doit cependant veiller à réduire et limiter les impacts négatifs de son activité économique sur l'environnement. »

Actu-Environnement, *L'OCDE publie un bilan environnemental du Danemark*, 7 février 2008.

6 · UN MARCHÉ DÉPENDANT DES EXPORTATIONS

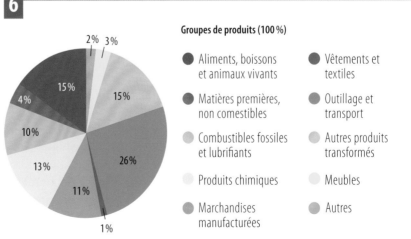

Groupes de produits (100 %)

- Aliments, boissons et animaux vivants
- Matières premières, non comestibles
- Combustibles fossiles et lubrifiants
- Produits chimiques
- Marchandises manufacturées
- Vêtements et textiles
- Outillage et transport
- Autres produits transformés
- Meubles
- Autres

D'après Danish Exporters, Conseil danois du commerce extérieur, Confédération des industries danoises et Chambre de commerce du Danemark, 2007.

LA GESTION DES ENJEUX CULTURELS AU DANEMARK

Le Danemark est une société dotée d'une culture unique. La conciliation du patrimoine, du dynamisme culturel et du mode de vie danois y est un enjeu important.

1 UNE PRODUCTION CULTURELLE BIEN APPUYÉE

L'équipe du film *Mifunes Sidste Sang*, du regroupement cinématographique danois Dogme, photographiée à l'occasion de la réception d'un prix au 49ᵉ festival du film de Berlin en 1999.

« La nouvelle loi sur le cinéma de 1997 a transformé l'Institut du cinéma danois en un nouvel organisme intégré regroupant la Centrale gouvernementale du cinéma, l'Institut du cinéma et la Cinémathèque. Cet organisme centralise donc toutes les subventions et les aides accordées au cinéma danois, dont bénéficient également les Ateliers de production de films et de films vidéo, basés à Haderslev et qui sont ouverts aux amateurs et aux professionnels. L'École supérieure européenne du cinéma est une institution centrale et indépendante qui accueille des élèves danois et étrangers. La création de fonds régionaux et de groupements de production est une tendance nouvelle dans la culture cinématographique danoise qui s'est concrétisée par la création de la Cité du cinéma d'Avedore, au sud de Copenhague. »

Ib Bondebjerg, « Le cinéma », *ministère royal des Affaires étrangères du Danemark*, novembre 2003.

2 LE RÉSEAUTAGE FAMILIAL, SOURCE DE BONHEUR

« Si l'on se fie aux grandes recherches économiques et sociopsychologiques qui ont été faites depuis 30 ans, le Danemark est le pays le plus heureux du monde.

Le phénomène est à ce point documenté que même le *British Medical Journal* y a consacré un article l'hiver dernier. "Il n'y a aucun doute au sujet des données. Elles parlent clairement", explique Kaare Christensen, épidémiologiste à l'Université de Aarhus et un de ceux qui a cosigné l'article. [...] Eva Forchhammer, une résidente de Christiania, un ancien quartier de squats très post-68 de Copenhague, propose une autre explication : "Tout est dans le hygge." Hygge est un mot danois pour parler d'un concept très nordique : le réconfort de la proximité. [...] "On ne pense pas au travail tout le temps. On veut être avec nos proches. C'est ça le hygge. Ici, on réseaute avec la famille !" lance Klavs Dideriksen, un des responsables du centre de recyclage du quartier. "Tout est dans la richesse des liens d'attachement sociaux", explique Peter Gundelach, professeur au département de sociologie de l'Université de Copenhague. "Tout est dans la famille, les amis, les groupes auxquels on s'associe." Cette proximité des autres fait partie du quotidien. »

Marie-Claude Lortie, « Heureux comme un Danois », *La Presse*, 7 octobre 2007.

3 L'ANGLICISATION DE LA LANGUE DANOISE

« Depuis la seconde moitié du XXᵉ siècle, le danois comme beaucoup de langues a été fortement influencé par l'anglais. [Les] emprunts récents ont conservé l'orthographe d'origine : *computer, teenager, single, weekend*… Dans certains cas, l'orthographe du mot a été modifiée pour s'adapter à la morphologie danoise : *at checke* (*to check*, vérifier), *at surfe* (*to surf*, surfer). […] Ce qui est malgré tout frappant, c'est la vitesse avec laquelle cette influence s'est fait ressentir et la profondeur de cet ancrage, certains mots anglais ont complètement remplacé le mot danois d'origine qui est tombé en désuétude.

Il semble aujourd'hui impensable que l'anglais remplace complètement le danois même si les jeunes Danois sont initiés de plus en plus tôt à la langue de Shakespeare et s'ils utilisent de plus en plus de mots anglais. Les experts estiment que ce phénomène est inévitable dans une société ouverte comme le Danemark. Les Danois n'auront pas de soucis à se faire à propos de la sauvegarde de leur langue tant qu'ils veilleront à :

- continuer à publier dans leur langue nationale les rapports scientifiques

- faire une terminologie dans leur propre langue (il est important qu'ils aient un mot danois pour exprimer chaque concept pour ne pas avoir sans cesse besoin de l'anglais)

- protéger leur culture nationale. »

Philippe Vanderpotte, *Histoire de la langue danoise*, Mémoire de maîtrise en langues, littératures et civilisations étrangères (LLCE), 2006.

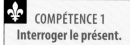

COMPÉTENCE 1
Interroger le présent.

5 Comparez la gestion des enjeux culturels du Danemark avec celle du Québec. Relevez des similitudes et des différences.

5 UNE RELIGION D'ÉTAT

L'Union rationaliste est fondée en 1930 sous l'impulsion du physicien Paul Langevin. Elle compte des membres éminents, prix Nobel, membres de l'Institut de France, écrivains célèbres, mais aussi des adhérents de toute origine et de toute formation animés du même esprit de recherche, de réflexion et d'action. Elle lutte pour que l'État demeure laïque⊙.

« La constitution du Danemark reconnaît l'Église luthérienne⊙ comme Église de l'État et impose à celui-ci de la financer. Le souverain doit être luthérien, comme 91 % des Danois déclarent l'être. Les trois quarts des ressources de l'Église luthérienne proviennent d'un impôt perçu par l'État, [le] *kirchensteuer* [la dîme], ce qui n'empêche pas des subventions spécifiques. »

Gérard Fussman, « Églises d'État et églises concordataires dans l'Union européenne », *Union rationaliste*, février 2005.

4 L'IMPORTANCE DU PATRIMOINE

Le patrimoine du Danemark, riche de son passé viking, est particulièrement mis en valeur. Un peu partout au pays, on trouve des sites archéologiques, des reproductions de villages et de navires vikings. Ces sites attirent des millions de touristes chaque année.

Fyrkat, un ancien château circulaire viking situé près de la ville de Hobro, au Danemark. Sa construction remonte environ à 980.

DANEMARK

LA GESTION DES ENJEUX POLITIQUES AU DANEMARK

Le Danemark est une monarchie constitutionnelle connue pour son État providence et ses innovations sociales. Depuis quelques années, toutefois, le modèle danois est remis en question.

1 LA REMISE EN QUESTION DE L'ÉTAT PROVIDENCE

La répartition des dépenses publiques en 2000

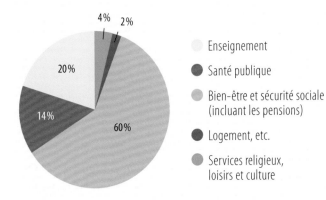

- 4%
- 2%
- 20%
- 14%
- 60%

○ Enseignement

● Santé publique

○ Bien-être et sécurité sociale (incluant les pensions)

● Logement, etc.

○ Services religieux, loisirs et culture

D'après Statistique Danemark, 2000.

Longtemps reconnu comme un modèle d'État providence, le Danemark a dû remettre en question son généreux modèle social après la crise des années 1990. Il est aujourd'hui gouverné par un gouvernement de centre droite qui s'est fait élire en proposant, entre autres, l'arrêt de la hausse des impôts, une réduction de l'immigration, mais aussi le maintien des acquis sociaux.

Les Danois tiennent à leur système social, mais se demandent s'il peut survivre à la mondialisation⊙ et au vieillissement de sa population. Dernièrement, une commission d'étude a déposé un volumineux rapport recommandant, entre autres, d'augmenter l'âge de la retraite et de songer à rendre payants certains services de santé et d'éducation. Mais le gouvernement hésite à enclencher des réformes, par crainte d'être impopulaire.

2 LE DANEMARK, UNE MONARCHIE CONSTITUTIONNELLE

Même si le chef d'État du gouvernement danois est un roi ou une reine, le Danemark est un État démocratique.

« La loi électorale danoise est très démocratique et comporte un mode de répartition des mandats qui tient compte du nombre d'habitants, du nombre d'électeurs et de la densité démographique de chaque circonscription. Cela signifie que, dans certaines régions comme le Jutland du Nord, on peut être élu avec moins de voix qu'à Copenhague, par exemple. »

Service d'information du Folketing (le Parlement national du Danemark), juillet 2005.

Le Parlement national du Danemark, constitué d'une seule Chambre appelée Folketing, compte 179 membres élus.

3 UNE POPULATION POLITIQUEMENT DIVISÉE

« Le parti le plus radical quant aux mesures à imposer aux immigrants est le Parti danois du peuple, le Dansk Folkeparti, dirigé par la [politicienne] très nationaliste Pia Kjærsgaard. L'utilisation que fait le parti de la peur des étrangers pour promouvoir un Danemark plus sécuritaire et authentique semble porter fruit puisque le parti, créé seulement en 1995, a vu sa part des votes passer à 13,3 % en 2005, ce qui se traduisit par 24 sièges sur les 179 que compte le Parlement [en 2007, cette proportion passe à 13,8 % et 25 sièges]. Cela en fait le troisième parti en importance au Danemark. [...] Son programme souligne les principales valeurs de ses adhérents : la préservation de la souveraineté danoise, la monarchie, l'église, le respect de l'état de droit, la famille, la prospérité économique, la protection de l'authenticité de la culture danoise, et, enfin, l'opposition à l'immigration. »

Jérémi Lavoie, en collaboration avec Henrik Boesen, Lindbo Larsen, Vibeke Hjalmers et Anne Thomas Rubow, « Immigration au Danemark », *Le Pigeon dissident*, 31 octobre 2005.

⚜ COMPÉTENCE 1
Interroger le présent.

5 Comparez la gestion des enjeux politiques du Danemark avec celle du Québec. Relevez des similitudes et des différences.

4 RÉPRESSION POUR L'EXEMPLE À COPENHAGUE

« Durant toute une semaine, début mars, à Copenhague, les défenseurs de l'Ungdomshuset (Maison des jeunes), emblème d'une contre-culture européenne, ont résisté et livré une véritable guérilla⊕ aux forces de l'ordre, le nouveau maire ayant vendu le bâtiment. De leur côté, les autorités danoises n'ont pas hésité à faire appel à des experts policiers d'autres pays européens, accourus volontiers observer un modèle de répression applicable à toute émeute urbaine.

Tôt le matin, le 1er mars, et avec une imposante précision militaire, un énorme déploiement de forces de l'ordre bloque le secteur de la Maison des jeunes (l'Ungdomshuset), dans un quartier populaire de Copenhague. Comme si un groupe de terroristes se trouvait dans cet immeuble de quatre étages – haut lieu de la contre-culture européenne, cédé par la Ville en 1982 mais revendu par le nouveau maire à une secte chrétienne, sans l'accord de ses occupants – et non pas quelque quarante jeunes sans armes dont l'âge moyen ne dépasse pas 20 ans. »

René Vázquez Díaz, « Répression pour l'exemple à Copenhague », *Le Monde diplomatique*, avril 2007.

Des défenseurs de l'Ungdomshuset arrêtés par des policiers danois, le 1er mars 2007.

5 LES ÎLES FÉROÉ INDÉPENDANTES ?

○ Capitale
○ Villes principales

Kunoy
Viðoy
Kalsoy
Fugloy
Eysturoy
Svínoy
Fuglafjørður
Klaksvik
Streymoy
Vestmanna
Borðoy
Mykines
Runavik
Vágar
Tórshavn
Koltur
Nólsoy
Hestur

OCÉAN ATLANTIQUE

Sandoy
MER DE NORVÈGE

Skúvoy
Stóra Dímun
Lítla Dímun

Tvorøyri

Suðuroy

ÎLES FÉROÉ
NORVÈGE
OCÉAN ATLANTIQUE
MER DU NORD
ROYAUME-UNI
IRLANDE

0   20 km

« [Aux îles Féroé, les] élections de 1998 ont marqué le recul du parti Samband-flokkurin (Parti unioniste), qui milite en faveur de rapports étroits avec le Danemark, et un progrès très notable du parti favorable au séparatisme : Tjóðveldis-flokkurin (Parti républicain). Ce résultat a entraîné la formation d'une coalition gouvernementale territoriale qui a engagé un processus politique dans le but explicite d'aboutir à une souveraineté totale. »

Ministère royal des Affaires étrangères du Danemark, *Documentation danoise*, novembre 2003.

DANEMARK

Les activités de cette double page vous permettront de mettre en contexte et de comparer les concepts liés aux enjeux de société dans un autre territoire.

SYNTHÈSE DES CONCEPTS

Les questions suivantes vous aideront à compléter les réseaux de concepts portant sur le thème Un enjeu de société du présent *présentés dans la page de droite.*

1 Population

a) Quelle est la situation démographique de ce territoire ?

b) Quels sont les enjeux qui découlent de cette situation ?

c) Quelles solutions sont proposées pour y répondre ?

2 Économie

a) Quels sont les moteurs du développement économique de ce territoire ?

b) Quels sont les enjeux économiques de ce territoire ?

c) Quelles solutions sont proposées pour y répondre ?

3 Culture

a) Qu'est-ce qui caractérise la culture de ce territoire ?

b) Quelles sont les principales menaces au dynamisme et à la préservation de sa culture ?

c) Quelles solutions sont proposées pour y faire face ?

4 Pouvoir

a) Quels sont les principaux enjeux démocratiques de ce territoire ?

b) Quelles solutions sont proposées pour y faire face ?

5 Espace public

Les citoyens de ce territoire ont-ils tous accès à l'espace public ?

6 Société de droit

a) La société de ce territoire est-elle une société de droit ?

b) Certains citoyens ont-ils plus ou moins de droits que d'autres ?

7 Société

Quels sont les valeurs et les principes auxquels les citoyens de ce territoire tiennent particulièrement ?

8 Territoire

a) Comment la population est-elle répartie sur ce territoire ?

b) Cette occupation provoque-t-elle des tensions ?

Reproduisez et *complétez* les réseaux de concepts ci-dessous. *Adaptez-les* pour rendre compte de la réalité sociale Un enjeu de société du présent *dans les trois contextes suivants.*

1. **AU QUÉBEC**

2. **AILLEURS**
   Danemark (voir la section *Ailleurs,* p. 184 à 191)

3. **PRÈS DE CHEZ VOUS**
   Votre région administrative (voir le *Mini-atlas,* p. 208)

Les numéros 1 à 8 dans les réseaux correspondent aux questions de la page de gauche qui peuvent vous aider à compléter chaque élément.

LES ENJEUX DE SOCIÉTÉ

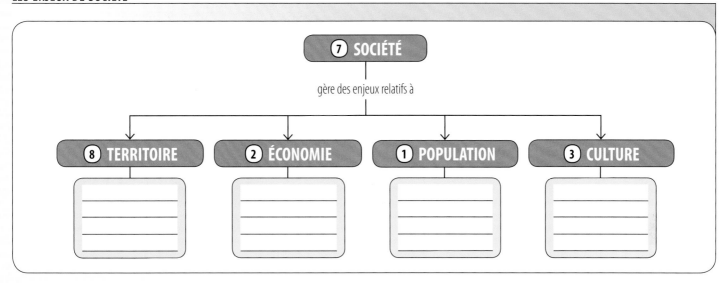

LES CHOIX DE SOCIÉTÉ

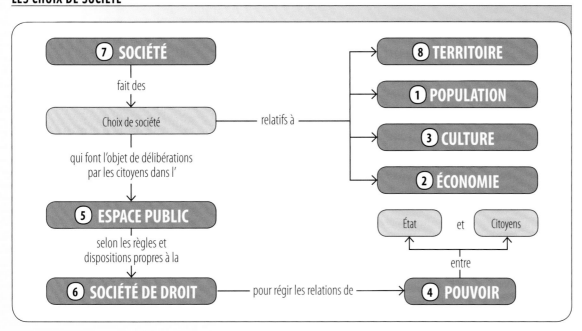

LES DÉFIS À LA PLEINE PARTICIPATION CITOYENNE

Au Québec comme ailleurs en Occident, la citoyenneté est de plus en plus individualisée et la participation citoyenne est remise en question à la fois par des structures contraignantes et par un désengagement politique de la part des citoyens et citoyennes.

Enquête

Trouvez les valeurs et les principes démocratiques qui sont menacés dans chacun des documents présentés dans cette double page.

■ LEXIQUE

CSN – Confédération des syndicats nationaux.

1 LE DÉCRET POUR ÉTABLIR LES CONDITIONS DE TRAVAIL DANS LE SECTEUR PUBLIC⊙

« Le Bureau international du travail (BIT) condamne sévèrement le décret gouvernemental qui a imposé les conditions de travail à 500 000 travailleuses et travailleurs du secteur public québécois. "Le BIT nous donne raison sur toute la ligne", clament les leaders des trois plus grandes organisations syndicales québécoises. Pour Henri Massé de la FTQ, Claudette Carbonneau de la CSN et Réjean Parent de la CSQ, "il s'agit d'une importante victoire qui pèse de tout son poids sur le nouveau gouvernement minoritaire de Jean Charest. L'occasion lui est offerte de rétablir une injustice et de poser un geste d'écoute, d'ouverture et de bonne foi."

Selon le BIT, le projet de loi 142 (devenu loi 43), adopté sous le bâillon en décembre 2005, va à l'encontre des conventions internationales du travail dont le Canada et, par conséquent, le Québec sont signataires. »

« Le BIT donne raison aux organisations syndicales », Fédération nationale des enseignants et enseignantes du Québec, 2007.

Le 15 décembre 2005, à Québec.

2 LE BÂILLON, UN OUTIL ANTIDÉMOCRATIQUE ?

Le MÉPACQ est un mouvement national et multisectoriel qui travaille à la transformation sociale dans une perspective de justice sociale. Il réunit 11 Tables régionales en éducation populaire autonome (ÉPA) qui rassemblent 333 groupes populaires et communautaires autonomes.

« Le bâillon [parlementaire] permet à un gouvernement majoritaire de suspendre les règles de procédure [de l'Assemblée nationale] afin d'adopter en bloc une série de projets de loi à la fin d'une session parlementaire.

En imposant le bâillon, la majorité empêche l'opposition d'utiliser diverses tactiques pour retarder l'adoption des projets de loi. Sans le bâillon, l'adoption de plusieurs projets de loi, qui ne font pas l'unanimité, pourrait être reportée à une session ultérieure, ce qui retarderait l'action du gouvernement.

Depuis 1985, les gouvernements successifs ont eu recours au bâillon à 49 reprises. Si nous comptons le bâillon de la présente session, les péquistes l'ont utilisé 28 fois et les libéraux 21 fois (en date du 13 décembre 2006). Ce sont les libéraux qui ont imposé un bâillon qui visait le plus grand nombre de projets de loi, soit 28 en 1992. »

Collectif, « Le Bâillon, ou quand la majorité cadenasse les minorités », *Mouvement d'éducation populaire et d'action communautaire au Québec*, 13 décembre 2006.

UNE SLAPP

Dans une poursuite intentée aux auteurs de ce livre qui dénonce les pratiques de compagnies minières canadiennes à l'étranger (les violations des droits de la personne, la collaboration avec des régimes répressifs, par exemple), la compagnie Barrick Gold réclame 6 millions de dollars pour diffamation. Cette société enregistre des profits de 1,73 milliard de dollars en 2007. La maison d'édition Écosociété, qui est un organisme à but non lucratif, est également nommée dans cette poursuite.

ALAIN DENEAULT
AVEC DELPHINE ABADIE ET WILLIAM SACHER

NOIR CANADA
Pillage, corruption et criminalité en Afrique

écosociété

4

UNE GIFLE AUX CITOYENS QUI S'EXPRIMENT

Les poursuites stratégiques contre la mobilisation populaire sont communément appelées SLAPP (Strategic Lawsuit Against Public Participation).

« Ces poursuites-bâillons sont des recours judiciaires de nature civile en dommages et intérêts intentés contre des individus ou des organisations non gouvernementales et mettant en cause des enjeux collectifs. Elles visent à limiter la liberté d'expression et parfois la compensation pour pertes de gain par le recours aux tribunaux. Les organisations ne demandent rien de moins qu'une loi anti-SLAPP. […] "La possibilité d'une SLAPP, telle une épée de Damoclès, risque de décourager la participation citoyenne, d'une façon libre et consciente, à la vie démocratique face à des personnes ou des entreprises qui disposent de très grands moyens financiers pour faire taire les citoyens. […]", estime Lucie Lemonde, professeure à l'UQAM et spécialiste en droits et libertés de la personne. »

Éric Boucher, « Poursuites stratégiques pour contrer la participation citoyenne », *Québec Hebdo*, 25 février 2008.

5

LA PARTICIPATION ÉLECTORALE À LA BAISSE

Au Québec, le taux de participation aux élections provinciales générales est passé de 78,32 % en 1998 à 71,27 % aux élections de 2007, la plus basse participation depuis 1919 (27,30 %). Le taux de participation à l'élection générale canadienne de 2000 n'était que de 22,4 % chez les Canadiens âgés de 18 à 20 ans.

D'après Élections Canada et Directeur général des élections du Québec, 2008.

⚜ COMPÉTENCE 3
Exercer sa citoyenneté.

1. (*doc.* **3** *et* **4**) Quels sont les deux types de pouvoir qui s'affrontent dans ces documents ?

2. (*doc.* **5** *et* **6**) Quelles sont les conséquences possibles des situations présentées dans ces documents ?

⚜ COMPÉTENCE 2
Interpréter le passé.

3. (*doc.* **1** *et* **6**) Quelles luttes historiques sont à l'origine des situations présentées dans ces documents ?

✤ CONCEPT
Pouvoir

4. Quelles menaces pèsent sur le pouvoir citoyen dans ces pages ?

6

FEMMES ÉLUES À L'ASSEMBLÉE NATIONALE DU QUÉBEC, ÉLECTIONS 2007

Le Collectif Féminisme et Démocratie propose des ressources pour se tenir informé sur la réforme de la Loi électorale au Québec et sur la représentation égalitaire entre les femmes et les hommes.

PARTI	CANDIDATURES 2007		ÉLUES 2007*		ÉLUES 2003	
	NOMBRE	%**	NOMBRE	%***	NOMBRE	%***
PLQ	44 sur 125	35	16 sur 48	33	22 sur 76	29
PQ	41 sur 125	33	9 sur 36	25	15 sur 45	33
ADQ	26 sur 125	21	7 sur 41	17	1 sur 4	25
QS (UFP)	65 sur 123	53	–		–	
Parti vert	19 sur 108	18	–		–	
Autres	17		–		–	
Total des femmes	**212**	**31**	**32**	**25,6**	**38**	**30,4**
Total de tous les candidats ou élus	**680**		**125**		**125**	

* Nouvelles élues : PLQ : 5, PQ : 2, ADQ : 6
** % calculé sur le total de candidatures présentées par chaque parti.
*** % calculé sur le total de sièges gagnés par chaque parti.

« Femmes élues à l'Assemblée nationale du Québec – Élections 2007 », *Collectif Féminisme et Démocratie*, 28 mars 2007.

DES SOLUTIONS POUR FAVORISER LA PLEINE PARTICIPATION CITOYENNE

La pleine participation citoyenne requiert de nouvelles façons d'aborder le pouvoir et le rôle de chaque personne dans la gestion des enjeux sur la place publique.

Enquête

À l'aide du document 1, choisissez le type de citoyen ou de citoyenne que vous souhaitez devenir et expliquez pourquoi.

1 TROIS FAÇONS D'EXERCER SA CITOYENNETÉ

	CITOYEN RESPONSABLE	CITOYEN PARTICIPATIF	CITOYEN AXÉ SUR LA JUSTICE
Description	Agit de façon responsable dans sa communauté. Travaille et paie des impôts. Respecte les lois. Recycle, donne du sang. Se porte volontaire en temps de crise.	Est membre actif d'organismes communautaires ou collabore à l'amélioration de la communauté. Sait comment fonctionnent le gouvernement et ses diverses agences. Connaît des stratégies pour accomplir des tâches collectives.	Évalue de façon critique les structures sociales, politiques et économiques afin d'aller au-delà des causes superficielles. Reconnaît les situations d'injustice et cherche des solutions. Connaît les mouvements sociaux et sait comment provoquer le changement systémique.
Geste citoyen typique	Contribue à une collecte de denrées alimentaires.	Aide à organiser une collecte de denrées alimentaires.	Explore les causes de la faim et agit pour résoudre le problème.
Fondements	Pour régler les problèmes sociaux et améliorer la société, les citoyens doivent être de caractère affable, honnêtes, responsables et respecter les lois.	Pour régler les problèmes sociaux et améliorer la société, les citoyens doivent participer activement et faire preuve de leadership au sein des structures et des systèmes établis dans la communauté.	Pour régler les problèmes sociaux et améliorer la société, les citoyens doivent remettre en question et changer les structures et les systèmes établis lorsque ceux-ci reproduisent et perpétuent l'injustice de génération en génération.

Adapté de J. Westheimer et J. Khane, « What kind of citizen ? The Politics of Educating for Democracy », *American Educational Research Journal*, vol. 41, n° 2, 2004.

2 DE NOUVELLES VOIES POUR LA PARTICIPATION CITOYENNE

« Internet est aussi utilisé pour organiser des campagnes éclair en connectant et en regroupant des gens qui sont d'accord sur un enjeu particulier et qui veulent protester en envoyant des pétitions⊙. [...] À l'ère d'Internet, l'activisme politique n'est plus confiné au territoire des États et les frontières nationales ne sont plus des obstacles à la mobilisation et à la communication. Pour faire face au phénomène de la mondialisation⊙, les mouvements sociaux ont dû inclure Internet dans leur stratégie de contestation. Cette déterritorialisation de l'action politique a été illustrée par les mouvements de protestation contre l'AMI en 1996-97, contre l'Organisation mondiale du commerce à Seattle en 1999, contre le Sommet des Amériques à Québec en avril 2001[...]. »

Denis Monière, *Internet et la démocratie*, Monière et Wollank, 2002.

3 FINANCER LA FORMATION CITOYENNE

« Le Groupe Femmes, Politique et Démocratie, un organisme d'éducation à la citoyenneté, recevra au cours des trois prochaines années, via le programme *À égalité pour décider*, un financement de 104 000 $ pour son projet *L'École citoyenne, un atout pour la parité !*

Outil d'information et de formation sur des sujets d'actualité liés à l'exercice démocratique, *L'École citoyenne* est accessible à tous à partir du Web. Abordant plusieurs questions sous forme de clips vidéo, le Groupe Femmes, Politique et Démocratie donne la parole à des spécialistes, universitaires, militantes et élues, issues de divers horizons. »

Groupe Femmes, Politique et Démocratie, octobre 2008.

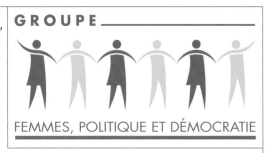

GROUPE

FEMMES, POLITIQUE ET DÉMOCRATIE

4 LA RECONNAISSANCE DE L'ENGAGEMENT CITOYEN

« Un premier pas sera franchi cette année (2005-2006) avec l'instauration au collégial de la mention sur le bulletin reconnaissant l'engagement étudiant. Le Conseil permanent de la jeunesse salue cette mesure et recommande au ministère de l'Éducation, du Loisir et du Sport, après évaluation de son implantation et de son fonctionnement :

[…] De franchir un pas supplémentaire et de voir à ce que l'engagement étudiant soit récompensé par des crédits en vue de l'obtention du diplôme d'études collégiales. Il sera par la suite possible d'intégrer l'engagement étudiant et même de le rendre obligatoire dans le cadre de certains programmes d'études.

La plupart des universités, qui contrairement aux collèges ne relèvent pas du gouvernement du Québec, ont déjà quant à elles des politiques de reconnaissance de l'engagement étudiant. De plus, de nombreux programmes prévoient déjà la possibilité de faire créditer des "projets spéciaux".

Le Conseil recommande donc aux universités :

[…] De mieux reconnaître et de rendre admissible à l'obtention de crédits universitaires, si ce n'est déjà le cas, le développement de projets de participation citoyenne ainsi que toute contribution significative à la vie collective de l'université et de la communauté. »

Avis, « Jeunes : citoyens à part entière ! », *Conseil permanent de la jeunesse*, décembre 2005.

5 LE MODE DE SCRUTIN PROPORTIONNEL

« Les systèmes de représentation proportionnelle ont pour objectif de s'assurer qu'il existe une très bonne adéquation entre le pourcentage de voix obtenu par un parti politique et le pourcentage des sièges parlementaires qui lui sont attribués. […] De telle sorte qu'en bout de ligne, si un parti récolte 15 % des votes dans la proportionnelle, suffisamment de sièges lui seront attribués pour lui permettre de détenir au total 15 % des sièges au Parlement. »

Mouvement pour une démocratie nouvelle (MDN), *Modes de scrutin*, 2006-2007.

6 S'ENGAGER POUR DÉFENDRE LES INTÉRÊTS DE SA COMMUNAUTÉ

« Député d'Abitibi-Est depuis le 26 mars 2007, Alexis Wawanoloath est devenu le premier Autochtone à siéger à l'Assemblée nationale depuis l'obtention du droit de vote par les Premières Nations en 1969. »

Site officiel du député Alexis Wawanoloath, 2008.

COMPÉTENCE 2
Interpréter le passé.

1. À l'aide des documents des chapitres précédents et de toute autre source fiable, nommez quatre grands moments de l'évolution de la démocratie au Québec. Qui étaient les acteurs de ces changements ?

COMPÉTENCE 3
Exercer sa citoyenneté.

2. Quels principes démocratiques sont défendus dans chacun des documents de cette double page ?

CONCEPT
Espace public

3. En quoi Internet est-il un espace public ?

Mini-atlas

1 LE MONDE POLITIQUE (2008)

● Capitale d'État
1 SLOVÉNIE (Ljubljana)
2 CROATIE (Zagreb)
3 BOSNIE-HERZÉGOVINE (Sarajevo)
4 ANCIENNE RÉPUBLIQUE YOUGOSLAVE
   DE MACÉDOINE (Skopje)
5 ALBANIE (Tirana)
6 LUXEMBOURG (Luxembourg)
7 MONACO (Monaco)
8 SAINT-MARIN (Saint-Marin)
9 VATICAN (Vatican)
10 PALESTINE
11 ARMÉNIE (Erevan)
12 MONTÉNÉGRO (Podgorica)
13 ANDORRE (Andorre-la-Vieille)
14 KOSOVO (Pristina)

ANTIGUA-ET-BARBUDA (Saint John's)
BAHAMAS (Nassau)
BARBADE (Bridgetown)
BELIZE (Belmopan)
BÉNIN (Porto-Novo)
BRUNEI (Bandar Seri Begawan)
DJIBOUTI (Djibouti)
DOMINIQUE (Roseau)
É.A.U. : ÉMIRATS ARABES UNIS
ESTONIE (Tallinn)
ÉTATS FÉDÉRÉS DE MICRONÉSIE (Palikir)
FIDJI (Suva)
GAMBIE (Banjul)
GRENADE (Saint George's)
ÎLES MARSHALL (Dalap-Uliga-Darrit)
ÎLES SALOMON (Honiara)
JORDANIE (Amman)
KIRIBATI (Tarawa-Sud)
LETTONIE (Riga)
LIBAN (Beyrouth)
LITUANIE (Vilnius)
NAURU (Yaren)
PALAU (Melekeok)
QATAR (Doha)
SAINT-KITTS-ET-NEVIS (Basseterre)
SAINTE-LUCIE (Castries)
SAINT-VINCENT-ET-LES-GRENADINES (Kingstown)
SAMOA (Apia)
SLOVAQUIE (Bratislava)
TOGO (Lomé)
TONGA (Nuku'alofa)
TUVALU (Funafuti)
TRINITÉ-ET-TOBAGO (Port of Spain)
VANUATU (Port-Vila)

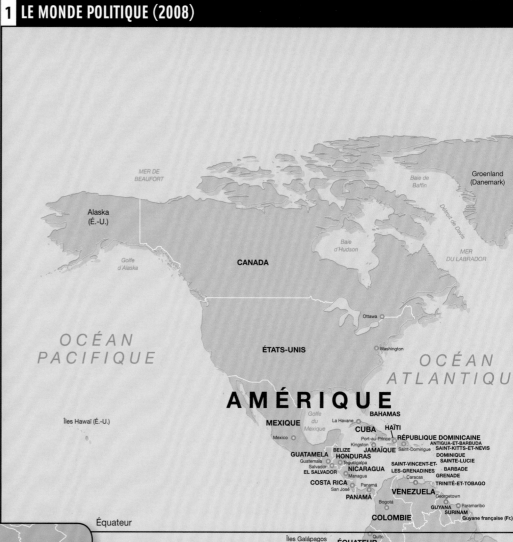

EUROPE

ISLANDE
Reykjavik

NORVÈGE   SUÈDE
                    FINLANDE
                Helsinki
        Oslo
            Stockholm   ESTONIE
ROYAUME-   DANEMARK   LETTONIE
UNI   Copenhague   LITUANIE
IRLANDE   PAYS-BAS   Minsk
Dublin   Berlin   POLOGNE   BIÉLORUSSIE
Londres   Bruxelles   Varsovie   Kiev
BELGIQUE   ALLEMAGNE
    Prague   SLOVAQUIE   UKRAINE
    Paris   Berne   RÉPUBLIQUE TCHÈQUE
FRANCE   SUISSE   AUTRICHE   MOLDAVIE   Chisinau
            HONGRIE   Budapest   ROUMANIE
        Belgrade   Bucarest
    Rome   SERBIE
PORTUGAL   ITALIE   Sofia   BULGARIE
Lisbonne   Madrid   GRÈCE   GÉORGIE   Tbilissi
ESPAGNE   MER   Athènes   TURQUIE   Ankara   AZERBAÏDJAN
            Tunis   MALTE   CHYPRE   Nicosie   SYRIE
    Rabat   Alger   TUNISIE   La Valette   LIBAN   Damas   Bagdad
Sahara   MAROC   TRIPOLI   Jérusalem   IRAK   Téhéran
occidental   ALGÉRIE   LIBYE   ÉGYPTE   ISRAËL   JORDANIE   KOWEÏT   Koweït   IRAN
            Le Caire

AFRIQUE

MAURITANIE
Nouakchott   MER   ARABIE   QATAR   Abu Dhabi
    SÉNÉGAL   MALI   NIGER   TCHAD   Khartoum   Riyad   SAOUDITE   É.A.U.
Dakar   Bamako   Niamey   N'Djamena   SOUDAN   ÉRYTHRÉE   Sanaa   OMAN
GAMBIE   BURKINA   BÉNIN   Abuja   Asmara   YÉMEN   Mascate
GUINÉE-   FASO   NIGERIA   Addis Abeba   DJIBOUTI
BISSAU   GUINÉE   CÔTE   TOGO   RÉP.   ÉTHIOPIE
SIERRA LEONE   Yamoussoukro   D'IVOIRE   GHANA   CENTRAFRICAINE
Freetown   Accra   CAMEROUN   Bangui   OUGANDA
Monrovia   Yaoundé   GUINÉE   Libreville   Kampala   KENYA   SOMALIE
LIBERIA   ÉQUATORIALE   GABON   CONGO   RWANDA   Kigali   Nairobi   Mogadiscio
        Golfe de Guinée   Brazzaville   Kinshasa   BURUNDI   Bujumbura
            RÉPUBLIQUE   DÉMOCRATIQUE   TANZANIE
            DU CONGO
    Luanda   MALAWI   COMORES
ANGOLA   ZAMBIE   Lilongwe   Moroni
        Lusaka
    NAMIBIE   ZIMBABWE   MADAGASCAR   MAURICE
Windhoek   BOTSWANA   Harare   Antananarivo   Port Louis   Réunion
    Gaborone   Pretoria   MOZAMBIQUE   (Fr.)
        Mbabane   Maputo
        SWAZILAND
    Maseru   LESOTHO
    AFRIQUE DU SUD

RUSSIE

Svalbard
(Norvège)   Nouvelle-
        Zemble
        (Russie)

Terre du
Nord
(Russie)   Îles de la
        Nouvelle-Sibérie
        (Russie)

ASIE

KAZAKHSTAN   Astana
        Oulan-Bator
    MONGOLIE
OUZBÉKISTAN   Bichkek
Tachkent   KIRGHIZSTAN
TURKMÉNISTAN   TADJIKISTAN
Achgabat   Douchanbe
    AFGHANISTAN   Kaboul   Islamabad   CHINE   Beijing   CORÉE DU NORD   Pyongyang   JAPON
    PAKISTAN   New Delhi   NÉPAL   Katmandou   Thimphu   BHOUTAN   Séoul   CORÉE DU SUD   Tokyo
            BANGLADESH   MYANMAR   Hanoï   TAIWAN   Taipei
        INDE   Dhaka   (BIRMANIE)   LAOS
            Vientiane
        SRI LANKA   THAÏLANDE   VIETNAM   PHILIPPINES
        Colombo   Bangkok   CAMBODGE   Manille
        MALDIVES   Malé   Phnom Penh   BRUNEI   PALAU
            Kuala Lumpur   MALAISIE   ÎLES
                SINGAPOUR   MARSHALL
                        ÉTATS FÉDÉRÉS
                        DE MICRONÉSIE   KIRIBATI

Svalbard   Sakhaline
(Russie)

**OCÉAN
PACIFIQUE**

NAURU

SEYCHELLES
Victoria

**OCÉAN
INDIEN**

INDONÉSIE
Jakarta   TIMOR OR.

PAPOUASIE-
NOUVELLE-
GUINÉE
Port Moresby   ÎLES SALOMON   TUVALU

VANUATU   SAMAO

OCÉANIE   FIDJI   TONGA

Nouvelle-
Calédonie
(Fr.)

AUSTRALIE

Grande Baie
australienne   Canberra   MER
DE
TASMAN   NOUVELLE-
ZÉLANDE
    Wellington

**OCÉAN
ATLANTIQUE**

Tasmanie (Aus.)

Îles Kerguelen (Fr.)

0   1 350 km
à l'équateur

ANTARCTIQUE

MER
DE
ROSS

Les grands reliefs
- Montagnes
- Hauts plateaux
- ▲ Sommets importants
- Plateaux ondulés
- Plaines et bassins

MER DE BEAUFORT

Baie de Baffin

MER DU LABRADOR

Baie d'Hudson

▲ Mont McKinley (6 194 m)

Mont Logan (5 959 m) ▲
Mont Saint-Elias (5 489 m)

Golfe de l'Alaska

Bouclier canadien

Fleuve Saint-Laurent

Montagnes Rocheuses

Mont Rainier (4 392 m) ▲

Grandes

Mont Elbert (4 401 m) ▲

Les Appalaches

OCÉAN ATLANTIQUE

Mont Whitney (4 420 m) ▲

Plaines

Mississipi

AMÉRIQUE

Golfe du Mexique

Sierra

Mont Popocatépetl (5 465 m) ▲▲ Mont Orizaba (5 650 m)

Madre

MER DES ANTILLES

Équateur

Plateau des Guyanes

Bassin de l'Amazone

Plateau du Brésil

Amazone

OCÉAN PACIFIQUE

Huascarán (6 746 m) ▲

Cordillère des Andes

Coropuna (6 613 m) ▲
Illimani (6 882 m) ▲

Llullaillaco (6 723 m) ▲
Ojos del Salado (6 880 m) ▲

Bassin du Paraná

Cerro Aconcagua (6 959 m) ▲
Tupungato (6 830 m) ▲

MER D'AMUNDSEN

MER DE BELLINGSHAUSEN

MER DE WEDDELL

Chaîne transantarctique

MER
DE
GROENLAND

MER DE
BARENTS

MER DE
KARA

MER DES
LAPTEV

MER DE SIBÉRIE
ORIENTALE

Massif scandinave

Monts Oural

Plaine
de Sibérie
occidentale

Ob

Plateau de
Sibérie centrale

Monts de Verkhoïansk

Lena

MER
DE BÉRING

EUROPE

Plaine
de Russie

ASIE

Monts Iablonovyï

Amour

MER
D'OKHOTSK

Carpates

Monts Khangaï

Mont Blanc (4 808 m) ▲

Alpes

MER
CASPIENNE

Huang He

MER
DU
JAPON

Pyrénées

MER NOIRE

Caucase

Plateau du
Tibet

Atlas

Monts Zagros

MÉDITERRANÉE

MER

Plateau du
Deccan

Yang Jiang

MER
JAUNE

H i m a l a y a

Brahmapoutre

Mont Everest (8 850 m) ▲

Indus

Gange

MER DE
CHINE
ORIENTALE

Massif du
Hoggar

Massif du
Tibesti

MER ROUGE

Nil

MER
D'OMAN

Golfe du
Bengale

MER DES
PHILIPPINES

AFRIQUE

Plateau
d'Éthiopie

▲ Mont Dasclan (4 620 m)

Niger

Plateau de
Guinée

Ruwenzori
(5 109 m)

africain

MER DE
CHINE
MÉRIDIONALE

OCÉAN
PACIFIQUE

Golfe
de
Guinée

Bassin du
Congo

▲

▲ Mont Kenya (5 199 m)

Congo

▲ Kilimandjaro (5 892 m)

MER DE JAVA

MER DE
BANDA

Rift

OCÉAN
INDIEN

MER DE
TIMOR

OCÉANIE

MER DE
CORAIL

OCÉAN
ATLANTIQUE

Grand
Bassin
artésien

Cordillère australienne

MER
DE
TASMAN

Drakensberg

0   1 350 km
à l'équateur

ANTARCTIQUE

MER
DE
ROSS

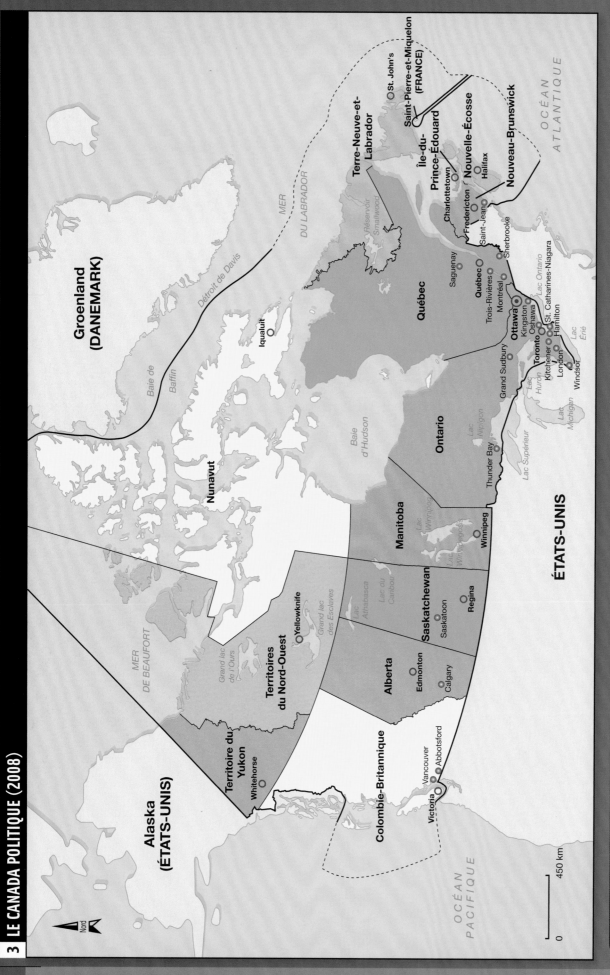

Nord

Groenland (DANEMARK)

Alaska (ÉTATS-UNIS)

MER DU LABRADOR

Détroit de Davis

Baie de Baffin

Baie d'Hudson

Nunavut

Iqaluit

St. John's

Terre-Neuve-et-Labrador

Réservoir Smallwood

Saint-Pierre-et-Miquelon (FRANCE)

Île-du-Prince-Édouard

Nouvelle-Écosse

Nouveau-Brunswick

Charlottetown

Fredericton   Halifax

Saint-Jean

Sherbrooke

Saguenay

Québec

Québec

Trois-Rivières

Montréal

Ottawa

Kingston

Oshawa

Ontario

Grand Sudbury

Thunder Bay

St. Catharines-Niagara

Lac Ontario

Toronto

Hamilton

Kitchener

London

Windsor

Lac Érié

Lac Huron

Lac Michigan

Lac Supérieur

Lac Nipigon

Manitoba

Lac Winnipeg

Lac Winnipegosis

Winnipeg

Saskatchewan

Lac du Caribou

Lac Athabasca

Saskatoon

Regina

MER DE BEAUFORT

Grand lac de l'Ours

Territoires du Nord-Ouest

Yellowknife

Grand lac des Esclaves

Alberta

Edmonton

Calgary

Territoire du Yukon

Whitehorse

Colombie-Britannique

Vancouver

Abbotsford

Victoria

ÉTATS-UNIS

OCÉAN ATLANTIQUE

OCÉAN PACIFIQUE

0   450 km

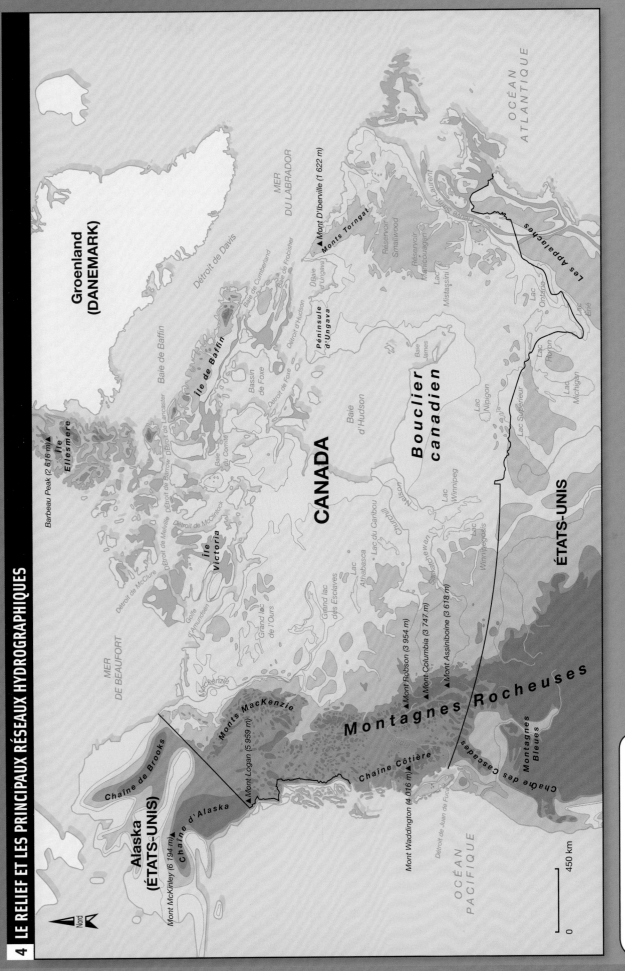

Groenland
(DANEMARK)

CANADA

*Bouclier
canadien*

ÉTATS-UNIS

Alaska
(ÉTATS-UNIS)

M o n t a g n e s   R o c h e u s e s

Mont McKinley (6 194 m)▲
Chaîne d'Alaska

Chaîne de Brooks

▲Mont Logan (5 959 m)

Monts MacKenzie

Mont Waddington (4 016 m)▲

Chaîne Côtière

▲Mont Robson (3 954 m)
▲Mont Columbia (3 747 m)
▲Mont Assiniboine (3 618 m)

Chaîne des Cascades

*Montagnes
Bleues*

Détroit de Juan de Fuca

OCÉAN
PACIFIQUE

MER
DE BEAUFORT

Mackenzie

Grand lac
de l'Ours

Golfe
d'Amundsen

Détroit de McClure

Détroit de Melville

Détroit de Barrow

Détroit de Lancaster

**Île
Victoria**

Détroit de McClintock

*Baie
du Comté*

Île d'Ellesmere▲

Barbeau Peak (2 616 m)▲

Île de Baffin

Baie de Baffin

Détroit de Davis

Baie de Cumberland

Baie de Frobisher

*Bassin
de Foxe*

Détroit de Foxe

Détroit d'Hudson

MER
DU LABRADOR

**Péninsule
d'Ungava**

Baie
d'Ungava

▲Mont D'Iberville (1 622 m)
Monts Torngat

Baie
d'Hudson

Baie
James

Réservoir
Smallwood

Réservoir
Manicouagan

Fleuve Saint-Laurent

Les Appalaches

OCÉAN
ATLANTIQUE

Grand lac
des Esclaves

Lac
Athabasca

Lac du Caribou

Saskatchewan

Churchill

Nelson

Lac
Winnipeg

Lac
Winnipegosis

Lac
Manitoba

Lac
Nipigon

Lac Supérieur

Lac
Huron

Lac
Michigan

Lac
Ontario
Lac
Érié

Lac
Mistassini

ÉTATS-UNIS

Relief (en mètres)

1 500 à 6 200	100 à 199
1 000 à 1 499	0 à 99
500 à 999	▲ Sommets importants
200 à 499	

0   450 km

Nord

DE LA NOUVELLE-FRANCE AU QUÉBEC (1655–1927)

Depuis l'arrivée des premiers Français en Amérique du Nord, le territoire du Québec a évolué jusqu'à ses frontières actuelles.

Cette évolution s'est faite au gré des guerres européennes et nord-américaines, et des traités de paix.

En même temps que l'évolution du territoire, le nom du Québec a souvent changé.

8 EN 1774

En 1774, l'Acte de Québec vise à protéger la *Province of Québec* de la menace des Treize colonies. Les frontières du Québec sont repoussées jusqu'au Labrador et aux Grands Lacs.

9 EN 1791

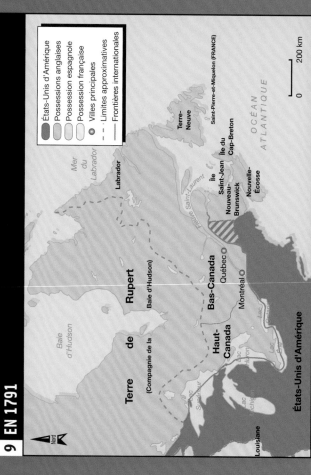

L'Acte constitutionnel de 1791 divise le Québec en deux colonies : le Bas-Canada et le Haut-Canada. Les îles Saint-Pierre-et-Miquelon demeurent la seule possession française de l'est du Canada.

5 EN 1655

En 1655, la Nouvelle-France est une possession française et occupe une petite parcelle du territoire nord-américain, sur les rives du Saint-Laurent, entre Québec et Ville-Marie (Montréal).

6 EN 1713

En 1713, le traité d'Utrecht met fin à la guerre franco-anglaise pour la succession d'Espagne. Dans les négociations, la France perd l'Acadie, Terre-Neuve et la Terre de Rupert.

10 EN 1898

En 1867, le Québec est une des provinces fondatrices de la Confédération canadienne. En 1898, son territoire s'agrandit vers le nord. Les Saint-Pierre-et-Miquelon sont encore une possession française.

7 EN 1763

Par le Traité de Paris de 1763, la Nouvelle-France devient possession britannique. La *Province of Quebec* est créée par la Proclamation royale. Ses frontières sont limitées aux terres peuplées de la vallée du Saint-Laurent. La Proclamation royale reconnaît des droits territoriaux aux Autochtones et désigne la couronne anglaise protectrice de ces droits.

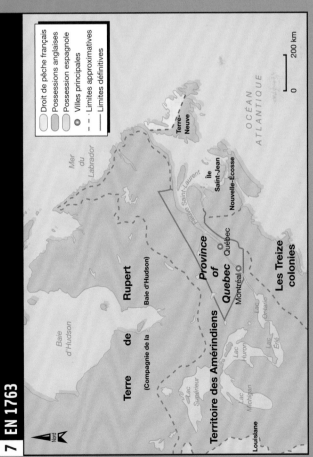

11 EN 1927

En 1927, une décision du Conseil privé de Londres attribue le Labrador à Terre-Neuve. Depuis, le Québec conteste les limites sud du Labrador et veut en intégrer la plus grande partie possible à son territoire. Les îles Saint-Pierre-et-Miquelon demeurent toujours la seule possession française de l'est du Canada.

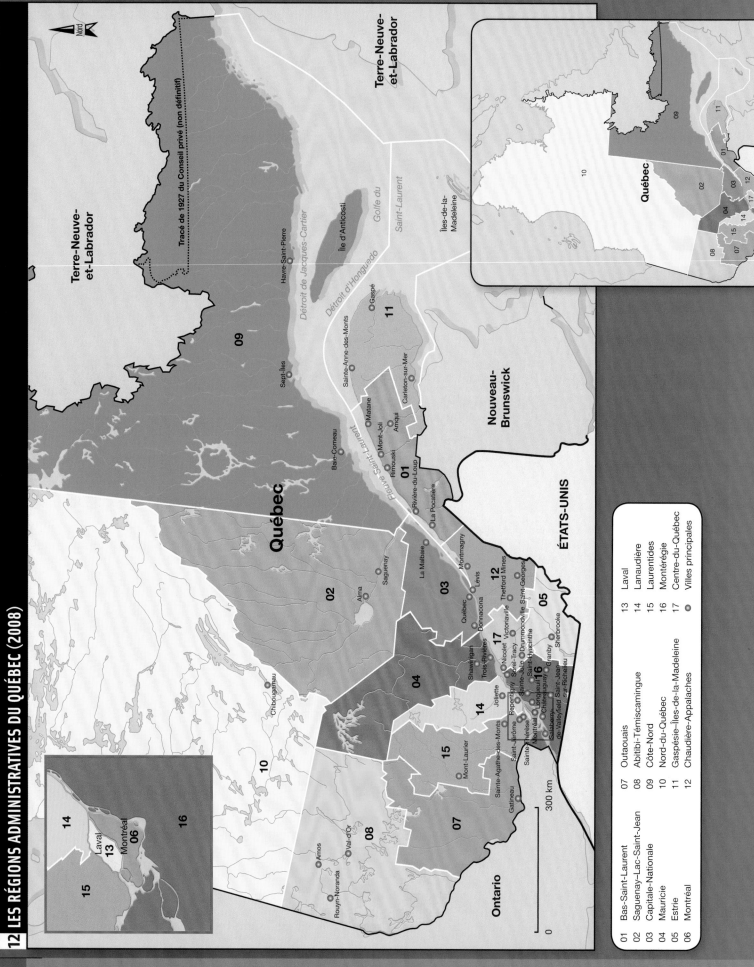

12 LES RÉGIONS ADMINISTRATIVES DU QUÉBEC (2008)

Québec

Terre-Neuve-et-Labrador

Terre-Neuve-et-Labrador

Nouveau-Brunswick

ÉTATS-UNIS

Ontario

Tracé de 1927 du Conseil privé (non définitif)

Golfe du Saint-Laurent

Détroit de Jacques-Cartier

Détroit d'Honguedo

Île d'Anticosti

Îles-de-la-Madeleine

Fleuve Saint-Laurent

Villes

Havre-Saint-Pierre
Sept-Îles
Baie-Comeau
Saguenay
Alma
Chibougamau
Amos
Val-d'Or
Rouyn-Noranda
Gatineau
Mont-Laurier
Sainte-Agathe-des-Monts
Saint-Jérôme
Sainte-Thérèse
Montréal
Salaberry-de-Valleyfield
Châteauguay
Longueuil
Saint-Jean-sur-Richelieu
Granby
Sherbrooke
Saint-Hyacinthe
Drummondville
Sainte-Julie
Sorel-Tracy
Repentigny
Joliette
Nicolet
Victoriaville
Trois-Rivières
Shawinigan
Thetford Mines
Saint-Georges
Lévis
Québec
Donnacona
La Malbaie
La Pocatière
Montmagny
Rivière-du-Loup
Rimouski
Mont-Joli
Amqui
Matane
Sainte-Anne-des-Monts
Carleton-sur-Mer
Gaspé

Montréal 06
Laval 13
14
15
16

Nord

300 km
0

01	Bas-Saint-Laurent	07	Outaouais
02	Saguenay-Lac-Saint-Jean	08	Abitibi-Témiscamingue
03	Capitale-Nationale	09	Côte-Nord
04	Mauricie	10	Nord-du-Québec
05	Estrie	11	Gaspésie–Îles-de-la-Madeleine
06	Montréal	12	Chaudière-Appalaches
13	Laval		
14	Lanaudière		
15	Laurentides		
16	Montérégie		
17	Centre-du-Québec		
●	Villes principales		

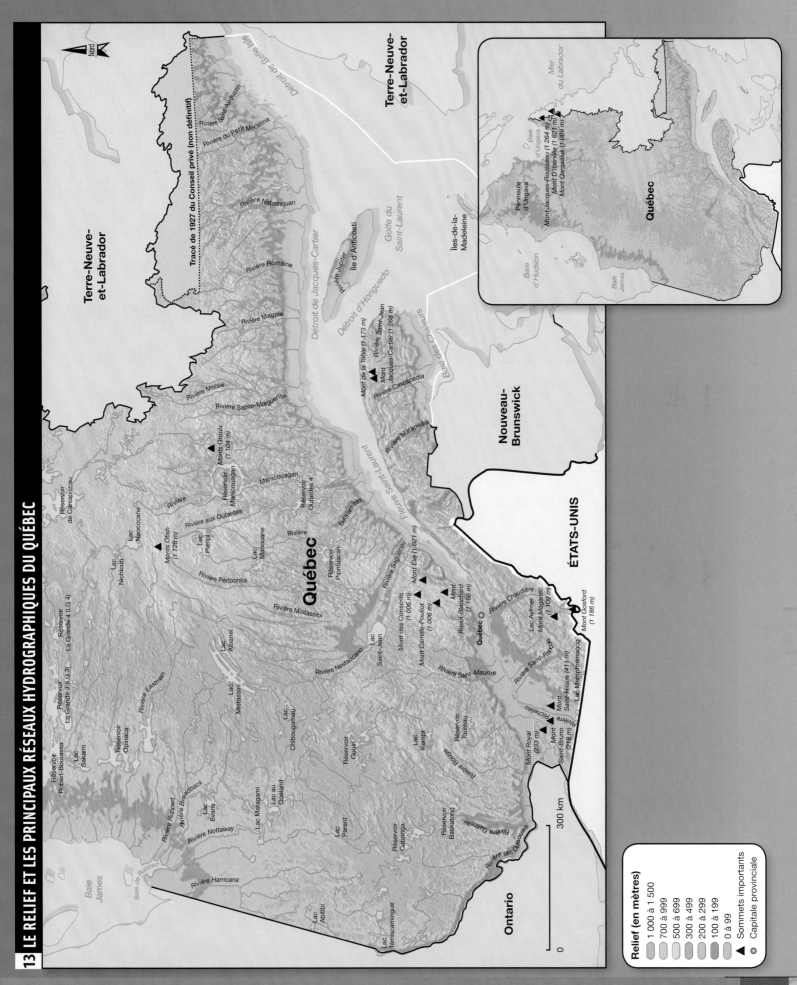

13 LE RELIEF ET LES PRINCIPAUX RÉSEAUX HYDROGRAPHIQUES DU QUÉBEC

Nord

Terre-Neuve-et-Labrador

Détroit de Belle Isle

Tracé de 1927 du Conseil privé (non définitif)

Rivière Saint-Augustin

Rivière du Petit Mécatina

Rivière Natashquan

Rivière Romaine

Rivière Magpie

Rivière Jupiter
Île d'Anticosti

Détroit de Jacques-Cartier

Détroit d'Honguedo

Golfe du Saint-Laurent

Terre-Neuve-et-Labrador

Îles-de-la-Madeleine

Rivière Molsie

Rivière Sainte-Marguerite

Monts Groulx (1 104 m)

Mont de la Table (1 173 m)
Rivière Saint-Jean
Mont Jacques-Cartier (1 268 m)
Mont
Rivière Cascapédia

Baie des Chaleurs

Réservoir de Caniapiscau

Réservoir Manicouagan

Manicouagan

Réservoir Outardes 4

Rivière Matapédia

Nouveau-Brunswick

Rivière

Rivière aux Outardes

Betsiamites

Lac Naococane

Monts Otish (1 128 m)

Lac Plétipi

Lac Manouane

Rivière

Réservoir Pipmuacan

Rivière Saguenay

Fleuve Saint-Laurent

Mont Élie (1 021 m)

ÉTATS-UNIS

Lac Nichicun

Réservoir La Grande 4 (LG 4)

Rivière Péribonka

Québec

Rivière Mistassibi

Mont des Conscrits (1 006 m)

Mont Camille-Pouliot (1 006 m)

Mont Raoul-Blanchard (1 166 m)

Rivière Chaudière

Québec

Lac Aylmer
Mont Mégantic (1 109 m)

Mont Gosford (1 186 m)

Réservoir La Grande 3 (LG 3)

Lac Albanel

Lac Mistassini

Lac Saint-Jean

Rivière Nestaocano

Rivière Saint-Maurice

Mont Saint-François

Réservoir Opinaca

Rivière Eastmain

Rivière Mistassibi

Lac Kempt

Réservoir Taureau

Lac Memphrémagog

Mont Saint-Hilaire (411 m)
Rivière Richelieu

Réservoir Robert-Bourassa

Lac Sakami

Lac Chibougamau

Réservoir Gouin

Rivière Rouge

Mont Royal (233 m)

Mont Saint-Bruno (218 m)

Rivière Broadback

Lac Evans

Lac Matagami

Lac au Goéland

Réservoir Cabonga

Rivière Harricana

Rivière Rupert

Rivière Nottaway

Lac Parent

Réservoir Baskatong

Rivière Gatineau

Ontario

Baie James

Baie de Rupert

Rivière des Outaouais

Lac Témiscamingue

Lac Abitibi

300 km

0

Mer du Labrador

Baie d'Ungava

Péninsule d'Ungava
Mont Jacques-Rousseau (1 264 m)
Mont D'Iberville (1 621 m)
Mont Qarqaaluk (1 069 m)

Baie d'Hudson

Baie James

Québec

Relief (en mètres)

1 000 à 1 500
700 à 999
500 à 699
300 à 499
200 à 299
100 à 199
0 à 99

▲ Sommets importants
○ Capitale provinciale

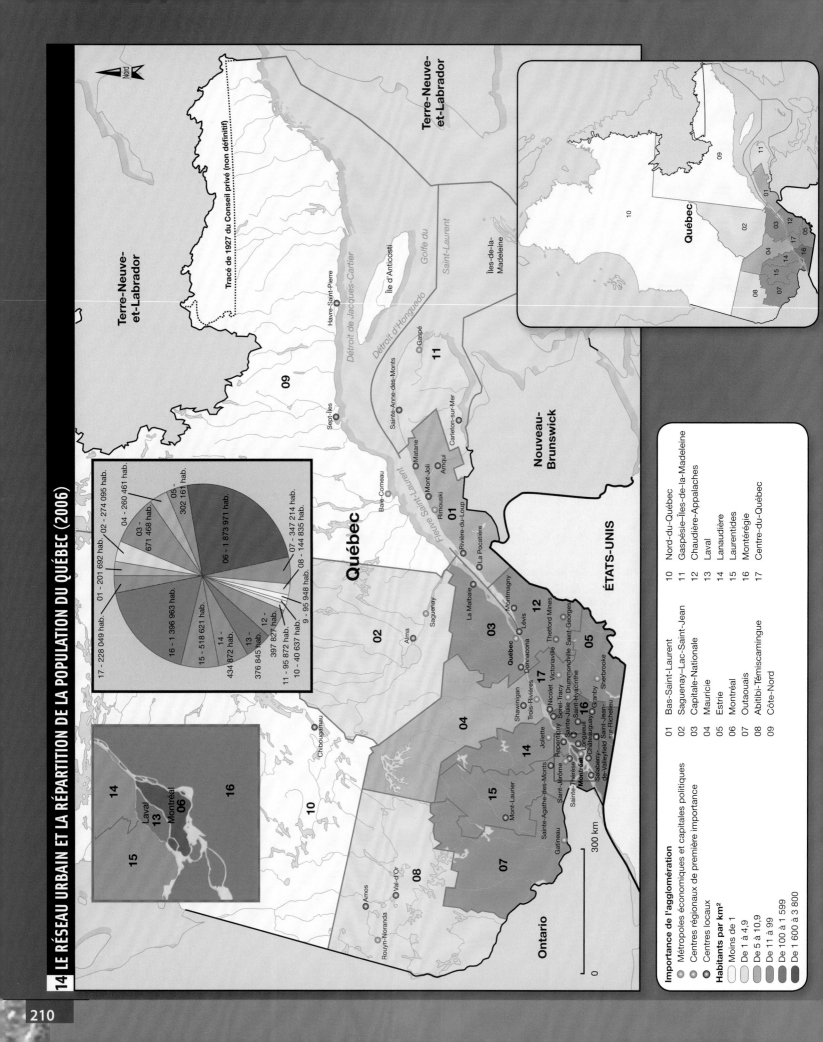

Nord

Terre-Neuve-et-Labrador

Tracé de 1927 du Conseil privé (non définitif)

Terre-Neuve-et-Labrador

Havre-Saint-Pierre

Détroit de Jacques-Cartier

Île d'Anticosti

Golfe du Saint-Laurent

Îles-de-la-Madeleine

Sept-Îles

09

Détroit d'Honguedo

Sainte-Anne-des-Monts

Gaspé

11

Baie-Comeau

Matane

Carleton-sur-Mer

Nouveau-Brunswick

Mont-Joli

Amqui

Rimouski

01

Rivière-du-Loup

La Pocatière

Québec

Saguenay

02

Alma

La Malbaie

Montmagny

03

Lévis

Thetford Mines

12

Saint-Georges

Donnacona

Québec

ÉTATS-UNIS

05

Shawinigan

17

Victoriaville

Drummondville

Trois-Rivières

Nicolet

Sorel-Tracy

Saint-Hyacinthe

Sherbrooke

04

Joliette

Repentigny

Sainte-Julie

Granby

Longueuil

Saint-Jean-sur-Richelieu

14

Mont-Laurier

Saint-Jérôme

Montréal

15

Sainte-Agathe-des-Monts

Sainte-Thérèse

Châteauguay

Salaberry-de-Valleyfield

16

Gatineau

07

Ontario

Chibougamau

10

Amos

08

Val-d'Or

Rouyn-Noranda

Québec

Fleuve Saint-Laurent

0 — 300 km

Répartition de la population (camembert)

- 06 - 1 873 971 hab.
- 07 - 347 214 hab.
- 08 - 144 835 hab.
- 09 - 95 948 hab.
- 10 - 40 637 hab.
- 11 - 95 872 hab.
- 12 - 397 827 hab.
- 13 - 376 845 hab.
- 14 - 434 872 hab.
- 15 - 518 621 hab.
- 16 - 1 396 963 hab.
- 17 - 228 049 hab.
- 01 - 201 692 hab.
- 02 - 274 095 hab.
- 03 - 671 468 hab.
- 04 - 260 461 hab.
- 05 - 302 161 hab.

Carton Montréal

- 14
- 15
- 13 Laval
- 06 Montréal
- 16

Légende

Importance de l'agglomération
- ● Métropoles économiques et capitales politiques
- ● Centres régionaux de première importance
- ○ Centres locaux

Habitants par km²
- Moins de 1
- De 1 à 4,9
- De 5 à 10,9
- De 11 à 99
- De 100 à 1 599
- De 1 600 à 3 800

01 Bas-Saint-Laurent	10 Nord-du-Québec
02 Saguenay–Lac-Saint-Jean	11 Gaspésie–Îles-de-la-Madeleine
03 Capitale-Nationale	12 Chaudière-Appalaches
04 Mauricie	13 Laval
05 Estrie	14 Lanaudière
06 Montréal	15 Laurentides
07 Outaouais	16 Montérégie
08 Abitibi-Témiscamingue	17 Centre-du-Québec
09 Côte-Nord	

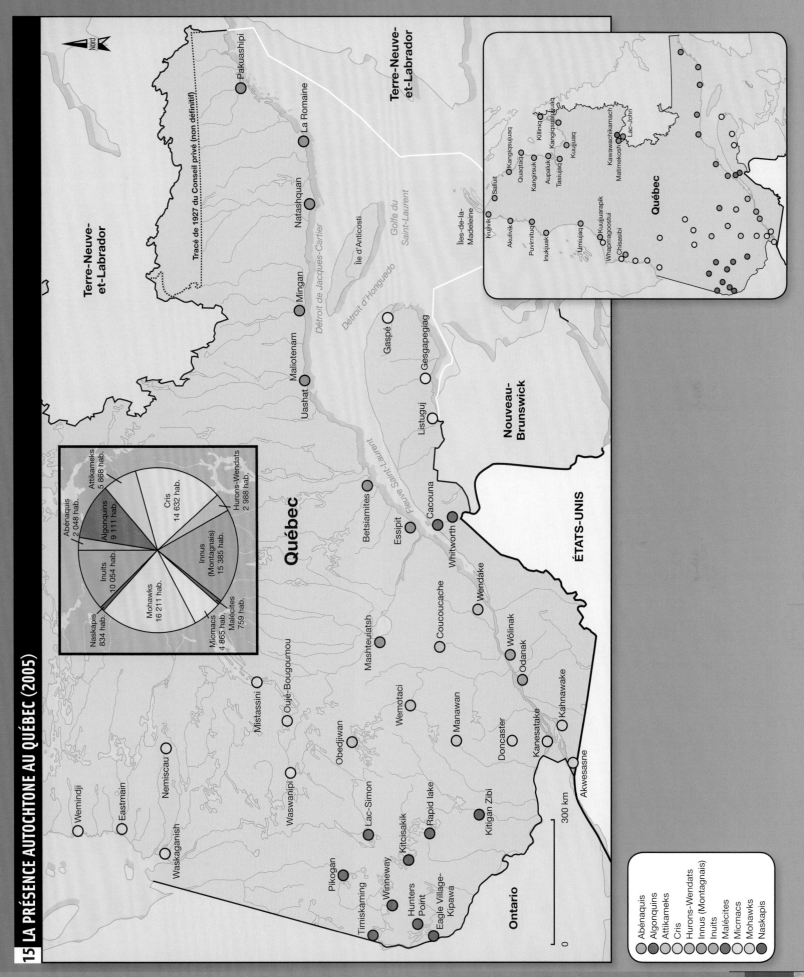

15 LA PRÉSENCE AUTOCHTONE AU QUÉBEC (2005)

Nord

Terre-Neuve-et-Labrador

PakuaShipi
La Romaine
Natashquan
Mingan
Maliotenam
Uashat

Tracé de 1927 du Conseil privé (non définitif)

Golfe du Saint-Laurent

Détroit de Jacques-Cartier

Île d'Anticosti

Détroit d'Honguedo

Îles-de-la-Madeleine

Terre-Neuve-et-Labrador

Gaspé
Gesgapegiag
Listuguj

Québec

Betsiamites
Essipit
Cacouna
Whitworth
Wendake
Coucoucache
Wôlinak
Odanak
Mashteuiatsh
Wemotaci
Manawan
Doncaster
Kanesatake
Kahnawake
Akwesasne

Nouveau-Brunswick

ÉTATS-UNIS

Mistassini
Ouje-Bougoumou
Obedjiwan
Lac-Simon
Kitcisakik
Rapid lake
Kitigan Zibi

Waswanipi
Nemiscau
Eastmain
Wemindji
Waskaganish
Pikogan
Timiskaming
Winneway
Hunters Point
Eagle Village-Kipawa

Ontario

300 km
0

Pie chart (inset)

- Abénaquis 2 048 hab.
- Algonquins 9 111 hab.
- Attikameks 5 868 hab.
- Cris 14 632 hab.
- Hurons-Wendats 2 988 hab.
- Innus (Montagnais) 15 385 hab.
- Inuits 10 054 hab.
- Malécites 759 hab.
- Micmacs 4 865 hab.
- Mohawks 16 211 hab.
- Naskapis 834 hab.

Inset map (Québec nord)

Ivujivik
Salluit
Akulivik
Kangiqsujuaq
Quaqtaq
Killiniq
Kangirsuk
Aupaluk
Kangiqsualujjuaq
Tasiujaq
Kuujjuaq
Kawawachikamach
Matimekosh
Lac-John
Puvirnituq
Inukjuak
Umiujaq
Kuujjuarapik
Whapmagoostui
Chisasibi

Québec

Légende

- Abénaquis
- Algonquins
- Attikameks
- Cris
- Hurons-Wendats
- Innus (Montagnais)
- Inuits
- Malécites
- Micmacs
- Mohawks
- Naskapis

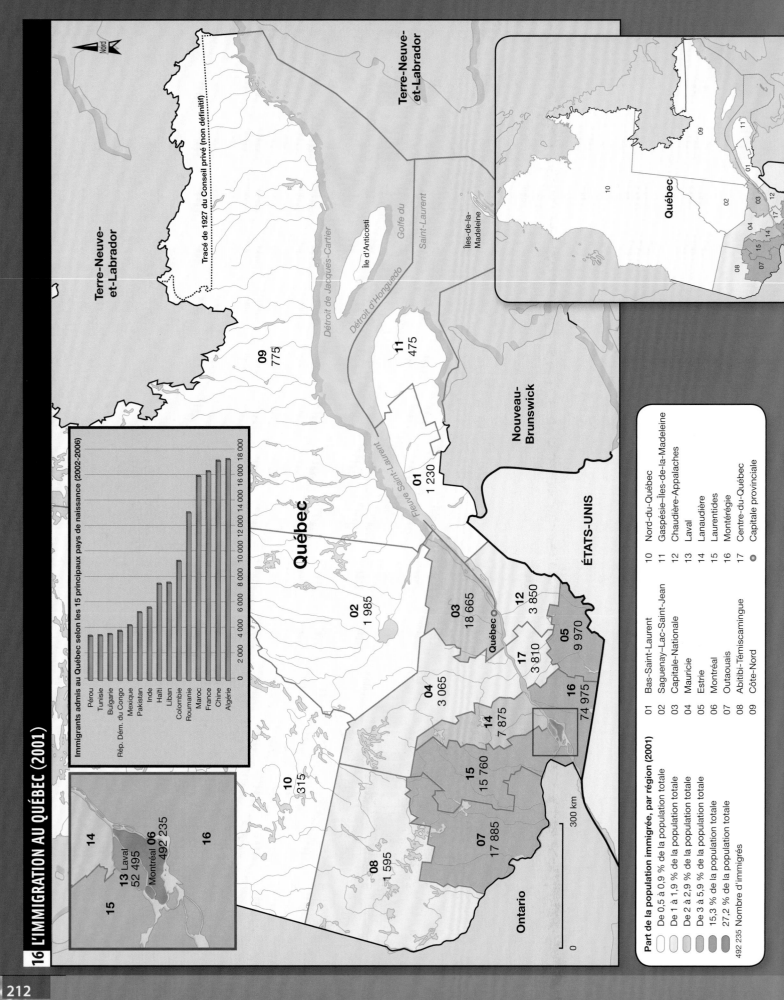

Nord

Terre-Neuve-et-Labrador

Tracé de 1927 du Conseil privé (non définitif)

Golfe du Saint-Laurent

Détroit de Jacques-Cartier

Île d'Anticosti

Détroit d'Honguedo

Îles-de-la-Madeleine

Terre-Neuve-et-Labrador

Québec

09
775

11
475

01
1 230

Fleuve Saint-Laurent

Québec

Nouveau-Brunswick

02
1 985

03
18 665

12
3 850

17
3 810

05
9 970

04
3 065

14
7 875

16
74 975

15
15 760

07
17 885

08
1 595

10
315

ÉTATS-UNIS

Ontario

Immigrants admis au Québec selon les 15 principaux pays de naissance (2002-2006)

Pérou
Tunisie
Bulgarie
Rép. Dém. du Congo
Mexique
Pakistan
Inde
Haïti
Liban
Colombie
Roumanie
Maroc
France
Chine
Algérie

0   2 000   4 000   6 000   8 000   10 000   12 000   14 000   16 000   18 000

14

13 Laval
52 495

Montréal 06
492 235

15

16

300 km

0

Part de la population immigrée, par région (2001)

De 0,5 à 0,9 % de la population totale
De 1 à 1,9 % de la population totale
De 2 à 2,9 % de la population totale
De 3 à 5,9 % de la population totale
15,3 % de la population totale
27,2 % de la population totale

492 235 Nombre d'immigrés

01	Bas-Saint-Laurent	10	Nord-du-Québec
02	Saguenay–Lac-Saint-Jean	11	Gaspésie–Îles-de-la-Madeleine
03	Capitale-Nationale	12	Chaudière-Appalaches
04	Mauricie	13	Laval
05	Estrie	14	Lanaudière
06	Montréal	15	Laurentides
07	Outaouais	16	Montérégie
08	Abitibi-Témiscamingue	17	Centre-du-Québec
09	Côte-Nord	⊙	Capitale provinciale

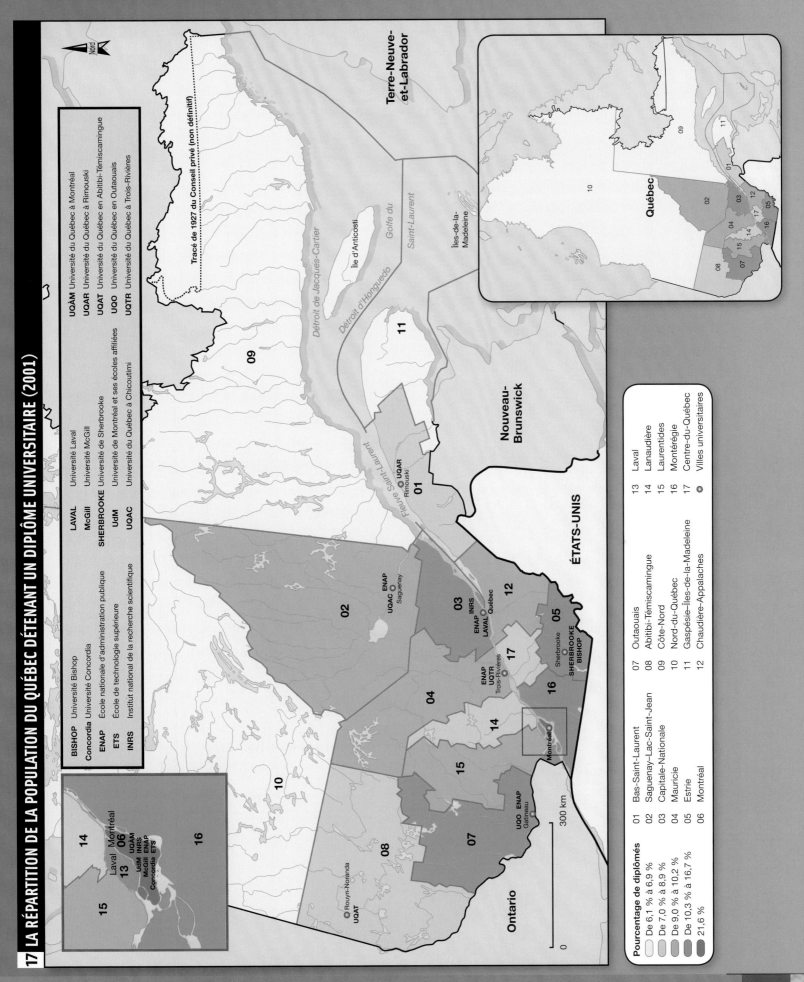

Nord

BISHOP Université Bishop
Concordia Université Concordia
ENAP École nationale d'administration publique
ETS École de technologie supérieure
INRS Institut national de la recherche scientifique

LAVAL Université Laval
McGill Université McGill
SHERBROOKE Université de Sherbrooke
UdM Université de Montréal et ses écoles affiliées
UQAC Université du Québec à Chicoutimi

UQAM Université du Québec à Montréal
UQAR Université du Québec à Rimouski
UQAT Université du Québec en Abitibi-Témiscamingue
UQO Université du Québec en Outaouais
UQTR Université du Québec à Trois-Rivières

Tracé de 1927 du Conseil privé (non définitif)

Terre-Neuve-et-Labrador

Golfe du Saint-Laurent

Détroit de Jacques-Cartier

Île d'Anticosti

Détroit d'Honguedo

Îles-de-la-Madeleine

Nouveau-Brunswick

ÉTATS-UNIS

Ontario

Fleuve Saint-Laurent

09

11

01 UQAR Rimouski

02 UQAC ENAP Saguenay

03 ENAP INRS LAVAL Québec

12

17 ENAP UQTR Trois-Rivières

05 SHERBROOKE BISHOP Sherbrooke

16

14

04

15

10

08

07 UQO ENAP Gatineau

UQAT Rouyn-Noranda

Montréal

13 Laval Montréal 06 UdM INRS UQAM ENAP McGill ETS Concordia
14
15
16

Québec

Pourcentage de diplômés
De 6,1 % à 6,9 %
De 7,0 % à 8,9 %
De 9,0 % à 10,2 %
De 10,3 % à 16,7 %
21,6 %

01 Bas-Saint-Laurent
02 Saguenay–Lac-Saint-Jean
03 Capitale-Nationale
04 Mauricie
05 Estrie
06 Montréal

07 Outaouais
08 Abitibi-Témiscamingue
09 Côte-Nord
10 Nord-du-Québec
11 Gaspésie–Îles-de-la-Madeleine
12 Chaudière-Appalaches

13 Laval
14 Lanaudière
15 Laurentides
16 Montérégie
17 Centre-du-Québec
○ Villes universitaires

0   300 km

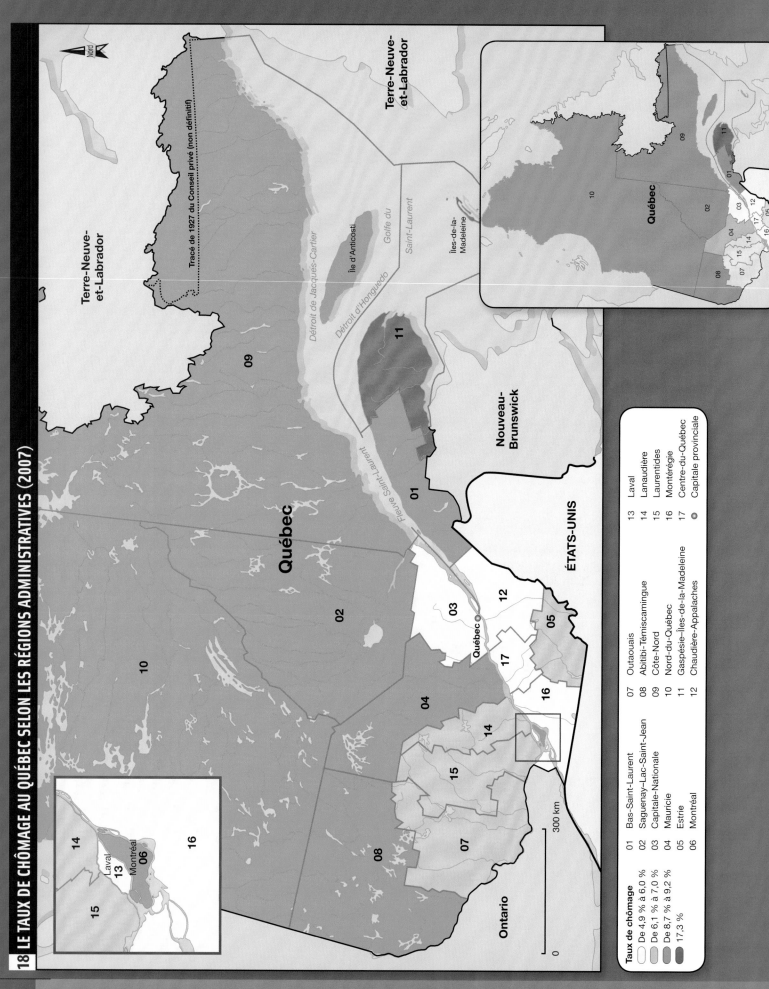

Nord

Terre-Neuve-
et-Labrador

Terre-Neuve-
et-Labrador

Tracé de 1927 du Conseil privé (non définitif)

Détroit de Jacques-Cartier

Île d'Anticosti

Détroit d'Honguedo

Golfe du
Saint-Laurent

Îles-de-la-
Madeleine

09

11

Fleuve Saint-Laurent

Québec

01

02

10

Nouveau-
Brunswick

03

12

Québec

17

05

04

16

14

15

08

07

ÉTATS-UNIS

Ontario

300 km

0

15
14
Laval
13
Montréal
06
16

Québec

10

09

11

01

02

03
12
05

04

17
16
14
15
08
07

Taux de chômage

- De 4,9 à 6,0 %
- De 6,1 à 7,0 %
- De 8,7 à 9,2 %
- 17,3 %

01	Bas-Saint-Laurent	07	Outaouais	13	Laval
02	Saguenay–Lac-Saint-Jean	08	Abitibi-Témiscamingue	14	Lanaudière
03	Capitale-Nationale	09	Côte-Nord	15	Laurentides
04	Mauricie	10	Nord-du-Québec	16	Montérégie
05	Estrie	11	Gaspésie–Îles-de-la-Madeleine	17	Centre-du-Québec
06	Montréal	12	Chaudière-Appalaches	●	Capitale provinciale

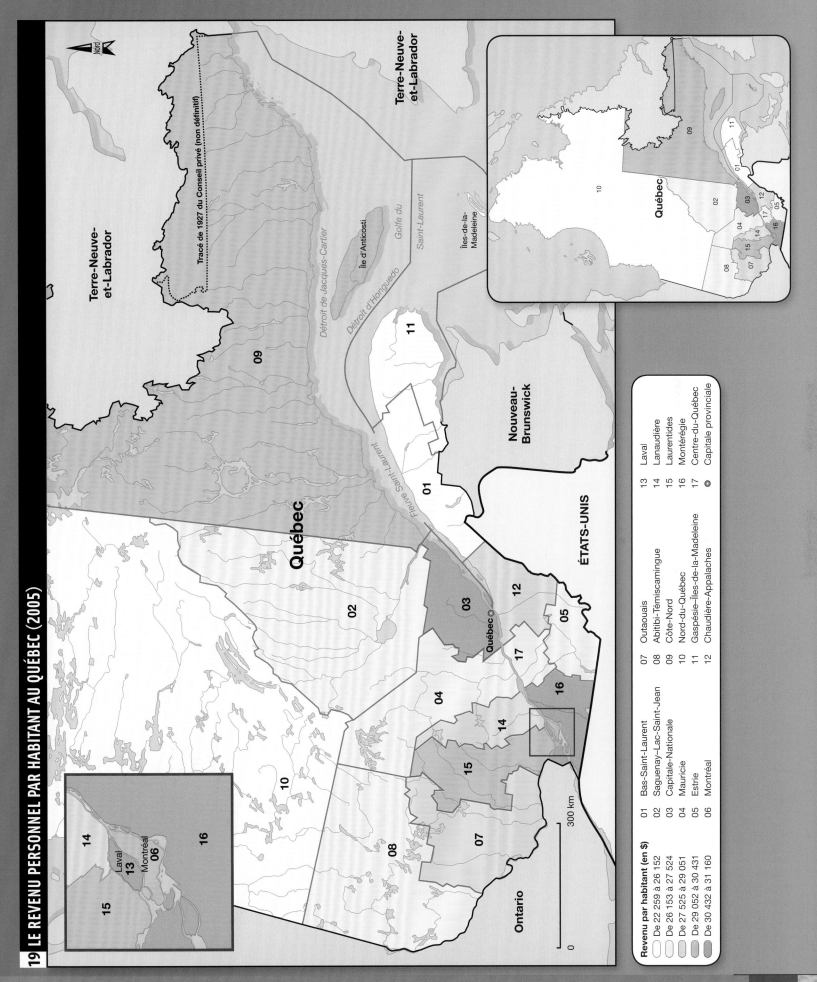

19 LE REVENU PERSONNEL PAR HABITANT AU QUÉBEC (2005)

Québec

Terre-Neuve-
et-Labrador

Terre-Neuve-et-Labrador

Ontario

Nouveau-Brunswick

ÉTATS-UNIS

Golfe du Saint-Laurent

Île d'Anticosti

Détroit de Jacques-Cartier

Détroit d'Honguedo

Îles-de-la-Madeleine

Fleuve Saint-Laurent

Tracé de 1927 du Conseil privé (non définitif)

Montréal
06

Laval
13

14

15

16

Revenu par habitant (en $)

De 22 259 à 26 152
De 26 153 à 27 524
De 27 525 à 29 051
De 29 052 à 30 431
De 30 432 à 31 160

01	Bas-Saint-Laurent	07	Outaouais	13	Laval
02	Saguenay–Lac-Saint-Jean	08	Abitibi-Témiscamingue	14	Lanaudière
03	Capitale-Nationale	09	Côte-Nord	15	Laurentides
04	Mauricie	10	Nord-du-Québec	16	Montérégie
05	Estrie	11	Gaspésie–Îles-de-la-Madeleine	17	Centre-du-Québec
06	Montréal	12	Chaudière-Appalaches	●	Capitale provinciale

0   300 km

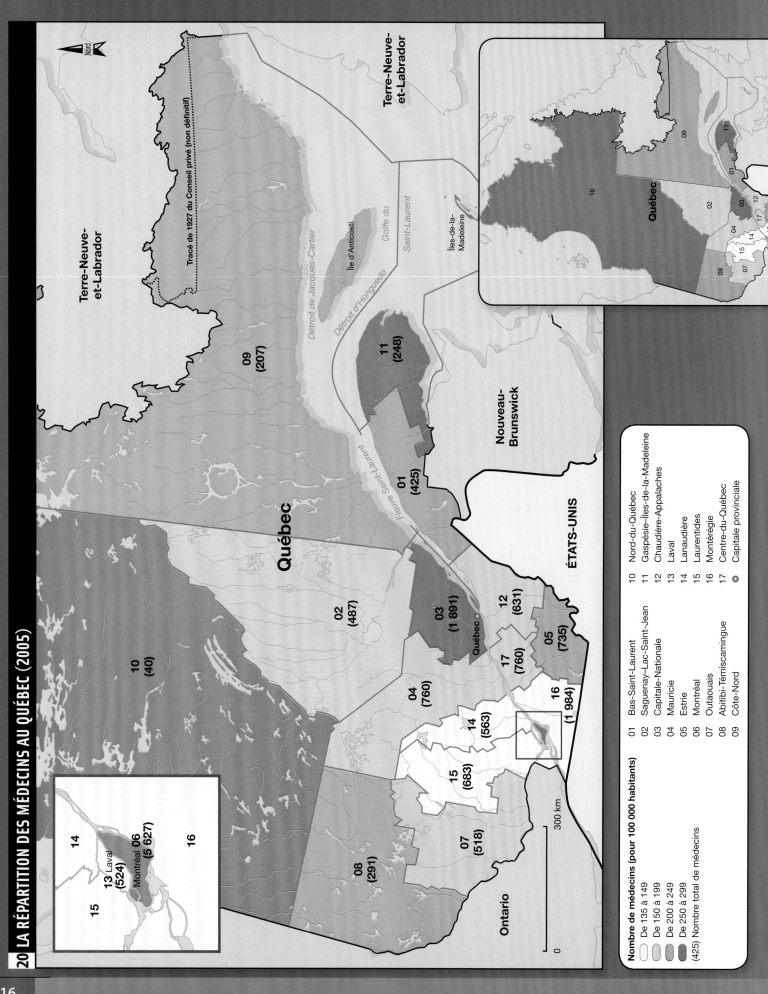

Nord

Terre-Neuve-
et-Labrador

Tracé de 1927 du Conseil privé (non définitif)

Terre-Neuve-
et-Labrador

Détroit de Jacques-Cartier

Île d'Anticosti

Golfe du
Saint-Laurent

Détroit d'Honguedo

Îles-de-la-
Madeleine

09
(207)

11
(248)

Nouveau-
Brunswick

01
(425)

Fleuve Saint-Laurent

Québec

02
(487)

03
(1 891)

Québec

12
(631)

05
(735)

17
(760)

ÉTATS-UNIS

10
(40)

04
(760)

16
(1 984)

14
(563)

15
(683)

07
(518)

08
(291)

Ontario

300 km

0

15

14

13 Laval
(524)

Montréal 06
(5 627)

16

Nombre de médecins (pour 100 000 habitants)

De 135 à 149
De 150 à 199
De 200 à 249
De 250 à 299
(425) Nombre total de médecins

01   Bas-Saint-Laurent
02   Saguenay–Lac-Saint-Jean
03   Capitale-Nationale
04   Mauricie
05   Estrie
06   Montréal
07   Outaouais
08   Abitibi-Témiscamingue
09   Côte-Nord

10   Nord-du-Québec
11   Gaspésie–Îles-de-la-Madeleine
12   Chaudière-Appalaches
13   Laval
14   Lanaudière
15   Laurentides
16   Montérégie
17   Centre-du-Québec
●   Capitale provinciale

Québec

09

11

01

10

02

03   12

04   17   05
15   14   16
08
07

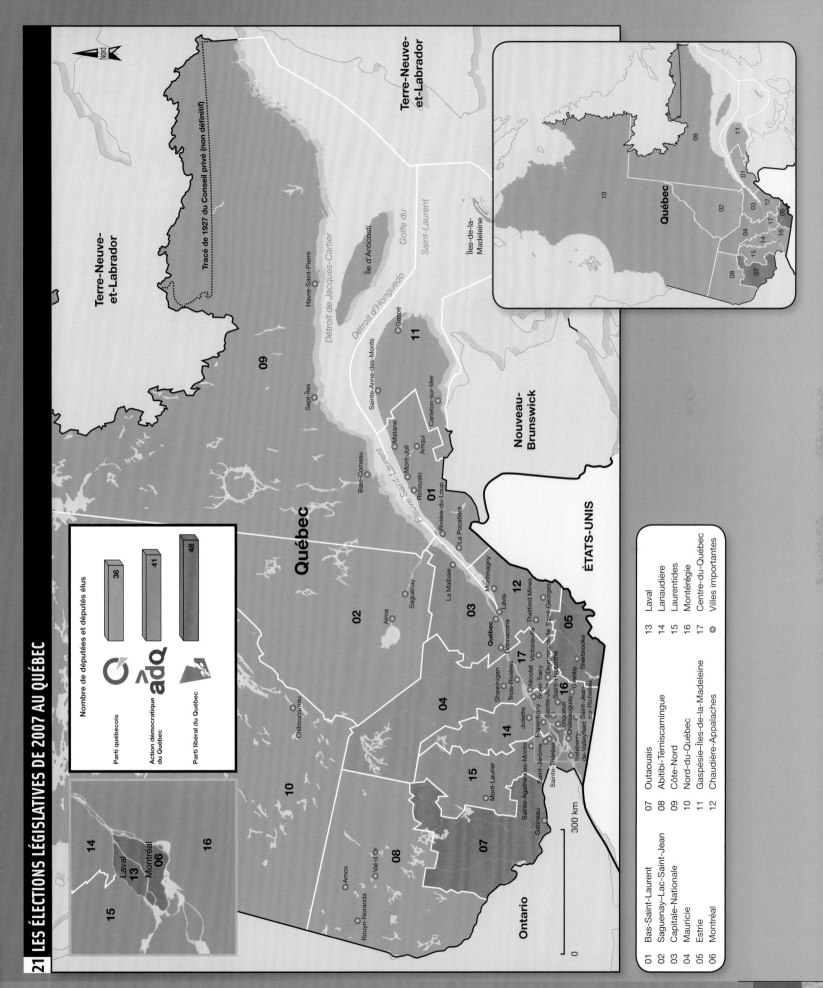

Québec

Terre-Neuve-et-Labrador

Terre-Neuve-et-Labrador

Golfe du Saint-Laurent

Saint-Laurent

Détroit de Jacques-Cartier

Île d'Anticosti

Détroit d'Honguedo

Îles-de-la-Madeleine

Tracé de 1927 du Conseil privé (non définitif)

Havre-Saint-Pierre

Gaspé

Sept-Îles

Sainte-Anne-des-Monts

Carleton-sur-Mer

Matane

Amqui

Mont-Joli

Rimouski

Rivière-du-Loup

Fleuve Saint-Laurent

La Pocatière

Baie-Comeau

Montmagny

Saguenay

Alma

La Malbaie

Lévis

Québec

Donnacona

Thetford Mines

Saint-Georges

Chibougamau

Shawinigan

Trois-Rivières

Victoriaville

Sherbrooke

Drummondville

Granby

Nicolet

Sorel-Tracy

Saint-Julie

Saint-Hyacinthe

Joliette

Repentigny

Longueuil

Saint-Jean-sur-Richelieu

Châteauguay

Salaberry-de-Valleyfield

Mont-Laurier

Sainte-Agathe-des-Monts

Saint-Jérôme

Sainte-Thérèse

Gatineau

Amos

Val-d'Or

Rouyn-Noranda

Ontario

Nouveau-Brunswick

ÉTATS-UNIS

01 02 03 04 05 07 08 09 10 11 12 13 14 15 16 17

Nombre de députées et députés élus

36	Parti québécois
41	Action démocratique du Québec
48	Parti libéral du Québec

Laval
Montréal 06
13 Laval
14
15
16

01	Bas-Saint-Laurent	07	Outaouais
02	Saguenay–Lac-Saint-Jean	08	Abitibi-Témiscamingue
03	Capitale-Nationale	09	Côte-Nord
04	Mauricie	10	Nord-du-Québec
05	Estrie	11	Gaspésie–Îles-de-la-Madeleine
06	Montréal	12	Chaudière-Appalaches
13	Laval		
14	Lanaudière		
15	Laurentides		
16	Montérégie		
17	Centre-du-Québec		
	Villes importantes		

300 km

0

Nord

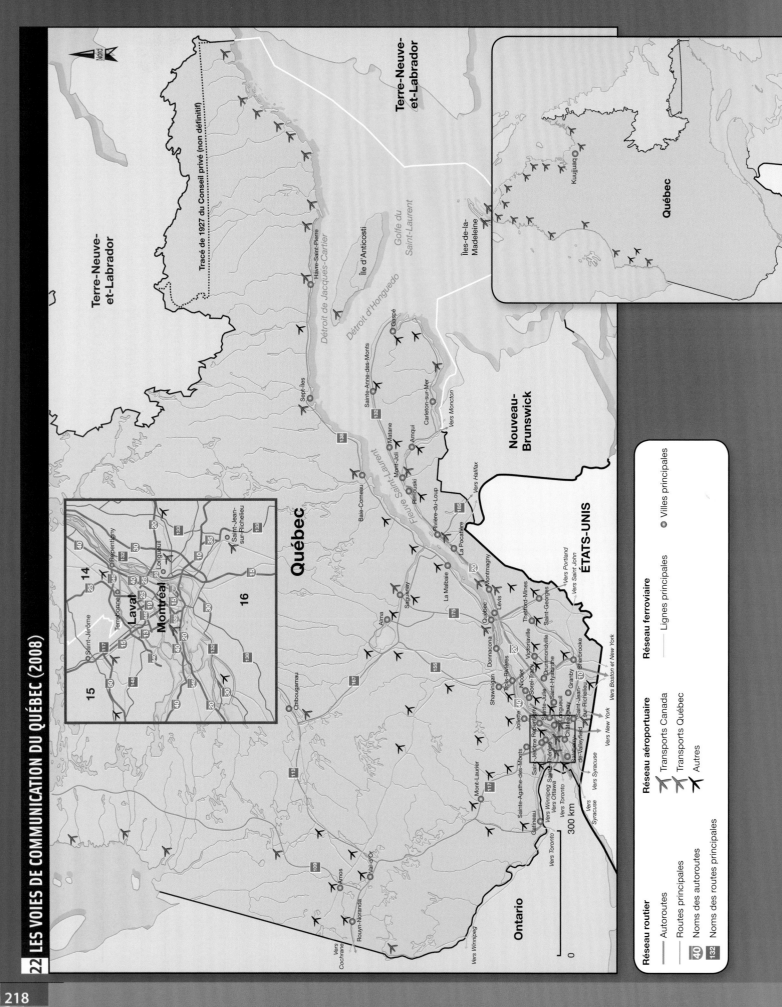

Nord

Terre-Neuve-et-Labrador

Tracé de 1927 du Conseil privé (non définitif)

Havre-Saint-Pierre

Détroit de Jacques-Cartier

Île d'Anticosti

Golfe du Saint-Laurent

Détroit d'Honguedo

Terre-Neuve-et-Labrador

Kuujjuaq

Québec

Sept-Îles

Sainte-Anne-des-Monts

Gaspé

Carleton-sur-Mer

132

Matane

138

Amqui

Vers Moncton

Îles-de-la-Madeleine

Rimouski

Nouveau-Brunswick

Baie-Comeau

Fleuve Saint-Laurent

Rivière-du-Loup

185

Vers Halifax

La Pocatière

20

20

Repentigny

Montmagny

Saint-Jean-sur-Richelieu

133

Québec

ÉTATS-UNIS

Laval

Montréal

Longueuil

Saint-Jérôme

Terrebonne

Saguenay

La Malbaie

Lévis

Thetford-Mines

175

Saint-Georges

Vers Portland

Vers Saint John

Alma

Donnacona

Victoriaville

Drummondville

Granby

Sherbrooke

Vers Boston et New York

Chibougamau

167

155

20

Shawinigan

Trois-Rivières

Nicolet

Sorel-Tracy

Saint-Hyacinthe

10

Saint-Jean-sur-Richelieu

Vers New York

Joliette

Saint-Jérôme

Sainte-Thérèse

Salaberry-de-Valleyfield

Châteauguay

Longueuil

Vers Syracuse

Mont-Laurier

117

118

Sainte-Agathe-des-Monts

Gatineau

Vers Winnipeg

Vers Ottawa

Vers Toronto

Vers Toronto

Vers Toronto

Vers Syracuse

300 km

Ontario

Amos

Val-d'Or

109

Rouyn-Noranda

Vers Cochrane

Vers Winnipeg

0

Québec

Détail Montréal (encadré)

20

40

132

35

10

15

25

440

40

25

15

13

15

117

640

40

440

20

132

138

440

148

50

540

40

20

30

14

15

16

Saint-Jean-sur-Richelieu

Légende

Réseau routier
— Autoroutes
— Routes principales
40 Noms des autoroutes
132 Noms des routes principales

Réseau aéroportuaire
Transports Canada
Transports Québec
Autres

Réseau ferroviaire
— Lignes principales

● Villes principales

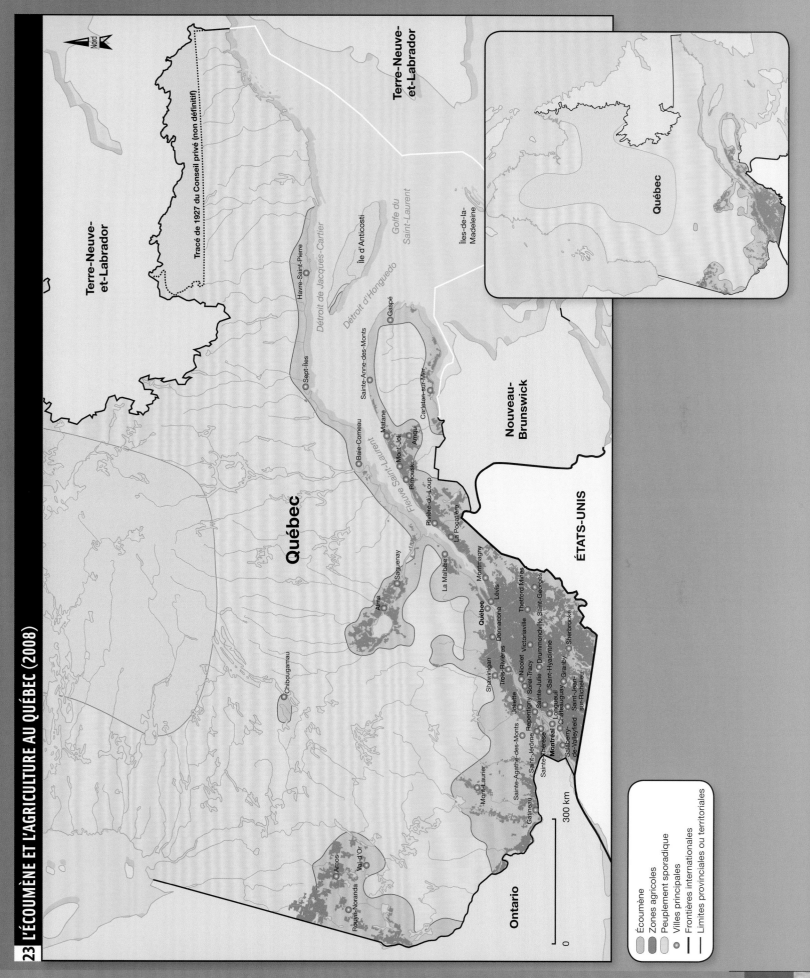

Nord

Terre-Neuve-et-Labrador

Tracé de 1927 du Conseil privé (non définitif)

Terre-Neuve-et-Labrador

Québec

Havre-Saint-Pierre

Golfe du Saint-Laurent

Détroit de Jacques-Cartier

Île d'Anticosti

Détroit d'Honguedo

Îles-de-la-Madeleine

Gaspé

Sept-Îles

Sainte-Anne-des-Monts

Carleton-sur-Mer

Baie-Comeau

Matane

Nouveau-Brunswick

Mont-Joli

Amqui

Rimouski

Fleuve Saint-Laurent

Québec

Rivière-du-Loup

La Pocatière

Saguenay

La Malbaie

Montmagny

ÉTATS-UNIS

Alma

Lévis

Thetford Mines

Saint-Georges

Québec

Donnacona

Victoriaville

Drummondville

Chibougamau

Shawinigan

Trois-Rivières

Nicolet Sorel-Tracy

Sainte-Julie

Saint-Hyacinthe

Granby

Sherbrooke

Joliette

Repentigny

Longueuil

Saint-Jean-sur-Richelieu

Sainte-Jérôme

Montréal

Châteauguay

Sainte-Thérèse

Salaberry-de-Valleyfield

Mont-Laurier

Sainte-Agathe-des-Monts

Gatineau

Amos

Val-d'Or

Rouyn-Noranda

Ontario

300 km

0

Écoumène
Zones agricoles
Peuplement sporadique
Villes principales
Frontières internationales
Limites provinciales ou territoriales

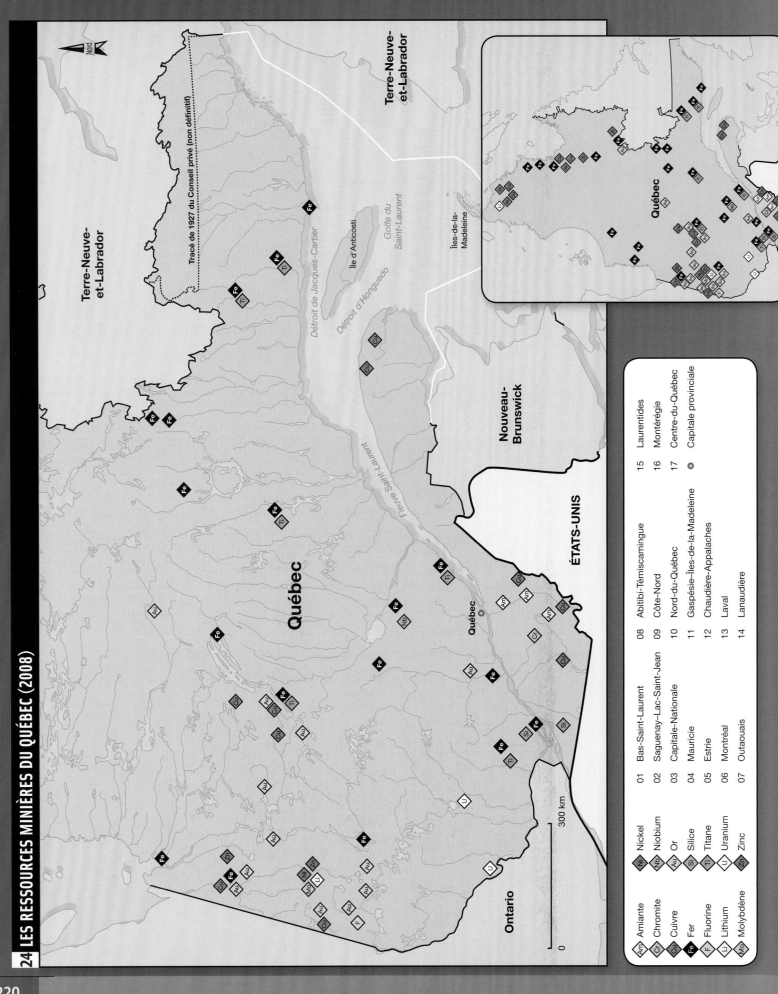

Terre-Neuve-et-Labrador

Tracé de 1927 du Conseil privé (non définitif)

Détroit de Jacques-Cartier

Île d'Anticosti

Golfe du Saint-Laurent

Détroit d'Honguedo

Îles-de-la-Madeleine

Terre-Neuve-et-Labrador

Québec

Nouveau-Brunswick

ÉTATS-UNIS

Fleuve Saint-Laurent

Québec

Ontario

300 km

0

Amiante	01	Bas-Saint-Laurent
Chromite	02	Saguenay-Lac-Saint-Jean
Cuivre	03	Capitale-Nationale
Fer	04	Mauricie
Fluorine	05	Estrie
Lithium	06	Montréal
Molybdène	07	Outaouais
Nickel	08	Abitibi-Témiscamingue
Niobium	09	Côte-Nord
Or	10	Nord-du-Québec
Silice	11	Gaspésie-Îles-de-la-Madeleine
Titane	12	Chaudière-Appalaches
Uranium	13	Laval
Zinc	14	Lanaudière
	15	Laurentides
	16	Montérégie
	17	Centre-du-Québec
		Capitale provinciale

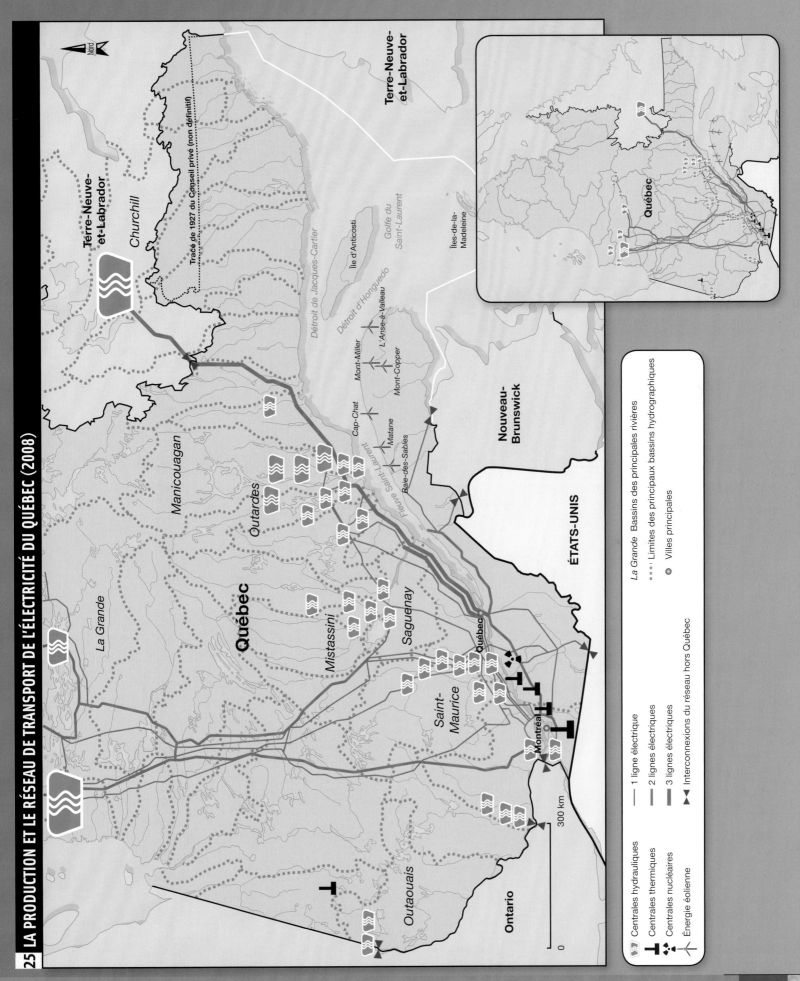

25 LA PRODUCTION ET LE RÉSEAU DE TRANSPORT DE L'ÉLECTRICITÉ DU QUÉBEC (2008)

Nord

Terre-Neuve-et-Labrador

Churchill

Tracé de 1927 du Conseil privé (non définitif)

Terre-Neuve-et-Labrador

Détroit de Jacques-Cartier

Île d'Anticosti

Golfe du Saint-Laurent

Détroit d'Honguedo

L'Anse-à-Valleau

Mont-Miller

Mont-Copper

Îles-de-la-Madeleine

Manicouagan

Outardes

Cap-Chat

Matane

Baie-des-Sables

Fleuve Saint-Laurent

Nouveau-Brunswick

La Grande

Québec

Mistassini

Saguenay

Québec

ÉTATS-UNIS

Saint-Maurice

Montréal

Outaouais

Ontario

300 km

0

Légende

La Grande Bassins des principales rivières

Limites des principaux bassins hydrographiques

○ Villes principales

Centrales hydrauliques

Centrales thermiques

Centrales nucléaires

Énergie éolienne

— 1 ligne électrique

‖ 2 lignes électriques

‖‖ 3 lignes électriques

▼ Interconnexions du réseau hors Québec

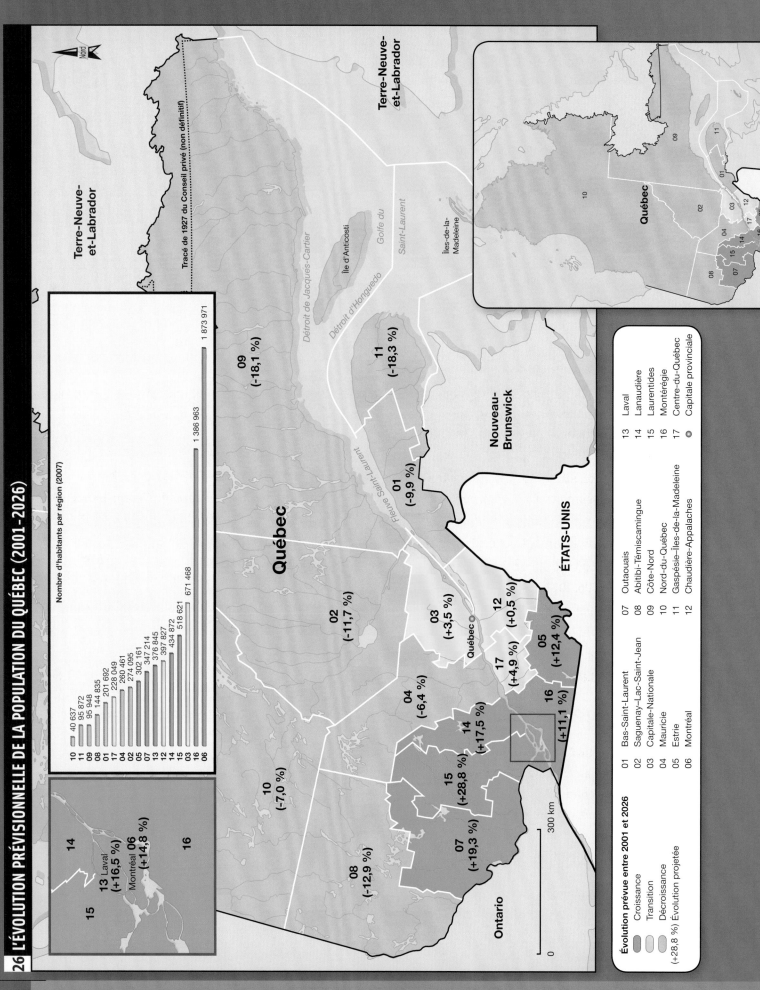

Nombre d'habitants par région (2007)

Région	Nombre
10	40 637
11	95 872
09	95 948
08	144 835
01	201 692
17	228 049
04	260 461
02	274 095
05	302 161
07	347 214
13	376 845
12	397 827
14	434 872
15	518 621
03	671 468
16	1 386 963
06	1 873 971

Terre-Neuve-et-Labrador

Tracé de 1927 du Conseil privé (non définitif)

Nord

Québec

09 (-18,1 %)

11 (-18,3 %)

Détroit de Jacques-Cartier

Île d'Anticosti

Détroit d'Honguedo

Golfe du Saint-Laurent

Îles-de-la-Madeleine

Terre-Neuve-et-Labrador

Nouveau-Brunswick

01 (-9,9 %)

02 (-11,7 %)

03 (+3,5 %)

Québec

12 (+0,5 %)

17 (+4,9 %)

05 (+12,4 %)

04 (-6,4 %)

14 (+17,5 %)

16 (+11,1 %)

15 (+28,8 %)

07 (+19,3 %)

08 (-12,9 %)

10 (-7,0 %)

Fleuve Saint-Laurent

ÉTATS-UNIS

Ontario

300 km

0

13 Laval (+16,5 %)

Montréal 06 (+14,8 %)

14

15

16

Évolution prévue entre 2001 et 2026
- Croissance
- Transition
- Décroissance

(+28,8 %) Évolution projetée

01	Bas-Saint-Laurent	07	Outaouais	13	Laval
02	Saguenay–Lac-Saint-Jean	08	Abitibi-Témiscamingue	14	Lanaudière
03	Capitale-Nationale	09	Côte-Nord	15	Laurentides
04	Mauricie	10	Nord-du-Québec	16	Montérégie
05	Estrie	11	Gaspésie–Îles-de-la-Madeleine	17	Centre-du-Québec
06	Montréal	12	Chaudière-Appalaches		Capitale provinciale

Québec

Ouvrages de référence

BADIE, Bertrand et Sandrine TOLOTTI (dir.). *L'État du monde 2008*. Montréal, La Découverte, 2007. 430 p.

COURVILLE, Serge (dir.). *Population et territoire*. Québec, Les Presses de l'Université Laval, 1996. 182 p.

DUBY, Georges (dir.). *Atlas historique mondial*. Paris, Larousse, 2000. 349 p.

GARNIER, Yves (dir.). *Atlas, Petit Larousse des pays du monde*. Paris, Larousse, 2007. 352 p.

GENTILCORE, R. Louis (dir.). *Atlas historique du Canada*, vol. II, *La transformation du territoire, 1800-1891*. Montréal, Presses de l'Université de Montréal, 1993. 186 p.

HARRIS, R. Cole (dir.). *Atlas historique du Canada*, vol. I, *Des origines à 1800*. Montréal, Presses de l'Université de Montréal, 1987. 198 p.

HERITAGE, Andrew (dir.). *Atlas encyclopédique mondial*. Montréal, Libre Expression, 2002. 736 p.

KERR, Donald (dir.). *Atlas historique du Canada*, vol. III, *Jusqu'au cœur du XXe siècle, 1891-1961*. Montréal, Presses de l'Université de Montréal, 1990. 199 p.

LAPORTE, Laurence. *Atlas géopolitique et culturel du Petit Robert des noms propres*. Paris, Le Robert, 2005. 315 p.

REGAS, Ricard (dir.). *Atlas : L'Afrique, les Caraïbes, le continent américain*. Bruxelles, Artis-Historia, 2002. 96 p.

SELLIER, Jean. *Atlas des peuples d'Amérique*. Paris, La Découverte, 2006. 202 p.

SMITH, Stephen. *Atlas de l'Afrique : un continent jeune, révolté, marginalisé*. Paris, Autrement, 2005. 80 p.

TRUDEL, Marcel. *Atlas de la Nouvelle-France*. Québec, Presses de l'Université Laval, 1973. 219 p.

Index des repères culturels RC

Glossaire

Renvois aux pages en **rouge** : mots définis dans les lexiques.

Abjurer   Abandonner solennellement une religion ou une doctrine. **42**

Absolutisme   Mouvement de pensée selon lequel un roi ou une reine détient le pouvoir absolu. **32, 34**

Algonquiens, Inuits, Iroquoiens   Termes génériques qui désignent des peuples amérindiens de même famille linguistique. **26**

Anglican, anglicane   Qui appartient à l'anglicanisme, la religion officielle de l'Angleterre où le roi rompt avec la papauté et devient le chef de l'Église. **42, 96**

Aristocratie   Petit groupe héréditaire qui exerce le pouvoir politique. **38, 44, 94, 102, 112**

Baby-boom   Forte hausse du taux de natalité dans la population d'un pays. Au Québec, le terme *baby-boomers* désigne la génération née entre 1945 et 1965, période durant laquelle le taux de natalité est très élevé. **22, 58, 149, 156, 175**

Barreau   Ordre professionnel regroupant tous les avocats et avocates. Le barreau surveille l'exercice de la profession, soutient ses membres dans l'exercice du droit, favorise le sentiment d'appartenance et fait la promotion de la primauté du droit. **60, 115**

Biodiversité   Ensemble des espèces d'une région ou d'un milieu naturel donnés. Désigne également l'ensemble des gènes au sein d'une même espèce, ou l'ensemble des écosystèmes présents sur Terre. **165, 172**

Bloc populaire canadien   Parti politique créé pour protester contre la conscription de 1942. **118**

Bollywood   Mot-valise formé par la fusion de « Bombay » et « Hollywood ». Ensemble de studios de cinéma situés dans la banlieue de Mumbai (Bombay). Le cinéma indien intègre des éléments de la culture traditionnelle et des éléments modernes. **76**

Bouddhisme   Doctrine religieuse fondée en Inde vers le milieu du VIe siècle avant Jésus-Christ par le prince Siddharta Gautama. **74**

Bourgeoisie professionnelle   Les membres des professions libérales, tels les avocats et les médecins, constituent la bourgeoisie professionnelle et occupent des positions privilégiées dans la société canadienne-française. **44**

Censitaire   Au XVIIIe siècle, personne recevant une terre d'un seigneur auquel elle doit payer annuellement des redevances, dont le cens. Le cens marque la dépendance du censitaire envers son seigneur. **94, 101, 113**

Clear grit   Parti réformiste radical du Haut-Canada. Il forme avec les rouges et les réformistes des Maritimes le Parti libéral du Canada. **109**

Commission sur les pratiques d'accommodement reliées aux différences culturelles   Cette commission, aussi appelée Commission Bouchard-Taylor, est créée en 2007 par le premier ministre du Québec, Jean Charest. Dirigée par le philosophe Charles Taylor et le sociologue Gérard Bouchard, elle procède à des audiences publiques dans 17 municipalités. Le rapport final de la commission est rendu public le 22 mai 2008. **152, 154, 176**

Coopérative   Association de personnes ayant des besoins économiques communs, caractérisée par une répartition égalitaire des droits et des bénéfices. **168**

Couronne   La couronne danoise est la monnaie officielle du Danemark depuis 1873. Au début de novembre 2008, un dollar canadien vaut 4,94 couronnes. **186**

Coutume de Paris   Ensemble des lois civiles encadrant les droits des individus. Instaurée dans la région parisienne au XVIe siècle, la Coutume de Paris est importée en Nouvelle-France. **91, 92, 95**

CSN   Confédération des syndicats nationaux. **147, 193**

Dictateur   Chef d'État qui, s'étant emparé de tous les pouvoirs, gouverne sans contrôle démocratique. **136**

Double majorité   Selon ce principe, un parti doit, pour conserver le pouvoir, détenir la majorité des députés du Canada-Est et la majorité des députés du Canada-Ouest. **108**

Droit de veto   Droit qui accorde à un individu ou à un groupe d'individus le pouvoir d'empêcher l'exécution d'une décision politique. **92**

Église évangélique luthérienne   Église protestante fondée sur les écrits et les pensées de Martin Luther, à la suite de la Réforme protestante au XVIe siècle. Au Danemark, cette confession est la religion officielle. **184, 189**

Élite   Groupe d'individus qui exercent un pouvoir et une autorité sur la société. **38, 40, 42, 46, 52, 56, 58, 60, 64, 98, 102, 110, 122, 124, 126**

Embargo   Mesures militaires et économiques ayant pour but d'empêcher les échanges économiques entre des pays. **134, 136**

Empreinte écologique   Outil qui évalue la surface productive nécessaire à une population pour répondre à sa consommation de ressources et à ses besoins d'absorption de déchets. **170**

Entente de principe   Contrat entre des parties qui, sans être ferme, énonce les engagements que chacun prend envers l'autre. **87**

Esthétique   Conception du beau dans la nature et dans l'art. **30, 51, 178**

Exposition universelle   Grande exposition présentant les réalisations techniques et industrielles de nombreux pays, tenue régulièrement depuis le milieu du XIXe siècle. **65**

Fascisme   Idéologie politique rejetant le libéralisme et la démocratie parlementaire en faveur d'une dictature contrôlée par une élite sociale et politique. **56**

Fédération étudiante Organisme regroupant plusieurs associations étudiantes dont le mandat principal est de représenter ses membres, de défendre leurs droits et de promouvoir leurs intérêts. **87**

Filet social Le terme «filet social» exprime l'objectif ou l'obligation qui veut que tout État social garantisse un minimum de conditions pour vivre décemment. **169**

Franc-tenancier Propriétaire d'une terre qui a le droit de siéger à l'Assemblée législative en Angleterre et dans les colonies britanniques. **97**

Gallicanisme Mouvement de pensée selon lequel le pouvoir temporel du roi prévaut sur le pouvoir spirituel du pape. **32, 34**

Génération X Également appelée «génération tampon», la génération X est constituée des enfants nés entre 1965 et 1980. Elle succède immédiatement à celle des *baby-boomers*. **148, 157**

Guérilla En espagnol, «petite guerre». Lutte armée menée par des bandes ou des éléments légers cherchant à surprendre, à déséquilibrer et à user l'adversaire, généralement une armée régulière. **136, 191**

Halieutique Qui a trait à la pêche. **187**

Hindouisme Doctrine religieuse vieille de plus de cinq mille ans. Les adeptes portent le nom d'«hindous». **74**

Hoir Héritier. **95**

Hospitalières de Saint-Joseph Congrégation religieuse fondée en France en 1636. À partir de 1659, les sœurs hospitalières soignent les malades et les blessés en Nouvelle-France. **34**

Interculturalisme Politique qui favorise le rapprochement entre les cultures. **154**

Investiture Cérémonie formelle lors de laquelle un candidat ou une candidate fait publiquement son serment d'entrée en fonction devant un large public. **138**

Islam Doctrine religieuse prêchée par Mahomet au VIe siècle et fondée sur le Coran. Les adeptes portent le nom de «musulmans» et «musulmanes». **74**

Jésuites Membres de la Compagnie de Jésus fondée par Ignace de Loyola en 1540. Cet ordre enseignant commandait une obéissance stricte à l'Église catholique romaine. **32, 34, 40**

Kebec Mot algonquin signifiant «là où le fleuve se rétrécit» et désignant l'actuelle ville de Québec. **36**

Laïcité Système selon lequel il y a séparation de l'État et de l'Église. L'État est non confessionnel. **48, 60, 62, 149, 176, 179**

Laïque Qui ne fait pas partie d'une congrégation religieuse ou qui ne relève pas du clergé. **34, 55, 76, 116, 189**

LEED Système d'évaluation qui attribue des certificats aux bâtiments répondant à certaines normes environnementales. Les critères évalués incluent l'efficacité énergétique, la gestion de la consommation de l'eau et du chauffage, l'utilisation de matériaux de provenance locale et la réutilisation de leurs surplus. **172**

Libéralisme Idée politique et philosophique qui prône la liberté de l'individu, les droits de la personne et l'autonomie de la nation à l'égard du pouvoir d'une métropole. **44, 48, 56, 174**

Lobbying Processus qui permet aux personnes et aux groupes de défendre leurs intérêts et d'influencer les décisions gouvernementales. Des lobbyistes sont mandatés pour représenter ces personnes ou ces groupes auprès des élus. **128**

Loyaux Partisans radicaux du gouverneur et du pouvoir colonial. Ils prennent les armes contre les Patriotes en 1837 et 1838. **104**

Martisme Idéologie marxiste inspirée du héros nationaliste cubain José Martí, qui a mené la première révolution en 1895. **137**

Matacher Mot d'origine algonquienne signifiant «orner». **29**

Matrilinéaire Se dit d'une société qui reconnaît une filiation (un lien de descendance) maternelle, donc par la mère. **30**

Mécène Personne fortunée qui soutient financièrement des artistes. **52**

Métis À la fin du XIXe siècle, les Métis de l'Ouest canadien étaient les personnes nées de l'union entre Blancs et Autochtones. Surtout francophones et catholiques, ils étaient environ 10 000. **114**

Milice Troupe levée parmi la population pour défendre la seigneurie, la ville ou la colonie. **94**

Mœurs Coutumes, mode de vie. **54, 71**

Moghol Dynastie musulmane qui règne sur l'Inde entre 1526 et 1707. **74, 77, 79**

Mondialisation Processus par lequel l'activité économique tend à s'organiser à l'échelle de la planète. **66, 73, 76, 79, 82, 87, 128, 149, 152, 162, 164, 175, 186, 190, 196**

Monopole Secteur de l'économie qui est contrôlé par une seule entreprise. En Nouvelle-France, ce privilège, accordé par une commission royale, pouvait, par exemple, donner l'exclusivité du commerce des fourrures à une entreprise prête à verser les capitaux nécessaires à son exploitation. **90, 160**

Multiculturalisme Politique qui favorise la coexistence de plusieurs cultures sur un même territoire. **154**

Multinationale Groupe industriel, commercial ou financier dont les activités se répartissent dans plusieurs États. **55**

Nationalisme Doctrine fondée sur le sentiment d'attachement à la nation et sur la promotion de l'intérêt national. **44, 46, 48, 50, 54, 58, 60, 64, 123, 124, 149, 174**

Néolibéralisme Mouvement de pensée qui défend la liberté du marché et la liberté individuelle. Les néolibéraux critiquent l'intervention de l'État providence. **66, 129, 161**

Ouananiche Mot innu (montagnais) signifiant «saumon d'eau douce». **36**

Ouaouaron En langue mohawk, nom de la plus grosse grenouille d'Amérique du Nord. **36**

Parti canadien Parti politique qui prône des réformes inspirées des idées libérales. Ses partisans sont souvent appelés «réformistes». Il devient le Parti patriote en 1826. **104**

Parti libéral-conservateur Coalition formée en 1864 par les clear grits du Canada-Ouest et les conservateurs. En 1873, ce parti devient le Parti conservateur. **110**

Parti tory Parti politique dont les membres, qui ont la faveur du gouverneur général, souhaitent conserver leurs privilèges. On l'appelle aussi Parti bureaucrate, Parti britannique ou Parti conservateur. **104, 106**

Patrilinéaire Se dit d'une société qui reconnaît une filiation (un lien de descendance) paternelle, donc par le père. **30**

Pétition Lettre adressée à l'autorité gouvernementale afin de réclamer une action politique ou de dénoncer une situation. **89, 98, 196**

Philanthropie Aide et amélioration du sort des plus démunis de manière désintéressée, par exemple sous forme de dons ou par la fondation d'œuvres. **116**

PIB (Produit intérieur brut) Valeur brute totale des biens et des services produits dans un pays au cours d'une période donnée. **140, 161, 187**

PME Entreprise considérée comme étant de petite ou moyenne taille, en raison notamment de son chiffre d'affaires, du total de son actif ou du nombre de ses employés. **164**

Rapatriement Avant 1982, il faut passer par Londres pour modifier la Constitution. Pierre Elliott Trudeau rapatrie la Constitution au Canada, y ajoutant une charte des droits et des libertés et une formule d'amendement. **124**

Récession Ralentissement important de l'activité économique pendant deux trimestres consécutifs. Si le ralentissement perdure, la période est qualifiée de dépression économique. **161, 186**

Récollets Ordre religieux missionnaire qui adhère aux thèses gallicanes. **34, 41, 42**

Redevance Somme versée à échéances déterminées en échange d'un droit d'exploitation ou du droit d'utilisation d'un service. **91, 95**

Responsabilité ministérielle Selon ce principe, le gouvernement est choisi parmi les députés du parti majoritaire. Il doit répondre de ses actes devant l'Assemblée. **106**

Révolution tranquille Période de l'histoire du Québec caractérisée par la modernisation du rôle de l'État. Elle s'étend de 1960 à 1966, et même jusqu'en 1980 selon plusieurs. **58, 62, 64, 123, 125, 148, 151, 165, 174, 176**

Rouge Mouvement et parti politique réformiste radical du Canada-Est. Après la Confédération, les rouges forment avec les clear grits et les réformistes des Maritimes le Parti libéral du Canada. **48, 110**

Saint-Jean-Baptiste Le 8 mars 1834, Ludger Duvernay et quelques autres Montréalais d'élite fondent une société d'entraide et de secours, la Société Saint-Jean-Baptiste, active encore de nos jours. Cette société célèbre alors la nation canadienne-française le 24 juin en signe d'affranchissement de la métropole. **46**

Sanctionner Approuver. Une loi devient effective lorsqu'elle reçoit la sanction royale. **100**

Secteur primaire Secteur économique dont les activités sont reliées à l'extraction des matières premières (agriculture, pêche, mines et forêts). **162**

Secteur privé Partie de l'économie où l'État n'intervient pas ou peu. Les entreprises qui composent ce secteur se font concurrence et appartiennent à des individus ou à des groupes d'individus. **126, 185**

Secteur public Partie de l'économie administrée par l'État et les collectivités locales (les municipalités, par exemple). **185, 194**

Secteur tertiaire Secteur économique dont les activités sont reliées aux industries de services. **160**

Seuil de pauvreté Aussi appelé «seuil de faible revenu», le seuil de pauvreté est calculé selon les niveaux de revenu brut à partir desquels les dépenses de nourriture, logement et vêtements représentent une part disproportionnée des dépenses des ménages. **153, 166, 181**

Sondage d'opinion Enquête faite auprès d'un échantillon de population au sujet d'une question. L'échantillon peut être choisi au hasard ou selon des critères de représentativité. Il est démontré que la formulation de la question peut influencer les réponses. **148, 153, 156, 176**

Sulpiciens Membres de la Compagnie des prêtres de Saint-Sulpice fondée en 1641 par Jean-Jacques Olier. Ils défendent le gallicanisme. **34**

Tenure Mode de concession des terres. **100**

Traditionalisme Attachement aux valeurs de la tradition. **60**

Travailleur ou travailleuse autonome Personne qui exerce une activité professionnelle à son compte et qui n'a pas de lien de subordination avec un employeur. **157, 161, 162**

Ultramontanisme Mouvement de pensée selon lequel le pouvoir spirituel du pape prévaut sur le pouvoir temporel du roi. **32, 34, 48, 116**

UNESCO Organisation des Nations Unies pour l'éducation, la science et la culture créée le 16 novembre 1945. **76**

Ursulines Congrégation religieuse enseignante fondée en Italie en 1535 par Angèle Merici. Les Ursulines arrivent en Nouvelle-France en 1639. **34**

Sources iconographiques

12 © Bibliothèque et Archives Canada / C-004462 ;
20-21 © Succession Jean Paul Riopelle / SODRAC (2008) /
Photo Musée national des beaux-arts du Québec (96.96) ;
23 **(4)** © Nelson Dumais / Production Manitu inc. ; **(6)** © Musée
McCord d'histoire canadienne / 971.164.3 ; 25 **(6)** © Pedro
Ruiz / Gamma-Eyedea / PONOPRESSE ; 29 **(1)** © Bibliothèque
et Archives Canada / R9266-3499 / Peter Winkworth Collection of Canadiana ; **(3)** © Norman Hallendy ; 31 **(2)** © Musée
canadien des civilisations / artefact nº VIII-F-30837 / image
nº S96-04668 ; **(3)** © Musée canadien des civilisations / artefact nº III-C-249 a-b / image nº D2002-013482 ; **(4)** © Robert
Harding World Imagery / CORBIS ; 33 **(1)** Domaine public ;
(2) © The London Art Archive / Alamy ; 35 **(1)** © Musée de
la civilisation / collection du Séminaire de Québec / Portrait
de Mᵍʳ François de Laval. Inconnu, d'après Claude Duflos.
Vers 1788. Pierre Soulard, photographe. Nº 1995.3480 ;
(2) © Gilbert Langlois / Collection des Hospitalières de Saint-
Joseph de l'Hôtel-Dieu de Montréal ; **(4)** © Musée Marguerite-
Bourgeoys / L'arrivée de Marguerite Bourgeoys, illustration
de Francis Back ; 37 **(1)** © Bibliothèque et Archives Canada /
C–113669 ; **(3)** © Daniel Marleau ; 39 **(3)** © North Wind Picture
Archives / Alamy ; **(4)** © The Granger Collection, New York ;
41 **(1)** © John de Visser / Monastère des Augustines, hôpital
général de Québec ; **(4)** © Archives départementales de la
Gironde, 4 Jésuites ; 43 **(1)** © Bibliothèque et Archives Canada /
C-117373 ; **(3)** © Bibliothèque et Archives Canada / C-012530 ;
45 **(2)** © Robert Derome ; **(4)** © Musée McCord d'histoire
canadienne / VIEW-7071.02 ; **(5)** © Musée McCord d'histoire
canadienne / II-10908 ; 47 **(1)** © Bibliothèque et Archives
Canada / C-000057 ; **(3)** © Musée canadien des civilisations /
66272 ; 49 **(1)** © CCDMD, Le Québec en Images / nº 16649 ;
51 **(1g)** © Bibliothèque et Archives nationales du Québec /
Centre d'archives de Montréal / 06M_MSS362_2701_1 /
Fonds Alfred Laliberté (MSS362) ; **(1d)** © Archives de la Ville de
Montréal ; **(2)** © Musée des beaux-arts du Canada / Ottawa /
photo J.E.H. MacDonald, Terre Solennelle, 1921 ; **(3)** © Université
de Montréal / Division des archives ; 53 **(1)** © Musée McCord
d'histoire canadienne / MP-0000.25.502 ; **(3g)** © Musée du
Château Dufresne ; **(3d)** © Reproduction autorisée par M.
Roger Nincheri ; 55 **(1)** © Bettmann / CORBIS ; **(3)** © Bibliothèque
et Archives Canada / nlc-2558 ; 57 **(1)** © Bibliothèque et
Archives Canada / C-067469 ; **(4)** © The Gazette / Bibliothèque
et Archives Canada / PA-107943 ; 59 **(1)** © Archives Radio-
Canada ; **(4)** © Université McGill / Collection photographique /
PR045508 ; 61 **(1)** © Ted Williams / CORBIS ; **(4)** © Albert Dumas /

Bibliothèque et Archives Canada / nlc15349 ; 63 **(2)** © RIASQ ;
(3) © Ronald Labelle ; 65 **(1)** © National Cowboy & Western
Heritage Museum / nº 1996.017.0216 ; **(2)** © Les Messageries
de Presse Benjamin Inc. ; **(3)** © ANDERSEN-GAILLARDE /
Gamma-Eyedea / PONOPRESSE ; **(4)** © Photographie André
Lecoz / Louisette Dussault dans la pièce les fées ont soif
présentée au théâtre du nouveau monde le 10 novembre
1978 ; 67 **(2)** © Angelo Barsetti ; **(3)** © David Lefranc / Gamma-
Eyedea / PONOPRESSE ; **(4)** © Michael Slobodian ; 71 **(3)** © Daniel
Marleau ; 72 © epa / CORBIS ; 75 **(1)** © The Print Collector /
HIP / TopFoto / PONOPRESSE ; **(3)** © Tibor Bognar / Alamy ;
76 **(2)** © Sherwin Crasto / Reuters / CORBIS ; 77 **(5)** © Shutter-
stock ; **(8)** © Roman Soumar / CORBIS ; 78 **(9)** © Ulf Andersen /
Gamma-Eyedea / PONOPRESSE ; **(10)** © Marco Cristofori /
CORBIS ; **(11)** © John Van Hasselt / CORBIS ; **(12g)** © Shutter-
stock ; **(12d)** © Brad Barket / Getty Images ; 79 **(13)** © Andrew
H. Williams / Alamy ; 82 **(2)** © Bibliothèque et Archives nationales
du Québec / Bernard Fougères ; 83 **(7)** © CCDMD, Le Québec
en Images / Gaétan Beaulieu / nº 1549 ; 84-85 © Tibor Bognar /
Corbis ; 87 **(3)** © CP PHOTO / Jacques Boissinot ; **(5)** © David
Simard ; 89 **(5)** © Luc Martel ; 91 **(2)** © Bibliothèque et Archives
Canada / C-5750 ; 93 **(3)** © Musée national des beaux-arts du
Québec / 80.117 Œuvre de Charles Huot, Étude pour « Le
Conseil souverain » ; 95 **(1)** © Musée de la civilisation,
bibliothèque du Séminaire de Québec / Riballier, H. Mme de
Libessac avait voulu assister au mariage de Lucien dans :
Saunière, Paul. Paris, entre 1879 et 1889 / Loc. : 429,6 ;
97 **(4)** © Bibliothèque et Archives Canada / C-000040 ;
99 **(2)** © Granger Collection ; 101 **(4)** © Bibliothèque et
Archives Canada / C-013946 ; 103 **(1)** © Musée McCord
d'histoire canadienne / M13048.1 ; 105 **(1)** Domaine public ;
(3) Domaine public ; 107 **(2)** © Archives de la Ville de
Montréal (Fonds BM1) ; 109 **(3)** © Bibliothèque et Archives
Canada / nlc009756-V6 ; 111 **(4)** © Assemblée nationale du
Québec ; 113 **(3)** Domaine public ; 115 **(2)** © Assemblée
nationale du Québec ; **(4)** © Bibliothèque et Archives Canada /
PA-012854 ; 117 **(1)** © Archives de la Ville de Montréal /
VM94Z96 ; **(3)** © Bibliothèque et Archives nationales du
Québec / SHS-P90 / P69406 / Fonds Joseph Aurore Lemay ;
119 **(2)** © Archives de la Ville de Montréal ; 121 **(3)** Domaine
public ; 123 **(4)** © Paul-Henri Talbot / La Presse ;
(5) © Archives de l'Université McGill / photo nº PR017185 ;
125 **(4)** © Bettmann / CORBIS ; 127 **(1)** © Cinémathèque
québécoise / Nanouk Films ; **(3)** © Bibliothèque et Archives
nationales du Québec / E6, S7, SS1, P710131 / Fonds Ministère
de la Culture et des Communications ; **(4)** © Bibliothèque et
Archives Canada / PA-157323 / The Gazette ; 129 **(1)** © Michel
Ponomareff / PONOPRESSE ; **(5)** © Yves Beauchamp / La
Presse ; 133 **(3)** © Bibliothèque et Archives Canada / C-73397 ;